Themen neu

Ausgabe in zwei Bänden

Lehrwerk für Deutsch als Fremdsprache

Kursbuch 2

von
Hartmut Aufderstraße
Heiko Bock
Werner Bönzli
Walter Lohfert
Jutta Müller
und Helmut Müller

D1273510

Max Hueber Verlag

Piktogramme

 Hör-Sprech-Text
auf Kassette/CD

 11 (CD1, Nr. 11)

 Hörtext auf
Kassette/CD

 2 (CD1, Nr. 2)

 Lesen

 Schreiben

 Hinweis auf die Grammatikübersicht
§ 8 im Anhang (S. 184 – 214)

Verlagsredaktion: Werner Bönzli
Layout und Herstellung: Erwin Faltermeier
Illustrationen: Joachim Schuster, Baldham; Ruth Kreuzer, London
Umschlagfoto: © Deutsche Luftbild, Hamburg

 Der Umwelt zuliebe:
gedruckt auf chlor- und säurefreiem Papier

 Dieses Werk folgt der seit dem 1. August 1998 gültigen Rechtschreib-
reform. Ausnahmen bilden Texte, bei denen künstlerische, philologische
oder lizenzrechtliche Gründe einer Änderung entgegenstehen.

4. 3. 2. | Die letzten Ziffern bezeichnen
2003 02 01 00 1999 | Zahl und Jahr des Druckes.
Alle Drucke dieser Auflage können, da unverändert,
nebeneinander benutzt werden.
2. Auflage 1998
© 1995 Max Hueber Verlag, D-85737 Ismaning
Satz: ROYAL MEDIA Publishing, Ottobrunn
Druck: Appl, Wemding
Buchbinderische Verarbeitung: Ludwig Auer GmbH, Donauwörth
Printed in Germany
ISBN 3–19–001567–8

Inhalt

Lektion 1

der Frühling

der Sommer

der Herbst

der Winter

der Wetterbericht

der Berg

die Temperatur

der Wald

der See

die Insel

der Müll

30
25
20
15
10
+ 5
0
– 5
10
15

1

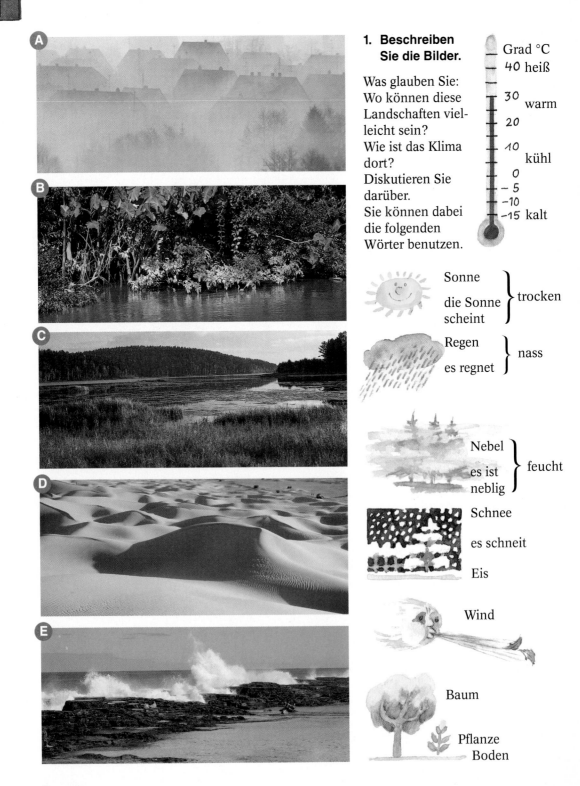

1. Beschreiben Sie die Bilder.

Was glauben Sie:
Wo können diese
Landschaften viel-
leicht sein?
Wie ist das Klima
dort?
Diskutieren Sie
darüber.
Sie können dabei
die folgenden
Wörter benutzen.

Grad °C
40 heiß
30 warm
20
10
kühl
0
– 5
–10
–15 kalt

Sonne
die Sonne
scheint } trocken

Regen
es regnet } nass

Nebel
es ist
neblig } feucht

Schnee
es schneit
Eis

Wind

Baum

Pflanze
Boden

2. Zu welchen Bildern (A, B, C, D oder E) passen die Sätze?

§ 12, 14,
§ 16

☐ In Sibirien kann es extrem kalt sein.

☐ Für Menschen ist es ziemlich ungesund, aber ideal für viele Tiere und Pflanzen.

☐ Es gibt plötzlich sehr starke Winde und gleichzeitig viel Regen.

☐ Die Temperaturunterschiede zwischen Sommer und Winter sind sehr groß.

☐ In der Wüste ist es sehr heiß und trocken.

☐ Der Golf von Biskaya ist ganz selten ruhig und freundlich.

☐ Nur im Sommer ist der Boden für wenige Wochen ohne Eis und Schnee.

☐ Besonders im Norden gibt es im Herbst sehr viel Nebel.

☐ Das Klima ist extrem: Nachts ist es kalt und am Tage heiß. In 24 Stunden kann es Temperaturunterschiede bis zu 50 Grad geben.

☐ Typisch ist der starke Regen jeden Tag gegen Mittag.

☐ In den langen Wintern zeigt das Thermometer manchmal bis zu 60 Grad minus.

☐ Großbritannien hat ein feuchtes und kühles Klima mit viel Regen und wenig Sonne.

☐ Deshalb gibt es dort wenig Leben, nur ein paar Pflanzen und Tiere.

☐ Das Meer ist hier auch für moderne Schiffe gefährlich

☐ Das Klima im Regenwald ist besonders heiß und feucht.

☐ Bäume werden bis zu 60 Meter hoch.

> Es gibt Nebel/ein Gewitter/schönes Wetter/...
> Es ist kalt/heiß/schlechtes Wetter/...
> Es schneit/regnet

3. Wie ist das Wetter?

Hören Sie die Dialoge.
Welches Wetter ist gerade in Dialog A, B, C, D und E?

Nebel ☐   Regen ☐   Gewitter ☐   kalt ☐   sehr heiß ☐

4. Wie wird das Wetter?

a) Lesen Sie den Wetterbericht.

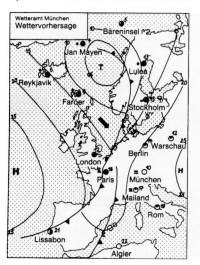

Zeichenerklärung:

○	wolkenlos
◑	fast wolkenlos
◐	wolkig
◕	fast bedeckt
●	bedeckt
•	Regen
▽	Regenschauer
≡	Nebel
✳	Schnee
⊼	Gewitter
▲	Kaltfront
H	Hochdruckgebiet
T	Tiefdruckgebiet
⇨	warme Luftströmung
➡	kalte Luftströmung

Temperaturen in Grad C.
Luftdruck in Hpa

Wetterlage: Das Tief über Großbritannien zieht allmählich nach Osten und bringt kühle Meeresluft und Regen in den Norden Deutschlands. Das Hoch über den Alpen bestimmt weiter das Wetter in Süddeutschland.

Vorhersage für Sonntag, den 10. Juni:
Norddeutschland: Morgens noch trocken, gegen Mittag wolkig und ab Nachmittag Regen. Den ganzen Tag starker Wind aus Nord-West. Tageshöchsttemperaturen zwischen 14 und 18 Grad, Tiefsttemperaturen nachts um 10 Grad.

Süddeutschland: In den frühen Morgenstunden Nebel, sonst trocken und sonnig. Tagestemperaturen zwischen 20 und 24 Grad, nachts um 12 Grad. Am späten Nachmittag und am Abend Gewitter, schwacher Wind aus Süd-West.

Familie Wertz wohnt in Norddeutschland, in Husum an der Nordsee.

Familie Bauer wohnt in Süddeutschland, in Konstanz am Bodensee.

b) Beide Familien überlegen, was sie am Wochenende machen können. Sie lesen deshalb den Wetterbericht. Was können sie machen? Was nicht? Warum?

morgens einen Ausflug mit dem Fahrrad machen	nachmittags im Garten arbeiten
morgens segeln	nachmittags baden gehen
morgens im Garten Tischtennis spielen	nachmittags eine Gartenparty machen
mittags das Auto waschen	
nachmittags im Garten mit den Kindern spielen	abends einen Spaziergang machen

5. Wetterbericht

a) Hören Sie die Wetterberichte.

b) Der erste Wetterbericht ist für Süddeutschland. Wie ist das Wetter dort?
Regen? Schnee? Wolkig? Nebel? Wind? Wie stark? Temperatur am Tag? Nachts?

c) Der zweite Wetterbericht ist ein Reisewetterbericht für verschiedene Länder.
Wie ist das Wetter in den Ländern?

	Regen	sonnig	wolkig	Gewitter	trocken	°C
Österreich						
Griechenland und Türkei						
Norwegen, Schweden, Finnland						

6. Erzählen Sie

a) Sicher haben Sie heute schon den Wetterbericht gelesen oder gehört. Erzählen Sie, wie das Wetter morgen wird.

b) Wie gefällt Ihnen das Klima in Ihrem Wohnort? Macht Sie das Klima / Wetter manchmal krank? Was tun Sie dann? Welches Klima / Wetter mögen Sie am liebsten? Warum?

7. Ergänzen Sie das Bildwörterbuch.

1 das_____
2 der_____
3 der *Park*_____
4 das_____
5 die_____
6 der *Rasen*_____

7 der_____
8 der_____
9 das_____
10 der_____
11 der_____
12 die_____

13 der_____
14 das_____
15 der_____
16 das_____

Deutsche Zentrale für Fremdenverkehr

Kennen Sie Deutschland?

Preisrätsel

Wenn Sie an Deutschland denken, denken Sie dann auch zuerst an Industrie, Handel und Wirtschaft? Ja? Dann kennen Sie unser Land noch nicht richtig.

Deutschland hat sehr verschiedene Landschaften: Flaches Land im Norden mit herrlichen Stränden an Nordsee und Ostsee, Mittelgebirge mit viel Wald im Westen, im Südosten und im Süden, und hohe Berge in den Alpen. Auch das überrascht Sie vielleicht: rund dreißig Prozent der Bodenfläche in Deutschland sind Wald.

Obwohl unser Land nicht sehr groß ist – von Norden nach Süden sind es nur 850 km und von Westen nach Osten nur 600 km – ist das Klima nicht überall gleich. Der Winter ist im Norden wärmer als im Süden oder Osten, deshalb gibt es dort im Winter auch weniger Schnee.

Anders ist es im Sommer: Da ist das Wetter im Süden und Osten häufig besser als im Norden; es regnet weniger und die Sonne scheint öfter. Wenn Sie mehr über die Landschaften in Deutschland wissen wollen, machen Sie mit bei unserem Quiz. Sie können Reisen nach Deutschland gewinnen, um unser Land persönlich kennen zu lernen.

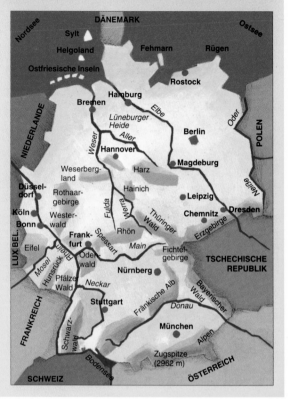

8. Aus welcher Region Ihres Landes kommen Sie?

Wie ist die Landschaft dort?
Wie ist das Klima dort? (im Frühling, Sommer, Herbst, Winter)

Wie sind die Menschen dort?
Was ist dort besonders interessant?

9. Wie würden Sie einem Deutschen Ihr Land beschreiben? Erzählen Sie oder schreiben Sie einen kleinen Text.

§ 14

Ich komme aus…
Das liegt in…
Die Nachbarländer sind…
Im Norden / Süden / Westen / Osten liegt…
Die größten Flüsse / höchsten Berge / … sind…
Die schönste Landschaft ist…
Wir haben viele / wenige Wälder / Gebirge / Seen / Flüsse / …
Das Klima ist im Winter / Sommer…
…

Beantworten Sie die Fragen. Schicken Sie die Antworten bis zum 31. März 1996 an: **Deutsche Zentrale für Fremdenverkehr Postfach 600 D-60549 Frankfurt/Main**

1. *Wie heißen die sieben Inseln, die in der Nordsee liegen?* _____

2. *Wie heißt der Wald, der zwischen Main und Neckar liegt?* _____

3. *Wie heißen die Gebirge, die zur Tschechischen Republik und zu Deutschland gehören?* _____

4. *Wie heißt die Landschaft, die im Süden von Hamburg zwischen Elbe und Aller liegt?* _____

5. *Wie heißt der See, durch den der Rhein fließt?* _____

6. *Wie heißt das Mittelgebirge, durch das die Weser fließt?* _____

7. *Wie heißt der Wald, aus dem die Donau und der Neckar kommen?* _____

1. Preis: 14-Tage-Rundreise durch Deutschland für zwei Personen
2. Preis: 7-Tage-Reise für zwei Personen auf die Insel Rügen
3. Preis: 3-Tage-Reise für zwei Personen nach Berlin
4. Preis: Wochenendreise für eine Person nach München
5.–10. Preis: 12 Flaschen deutscher Wein
11.–30. Preis: 1 Schallplatte mit deutschen Volksliedern
31.–50. Preis: 1 Landkarte von Deutschland

10. Schauen Sie die Deutschlandkarte genau an. Machen Sie selbst ein Quiz.

§ 42

Wie heißt	der Wald / Fluss / Berg, das Mittelgebirge, die Landschaft, die Stadt / Insel, das Meer, das Land,	der die das	in den Alpen liegt und 2962 m hoch ist? aus Frankreich / aus … kommt? in den / in … fließt? in der … see liegt? durch den / durch … …
durch in	den die das	der Main / der Rhein / … fließt?
aus	dem der	die Mosel / die Donau / … kommt?

11. Machen Sie das Quiz auch mit Landschaften/Gebirgen/… in Ihrem Land.

4 Müll macht Spaß

Müll macht Probleme

4

Problem Nr. 1: Die Menge

Wir werfen in Deutschland pro Jahr 30 Millionen Tonnen Abfälle auf den Müll. Wenn man damit einen Güterzug füllen würde, hätte er eine Länge von 12 500 km — das wäre eine Strecke von hier bis Zentralafrika. Wir ersticken im Müll: Die Mülldeponien sind voll; die Müllverbrennungsanlagen arbeiten 24 Stunden pro Tag. Dabei gibt es hundert Beispiele, wo wir völlig sinnlos Müll produzieren. Müssen wir denn Bier und Limonade aus Dosen trinken? Brauchen wir bei jedem Einkauf neue Plastiktüten? Gibt es Brot, Käse, Wurst und Fleisch nicht ohne Verpackung zu kaufen?

Machen Sie mit: Kaufen Sie bewusst ein!

Problem Nr. 2: Die Verschwendung

Ein großer Teil der Dinge, die später auf den Müll kommen, wurde industriell produziert. Das kostet Arbeitskraft, Energie und Rohstoffe. Dabei gibt es zum Beispiel für Glas, Papier und Blechdosen eine viel bessere Lösung, nämlich das Recycling. Aus diesem „Müll" können wieder neue Produkte aus Glas, Papier und Blech hergestellt werden, wenn man sie getrennt sammelt. Auch Küchenabfälle (fast 50 % des Mülls!) sind eigentlich viel zu schade für die Deponie. Durch Kompostierung kann man daraus gute Pflanzenerde machen.

Machen Sie mit: Sortieren Sie Ihren Müll!

Problem Nr. 3: Die Gefahr

Auch das ist im Müll, den wir täglich produzieren: Batterien, Plastik, Kunststoff, Dosen mit Lack und Farben, Medikamente, Pflanzengift, Putzmittel ... Eine gefährliche Mischung, denn die chemischen Reaktionen dieses Müllcocktails kann man nicht kontrollieren. Die Müllverbrennungsanlagen, die etwa ein Drittel des Mülls verbrennen, haben natürlich Filter. Aber diese Filter können nur solche Gifte und gefährlichen Stoffe zurückhalten, die bekannt sind. Experten glauben, dass 40 bis 60 Prozent der Giftstoffe, die bei der Verbrennung entstehen, mit den Rauchgasen in die Luft kommen. Ähnlich ist es bei den Mülldeponien. Auch hier gibt es unkontrollierbare chemische Reaktionen. Die Giftstoffe können in den Boden und in das Grundwasser kommen.

Machen Sie mit: Bringen Sie gefährlichen Müll zu einer Sammelstelle für Problemmüll!

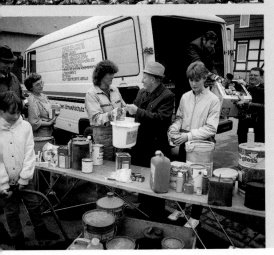

12. Suchen Sie die Informationen im Text.

a) Wie viel Müll produzieren die Deutschen jedes Jahr?
b) Wie viel Müll wird in den Müllverbrennungsanlagen verbrannt?
c) Es gibt zu viel Müll. Warum baut man nicht einfach noch mehr Müllverbrennungsanlagen? Wo ist das Problem?
d) Was versteht man unter „Recycling"?

13. Weniger Müll produzieren – wie kann man das machen? – Was passt zusammen?

Wenn man einkaufen geht, …   …aus Holz kaufen.
Getränke…   …immer eine Einkaufstasche mitnehmen.
Brot nicht im Supermarkt, …   …kein Plastikgeschirr benutzen.
Obst und Gemüse nicht in Dosen, …   …nicht in Tüten kaufen.
Wenn man eine Party feiert, …   …nur in Pfandflaschen kaufen.
Wenn man Schnupfen hat, …   …ohne Plastikverpackung kaufen.
Spielzeug…   …sondern beim Bäcker kaufen.
Wurst, Fleisch und Käse…   …sondern frisch kaufen.
Milch und Saft…   …Taschentücher aus Stoff benutzen.
…   …

Finden Sie noch andere Beispiele.

Umweltschutz: Eine Stadt macht Ernst

Aschaffenburg tut etwas gegen den Müllberg

Seit Jahren schon gibt es in jeder Stadt und in jeder Gemeinde öffentliche Sammelcontainer für Altpapier, Altglas und Altkleider. Trotzdem kommt dieser Abfall in den meisten Haushalten immer noch in die normale Mülltonne, denn das ist viel bequemer, als den Müll zu sortieren.
Die Stadt Aschaffenburg macht endlich Ernst mit der Müllreduzierung und hat ein neues Konzept entwickelt. Die Bürger von Aschaffenburg müssen jetzt Glas und

Dosen in öffentliche Container bringen. Gift- und Schadstoffe müssen zu einer Sammelstelle für Sondermüll gebracht werden.
Altpapier, Küchen- und Gartenabfälle und Kunststoffe werden zu Hause gesammelt. Dafür gibt es in jedem Haushalt:
– eine Mülltonne für biologische Abfälle (Biotonne);
– eine Altpapiertonne;
– einen Sack für Kunststoffe.
Nur der Müll, der dann noch übrig bleibt, kommt in die „normale" Mülltonne.

Der Erfolg: Es gibt 64% weniger Restmüll als vorher!

a) Lesen Sie den Text über das neue Müllkonzept in Aschaffenburg.
b) Sehen Sie sich die Zeichnung auf S. 17 an. In welchen Behältern (Tonne, Container, Sack) muss der Müll in Aschaffenburg gesammelt werden?

Ich bin eine Öko-Bio-Hexe!

KOMPOST

14. Denken Sie schon beim Einkaufen an den Müll?

Interview vor einem Supermarkt in Aschaffenburg.

a) In welcher Reihenfolge werden die Personen interviewt?

  3-8

1
Müll-
trennung?
Dazu kann
ich gar
nichts
sagen.

2
Ich bin eine
alte Frau
und mache
nicht mehr
viel Müll.

3
Milch
kaufe ich
in Tüten,
weil mir die
Flaschen
zu schwer
sind.

4
Das Thema
Müll geht
mir lang-
sam auf die
Nerven.

5
Meine
Kinder essen
gerne Joghurt.
Da gibt es
immer viele
Plastikbecher.

6
Wenn ich
Wurst und
Käse
einkaufe,
nehme ich
meine
eigenen
Plastik-
dosen mit.

b) Welche Sätze passen außerdem zu den Personen?   Person

A Warum verbietet man die Getränkedosen denn nicht?   ☐
B Unsere Kinder würden nie Limonade aus der Dose trinken.   ☐
C Die Dosen bringe ich zum Container vor meinem Haus.   ☐
D Die Küchenabfälle werfe ich auf den Kompost in meinem Garten.   ☐
E In meiner kleinen Küche stehen jetzt drei Mülleimer!   ☐
F Ich habe nur eingekauft, was mir meine Frau gesagt hat.   ☐

Glückliche Tage

Ich will nicht klagen.
Die Nacht war ruhig und friedlich,
vom Lastwagenverkehr abgesehen.
Ich habe sogar ein paar Stunden geschlafen.
Und mein Frühstück war wie immer ordentlich.
Gewiss, der Tee schmeckte ein wenig nach Chlor.
Aber das ist ja nicht schädlich.
Auch schmeckte das Ei ein wenig nach Fischmehl.
Doch daran habe ich mich längst gewöhnt.
Und auch der Presslufthammer draußen vor der Tür
machte immer wieder eine angenehme Pause.

Ich will also nicht klagen.

Und dann habe ich einen Spaziergang gemacht
unten am Fluss.
Gewiss, an manchen Stellen roch es nicht so gut,
wegen der vielen toten Fische,
und die Sonne kam auch nicht so recht durch,
weil ein dichter Smog über der Stadt lag,
aber der kleine Spaziergang hat mir sehr gut getan.

Nein, ich will wirklich nicht klagen.

Gewiss, ich bin wohl nicht mehr ganz gesund,
leide öfter unter Kopfschmerzen,
zuweilen auch an Übelkeit,
was mit der einen oder anderen Allergie zusammenhängt,
aber insgesamt geht es mir sehr gut –

ja, ich möchte sogar sagen:
Insgesamt bin ich glücklich.

In Anlehnung an Samuel Becketts „Glückliche Tage"

Lektion 2

Hotelzimmer reservieren

den Hund impfen

Geld wechseln

die Koffer packen

den Pass zeigen

1

1. Interview am Frankfurter Flughafen

Der Reporter fragt Fluggäste: Was haben Sie auf einer Reise immer dabei? Was würden Sie nie vergessen?

a) Hören Sie die Interviews.
b) Ergänzen Sie die Tabelle.

	Beruf?	kommt woher?	fliegt wohin?	nimmt was mit?
Schweizerin				
Brite				
Italiener				
Deutsche				
Deutscher				

Kaffee   Gitarre   Teddybär   Schirm   Kohletabletten

2. Was würden Sie unbedingt mitnehmen, wenn Sie eine Reise ins Ausland machen?

Urlaub mit Dynamos –Versicherungen

Haben Sie nichts vergessen?
Ihre Checkliste für den Urlaub

Versicherungen / Ämter / Ärzte

- ❏ Gepäckversicherung abschließen
- ❏ Reisekrankenversicherung abschließen
- ❏ Internationalen Krankenschein besorgen
- ❏ Pass / Ausweis verlängern lassen
- ❏ Visum beantragen
- ❏ Katze / Hund untersuchen / impfen lassen

Bahn / Flugzeug / Schiff

- ❏ Reiseprospekte besorgen
- ❏ Fahrpläne / Fahrkarten / Flugkarten besorgen
- ❏ Plätze reservieren lassen
- ❏ Hotelzimmer bestellen

Auto

- ❏ grüne Versicherungskarte besorgen
- ❏ Motor / Öl / Bremsen / Batterie prüfen lassen
- ❏ Auto waschen lassen
- ❏ Benzin tanken

Haus / Wohnung

- ❏ Nachbarn Schlüssel geben
- ❏ Fenster zumachen
- ❏ Licht / Gas / Heizung ausmachen

Verschiedenes

- ❏ Geld wechseln
- ❏ Reiseschecks besorgen
- ❏ Kleider / Anzüge reinigen lassen
- ❏ Wäsche waschen
- ❏ Apotheke: Medikamente, Pflaster besorgen
- ❏ Drogerie: Seife, Zahnbürste, Zahnpasta, ... kaufen
- ❏ Koffer packen: Wäsche, Kleider, Anzüge, Hosen, Pullover, Hemden, Handtücher, Bettücher, ...
- ❏ Fluggepäck wiegen

3. Reiseplanung

a) Lesen Sie die Checkliste für den Urlaub.

b) Was muss man mitnehmen, wenn man in Deutschland Winterurlaub in den Alpen macht oder Campingurlaub an der Ostsee, oder wenn man zur Industriemesse nach Hannover fährt? Was muss man vor der Reise besorgen, erledigen, machen lassen?
   Machen Sie drei Listen.

Winterurlaub

Alpen, Ferienhaus
2 Wochen, Zug
2 Erwachsene, 4 Kinder

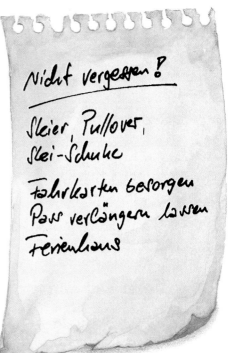

Nicht vergessen?

Skier, Pullover,
Ski-Schuhe

Fahrkarten besorgen
Pass verlängern lassen
Ferienhaus

Geschäftsreise

zur Messe in Hannover,
Hotel 4 Tage, Flug,
im Frühjahr

Campingurlaub

an der Ostsee, 3 Wochen,
mit dem Auto, Hund,
zwei Kinder (2 und
10 Jahre), 2 Erwachsene,
im Sommer

4. Wer macht was?

Wir müssen das Visum beantragen.
Soll ich das machen?

Nein, lass mich das Visum
beantragen. Du kannst den Hund
impfen lassen.

☞
Kursbuch 1
§ 67

a) Üben Sie den Dialog.
Visum beantragen / Hund impfen lassen / Hotelzimmer bestellen
Pässe verlängern / Krankenschein besorgen / Bremsen prüfen
Geld wechseln / Auto waschen / Reiseschecks besorgen
Plätze reservieren / Fahrkarten kaufen / Anzüge reinigen lassen

Lass mich das Visum beantragen.
Du lässt   den Hund impfen.

b) Üben Sie weitere Dialoge mit den Listen, die Sie für Übung 3 gemacht haben.

5. Wenn jemand eine Reise macht, dann kann er viel erzählen.

Wisst ihr, was mir vorige Woche passiert ist? Ich wollte am Wochenende Ski fahren und bin deshalb nach Österreich gefahren. Denn dort war ziemlich viel Schnee. Ich war kurz vor der Grenze, da habe ich gemerkt, dass ich weder meinen Pass noch meinen Ausweis dabei hatte. Normalerweise wird man ja nie kontrolliert, aber ich hatte Pech. Ich sollte meinen Ausweis zeigen. Weil ich keinen hatte, durfte ich nicht über die Grenze. Also bin ich wieder zurückgefahren und habe meinen Ausweis geholt. Nach zwei Stunden war ich wieder an der Grenze. Aber jetzt wollte niemand meinen Ausweis sehen...

a) Lesen Sie zuerst die Stichworte unten, hören Sie dann den Text auf der Kassette. Was ist Herrn Weiler passiert? Erzählen Sie.

Kursbuch 1
§ 58 b, c

> Urlaub → Ostsee/Travemünde → Zimmer reserviert → kein Zimmer frei →
> sich beschwert → kein Zweck → Zimmer in Travemünde gesucht →
> Hotels voll/Zimmer zu teuer → nach Ivendorf gefahren → Zimmer gefunden

Verwenden Sie die Wörter

> denn   trotzdem   aber   deshalb   dann   schließlich   entweder...oder   also   da

b) Was ist hier passiert? Erzählen Sie.

6. Spiel: Die Reise in die Wüste

(Gruppen mit 3 Personen)

Sie planen eine Reise in die Sahara (auf eine Insel im Pazifischen Ozean, in die Antarktis).
Ihre Reisegruppe soll drei Wochen lang in der Sahara (auf der Insel, in der Antarktis) bleiben. Es gibt dort keine anderen Menschen! Unten ist eine Liste mit 30 Dingen, von denen Sie nur fünf mitnehmen dürfen.

Diskutieren Sie in der Gruppe, welche Dinge Sie mitnehmen. Sie müssen sich einigen, welche Dinge am wichtigsten sind.

Vergessen Sie nicht: Sie müssen trinken, gesund bleiben, den richtigen Weg finden; vielleicht haben Sie einen Unfall und müssen gerettet werden.
Überzeugen Sie Ihre Mitspieler, welche Dinge Sie am wichtigsten finden. Nennen Sie Gründe.

1. 50 m Aluminiumfolie
2. Benzin
3. Betttücher
4. Bleistift
5. Briefmarken
6. Brille
7. Camping-Gasofen
8. Familienfotos
9. zehn Filme
10. Flasche Schnaps (54 %)
11. Fotoapparat
12. Kochtopf
13. Kompass
14. Messer
15. 100 Blatt Papier
16. Pflaster
17. Plastiktaschen
18. Reiseschecks
19. Salz und Pfeffer
20. Schirm
21. Seife
22. Seil
23. Spiegel
24. Streichhölzer
25. Taschenlampe
26. Telefonbuch
27. Uhr
28. 200 Liter Wasser
29. Wolldecke
30. Zahnbürste

Ich	würde...mitnehmen.	...ist	wichtig.	Das finde ich	unwichtig.
	schlage vor,	dass wir...	notwendig.		nicht notwendig.
	meine				

§ 45

...braucht man zum	Kochen.	Ich bin dafür.	Ich bin dagegen.
	Waschen.	Einverstanden.	Das ist doch Unsinn.
	Schlafen.	Meinetwegen.	Nein, aber...
	Trinken.	Das ist mir egal.	Es ist besser, wenn...
	Feuer machen.		
	...		

Wenn man in / auf...ist, braucht man	unbedingt	...	Das	finde	ich auch.
	ganz bestimmt			glaube	
	...			meine	

3

Journal **Beruf**
Journal **Beruf**
Journal **Beruf**
Journal **Beruf**
Journal **Beruf**
Journal **Beruf**
Journal **Beruf**
Journal **Beruf**
Journal **Beruf**

heute: Arbeiten im Ausland

Vor allem jüngere Leute haben uns in den letzten Wochen geschrieben, dass sie gerne mal ein paar Monate im Ausland arbeiten möchten. Es sind zwar immer noch wenige, aber jedes Jahr interessieren sich mehr Menschen für einen Job im Ausland. In den Briefen werden immer wieder dieselben Fragen gestellt:

– *Braucht man eine Arbeitserlaubnis?*
– *Wer bekommt eine Arbeitserlaubnis?*
– *Welche Berufe sind gefragt?*
– *Wie kann man eine Stelle finden?*
– *Wie viel verdient man im Ausland?*
– *Braucht man gute Sprachkenntnisse?*
– *Muss man vorher einen Sprachkurs machen?*
– *Wie lange darf man bleiben?*
– *Wie findet man eine Wohnung?*
– *Darf die Familie / der Freund / die Freundin mitkommen?*
– *Wo bekommt man Informationen?*

Wir haben die wichtigsten Informationen für Sie zusammengetragen:

Arbeitserlaubnis

Ohne Visum können Deutsche in die meisten Länder der Welt reisen, aber ohne Arbeitserlaubnis darf man in den wenigsten auch arbeiten.

EU-Länder

Wenn man eine Arbeitsstelle und eine Wohnung hat, bekommt man in allen EU-Staaten eine Arbeitserlaubnis. Das gilt natürlich auch für Bürger anderer EU-Staaten, die in Deutschland wohnen und hier eine Arbeitsstelle haben.

USA

Viel schwieriger ist die Situation in den USA. Dort bekommt man nur dann eine Arbeitserlaubnis, wenn man

§ 41

7. Was fragen die jungen Leute, die im Ausland arbeiten möchten? Was möchten sie wissen?

Sie fragen,
ob man eine Arbeitserlaubnis braucht.

Sie möchten wissen,
wer eine Arbeitserlaubnis bekommt.

Sie	fragen, möchten wissen,	ob wie wie viel wo	man…

D 13

8. Was fragt die Freundin?

Doris Kramer hat gerade ihre Prüfung als Versicherungkauffrau bestanden. Sie möchte jetzt gerne ein Jahr bei einer englischen oder amerikanischen Versicherung arbeiten.
Sie spricht mit ihrer Freundin über diesen Plan.

Was fragt die Freundin?
Was möchte sie wissen?

Reportage

Mal im Ausland arbeiten – eine tolle Erfahrung!

Viele möchten gern mal im Ausland arbeiten, doch nur wenige haben auch den Mut es zu tun. Schließlich muss man seine Stelle und seine Wohnung kündigen und verliert Freunde aus den Augen. Wir haben uns mit drei Frauen unterhalten, die vor dem Abenteuer Ausland keine Angst hatten.

Die Gründe, warum man mal im Ausland arbeiten möchte, sind verschieden: Manche tun es, weil sie sich im Urlaub in eine Stadt oder ein Land verliebt haben, manche um eine Fremdsprache zu lernen, andere um im Beruf Karriere zu machen oder um einfach mal ein Abenteuer zu erleben.

Das war auch das Motiv von Frauke Künzel, 24. „Ich fand mein Leben in Deutschland langweilig und wollte einfach raus", erzählt sie. Sie fuhr mit tausend Mark in ihrer Tasche nach Südfrankreich. Zuerst wohnte sie in der Jugendherberge und wusste nicht, wie sie einen Job finden sollte. Doch sie hatte Glück. Sie lernte einen Bistrobesitzer kennen und fragte ihn, ob er einen Job für sie hätte.

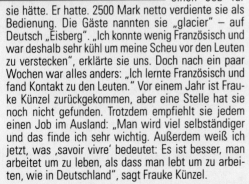

Er hatte. 2500 Mark netto verdiente sie als Bedienung. Die Gäste nannten sie „glacier" – auf Deutsch „Eisberg". „Ich konnte wenig Französisch und war deshalb sehr kühl um meine Scheu vor den Leuten zu verstecken", erklärte sie uns. Doch nach ein paar Wochen war alles anders: „Ich lernte Französisch und fand Kontakt zu den Leuten." Vor einem Jahr ist Frauke Künzel zurückgekommen, aber eine Stelle hat sie noch nicht gefunden. Trotzdem empfiehlt sie jedem einen Job im Ausland: „Man wird viel selbständiger und das finde ich sehr wichtig. Außerdem weiß ich jetzt, was ‚savoir vivre' bedeutet: Es ist besser, man arbeitet um zu leben, als dass man lebt um zu arbeiten, wie in Deutschland", sagt Frauke Künzel.

Ulrike Schuback, 26, wollte eigentlich nach Italien um dort Theaterwissenschaft zu studieren. Doch nach einem Jahr hatte sie keine Lust mehr. Weil sie sich für Mode interessierte, suchte sie sich einen Job in einer Boutique. Zuerst war sie nur Verkäuferin, heute ist sie Geschäftsführerin. „Eine interessante und gut bezahlte Stelle, die mir viel Freiheit lässt. Trotzdem haben es Frauen in Deutschland viel leichter, sowohl im Beruf als auch im Privatleben. In Italien bestimmen die Männer fast alles", sagt Ulrike Schuback. Aber sie liebt Italien noch immer: „Italiener sind viel herzlicher als Deutsche. Auch hier gibt es Regeln und Gesetze, aber die nimmt man nicht so ernst. Das macht das Leben viel leichter."

Für Simone Dahms, 28, ist London eine zweite Heimat geworden. Nach dem Studium wollte sie Buchhändlerin werden, aber es gab keine Stelle für sie. „Man sagte mir, dass ich für den Beruf zu alt und überqualifiziert bin", erzählt Simone Dahms. Schließlich fuhr sie nach London um dort ihr Glück zu versuchen. Mit Erfolg. In einer kleinen Buchhandlung wurde sie genommen, als Angestellte, nicht als Lehrling. Heute ist sie Abteilungsleiterin. „Meine Freunde in Deutschland reagierten typisch deutsch: ‚Wie hast du das geschafft, du hast den Beruf doch nicht gelernt?', fragten sie mich", erzählt Simone Dahms. „In England ist eben das Können wichtiger als Zeugnisse", war ihre Antwort.

Schwierigkeiten hat sie noch mit der etwas kühlen Art der Engländer. Die Leute, mit denen sie oft zusammen ist, sind zwar sehr nett und freundlich, „aber so richtige offene und herzliche Freundschaften findet man kaum", meint Simone Dahms.

§ 44

9. Was haben die Frauen gemacht?

a) Frauke Künzel   b) Ulrike Schuback   c) Simone Dahms

Sie reiste nach England	um	sich eine Stelle als Buchhändlerin	zu	machen.
Sie fuhr nach Italien		dort Theaterwissenschaft		verdienen.
Sie ging nach Frankreich		selbständiger		studieren.
		sich eine Lehrstelle		arbeiten.
		in einer Modeboutique		suchen.
		Abteilungsleiterin		werden.
		Französisch		lernen.
		viel Geld		
		ihr Leben interessanter		

Sie arbeitete als Kellnerin,	weil sie	unbedingt Geld		interessierte.
Sie arbeitete in einer Boutique,		sich für Mode		brauchte.
Sie arbeitete als Buchhändlerin,		Kontakt zu Leuten		suchte.
		in London Englisch lernen		wollte.
		nicht mehr studieren		
		in ihrem Wunschberuf arbeiten		

10. Was für Probleme hätte ein Deutscher, wenn er in Ihrem Land arbeiten möchte? Was muss er vorher wissen? Was muss er tun? Welche Fehler darf er nicht machen?

11. Was sagen die drei Frauen über Deutsche? Wer sagt das?

Deutsche	nehmen alles zu ernst.	glauben zu sehr an das, was auf dem Papier steht.
	sind ziemlich kühl.	sind nicht herzlich genug.
	sind bürokratisch.	sind immer unfreundlich.
		finden Arbeit wichtiger als ein schönes Leben.

12. Wie beliebt sind die deutschen Touristen im Ausland?

Eins Plus Freitag, 10. Mai

18.00 Uhr plus 3 Reisemagazin
Urlaubstipps, Informationen, Reportagen

Thema heute: Wie beliebt sind deutsche Touristen im Ausland?

Niemand kritisiert die deutschen Touristen mehr als sie selbst: Sie sind zu laut, zu durstig, zu nackt, zu geizig, liest man in den Zeitungen. Deshalb möchten viele Deutsche im Ausland am liebsten nicht als Deutsche erkannt werden. Sie haben Angst, dass die Ausländer schlecht über sie denken. Doch das Bild der deutschen Touristen im Ausland ist freundlicher, als wir selber glauben.

Hören Sie die Interviews. Was denken die Leute über deutsche Touristen?

a) Giuseppina Polverini, 62, Besitzerin einer kleinen Pension in Rom: „Die Deutschen sind …"

b) Louis Sardozzi, 27, Sonnenschirmvermieter in Cannes: „…"

c) Ian Phillips, 47, Londoner Taxifahrer: „…"

d) Pepe Rodriguez, 58, Busfahrer in Palma: „…"

] **14**

Berufsleben gut, Familienleben schlecht

Korrekt, zuverlässig und umweltbewusst sind sie, aber auch zu kühl. Das sagen drei Ausländerinnen über die Deutschen. Die jungen Frauen kommen aus den USA, aus China und aus Griechenland. Sie leben hier, weil sie bei uns studieren oder weil ihr Mann oder ihre Eltern hier arbeiten.

Gute Chancen im Beruf

Stephanie Tanner, 25, ledig, kommt aus den USA. Sie ist Schiffbauingenieurin und macht hier ein Berufspraktikum.

Obwohl sie große Ähnlichkeiten zwischen der deutschen und amerikanischen Arbeitswelt sieht, ist sie doch erstaunt, wie groß hier die soziale Sicherheit besonders für Mütter mit Kleinkindern ist. „Bei uns gibt es kein Erziehungsgeld, keine Reservierung von Arbeitsplätzen für Mütter mit Kleinkindern. Eine Mutter kann höchstens drei Monate zu Hause bleiben, dann muss sie zurück in den Job. Zwar wollen die meisten amerikanischen Männer immer noch, dass ihre Frau zu Hause bleibt, aber das ist vorbei. Es ist wie hier, auch bei uns brauchen viele Familien ein zweites Einkommen und die Frauen wollen nicht mehr nur auf die Kinder aufpassen." Gut findet sie auch, dass die deutschen Frauen meistens den gleichen Lohn wie die Männer bekommen und dass sie im Beruf leichter Karriere machen können als in den USA. „Der deutsche Mann ist als Kollege etwas toleranter als der Amerikaner. Toll sind auch die langen Urlaubszeiten. Wir haben nur zwei freie Wochen pro Jahr und das ist für eine Familie einfach zu wenig." Noch etwas gefällt ihr in Deutschland: die freundlichen und sauberen Städte. „Hier kann man selbst in den Großstädten Rad fahren. Bei uns sind die Straßen immer noch nur für die Autos da. Toll finde ich auch das Umweltbewusstsein der Deutschen. Wie sehr wir in den USA die Natur kaputtmachen, ist mir erst in Deutschland aufgefallen. Hier wird man sogar komisch angeguckt, wenn man Papier auf die Straße wirft."

Für alles gibt es einen Plan

Alexandra Tokmakido, 26, ledig, kommt aus Griechenland. Sie studiert Musik.

„Pünktlich, korrekt und logisch sind die Deutschen. Für alles gibt es einen Plan: einen Haushaltsplan, einen Fahrplan, einen Urlaubsplan, einen Essensplan, einen Ausbildungsplan. Genau das stört mich. Hier ist kein Platz für Gefühle. Die Leute sind kühl, man interessiert sich wenig für die Sorgen anderer Menschen", sagt Alexandra. Aber einige Dinge findet sie auch positiv: „Zum Beispiel, dass Jugendliche schon mit 16 von zu Hause ausziehen dürfen. So werden sie früher selbständig als die Griechen." Sie meint, dass Frauen in Deutschland ein besseres Leben haben: „Wenn bei uns Frauen heiraten, sind sie nur noch für die Familie da, die eigenen Interessen sind unwichtig. Deutsche Frauen sind glücklicher; ihre Männer helfen bei der Hausarbeit und bei der Kindererziehung."

▶

So sehen uns Ausländerinnen

Die Frauen sind zu emanzipiert

Rui Hu, 25, ledig,

kommt aus Tianjing in China. Sie studiert bei uns Germanistik.

„Die Deutschen sind viel spontaner als die Chinesen", sagt Rui Hu, „ich habe mich immer noch nicht daran gewöhnt, dass man hier auch außerhalb der Familie seine Gefühle so offen und deutlich zeigt. Das Leben in Deutschland ist hektisch, alles muss schnell gehen, sogar für das

Essen haben die Deutschen wenig Zeit. Jeder denkt zuerst an sich. Das gilt besonders für deutsche Frauen. Ich finde, sie sind zu emanzipiert." Rui Hu versteht nicht, dass sich deutsche Frauen über zu viel Arbeit beschweren: „Auch die Chinesin ist meistens berufstätig, ihre Küche ist nicht automatisiert, und ihr Mann hilft kaum im Haushalt. Aber die chinesischen Frauen klagen nie."

13. Wer ist gemeint?

Das Pronomen „sie" hat in den Sätzen verschiedene Bedeutungen. Wer ist gemeint: die Deutschen, die deutschen Frauen, die deutschen Männer, die Griechen, die Griechinnen, die griechischen Männer, die Amerikaner, die Amerikanerinnen, die amerikanischen Männer, die Chinesen, die Chinesinnen, die chinesischen Männer? Zu welchen Frauen passen die Sätze?

a) Ihr Leben ist ruhiger, weil sie alles langsamer machen. „sie" = _____

b) Sie kümmern sich mehr um andere Leute und möchten wissen, wie es ihnen geht. „sie" = _____

c) Sie finden es langweilig nur Hausarbeit zu machen. „sie" = _____

d) Sie finden es normal, dass nur die Frauen die Hausarbeit machen. „sie" = _____

e) Weil das Leben teuer ist, müssen auch sie arbeiten. „sie" = _____

f) Sie haben es leichter attraktive Stellen zu bekommen. „sie" = _____

g) Sie sind egoistisch. „sie" = _____

h) Ihre Arbeitsstellen bleiben für zwei Jahre frei, wenn sie nicht arbeiten können und die Kinder erziehen. „sie" = _____

i) Sie zeigen, was sie denken und fühlen. „sie" = _____

j) Sie möchten eigentlich, dass die Frauen nicht berufstätig sind. „sie" = _____

k) Der Verstand ist für sie wichtiger als das Herz. „sie" = _____

l) Sie verdienen meistens mehr als die Frauen. „sie" = _____

m) Sie geben ihren Kindern mehr Freiheiten. „sie" = _____

n) Sie zeigen nicht genau, was sie wirklich denken und fühlen. „sie" = _____

14. Wie finden Sie Ihre eigenen Landsleute? Was gefällt Ihnen? Was gefällt Ihnen nicht?

Der Kurzkommentar

Immer mehr Deutsche wollen auswandern

Immer mehr Ausländer wollen nach Deutschland einwandern oder beantragen hier politisches Asyl. Die meisten Deutschen sind deshalb für eine Änderung des Ausländer- und Asylgesetzes. Sie glauben, dass es für sie in Zukunft sonst nicht genug Arbeitsstellen und Wohnungen geben wird. Einige möchten sogar die schon länger bei uns lebenden Ausländer wieder nach Hause schicken. Wissen diese Leute nicht, dass auch viele Deutsche gern ein paar Jahre im Ausland leben oder sogar auswandern möchten? Etwa 150 000 haben im letzten Jahr Deutschland verlassen um im Ausland ein neues Leben zu beginnen. Die Zahlen steigen sogar. Diese Deutschen hoffen genauso auf Gastfreundschaft in ihren neuen Heimatländern wie die Ausländer, die nach Deutschland einreisen möchten oder schon bei uns leben. Das sollten wir bei der Diskussion um ein neues Ausländer- und Asylgesetz nicht vergessen.

Ausländer unter uns
Ende 1992
insgesamt 6 495 792

davon in 1000

Türken 1 855
Jugoslawen* 916
Italiener 558
Griechen 346
Polen 286
Österreicher 185
Rumänen 167
Spanier 134
Niederländer 114
US-Amerikaner 104
Briten 103
Portugiesen 99
Iraner 99
Franzosen 91
Kroaten 86
Marokkaner 83
Tschechen/Slowaken 80
Ungarn 64
ehem. Sowjetbürger* 61
Bulgaren 61
Libanesen 59
Srilanker 53
Afghanen 44
Inder 42
36

Quelle: Statistisches Bundesamt   *noch mit altem Paß = alter Staatsangehörigkeit   © Globus 1094

---

15. Familie Neudel will auswandern.

Hören Sie das Gespräch. Warum möchte Familie Neudel auswandern? Was ist richtig?

Familie Neudel möchte auswandern…

a) … um freier zu leben.

b) …, damit Herr Neudel weniger Steuern zahlen muss und mehr verdient.

c) … um in Paraguay Bauern zu werden.

d) … um Land zu kaufen und ein Haus zu bauen.

e) …, damit Frau Neudel eine Stelle bekommt.

 15

16. Familie Kumar ist eingewandert.

Hören Sie das Gespräch mit der Familie Kumar. Sie lebt seit 14 Jahren in Deutschland. Warum ist sie eingewandert? Was ist richtig?

Familie Kumar ist eingewandert…

a) … um mehr Geld zu verdienen.

b) …, weil sie Verwandte in Deutschland hat.

c) … um Deutsche zu werden.

d) …, weil Herr Kumar hier ein Praktikum machen wollte.

e) …, damit die Kinder gute Schulen besuchen können.

 16

17. Vergleichen Sie die beiden Familien.

Was ist ähnlich? Was ist verschieden?

18. Was meinen Sie, warum wandern Menschen aus?

Sie wandern aus… | … um Arbeit zu bekommen.
… um … zu …
…, damit die Familie besser leben kann.
…, damit …
…, weil sie in Deutschland studieren wollen.
…, weil …

§ 44

Nebensatz mit „damit"

Sie wandern aus,
damit sie Arbeit bekommen.

6

▷ *17*

Urlaubspläne

○ Im nächsten Urlaub, da fahr ich nach Bali.
Um endlich mal was Neues zu sehen.

□ Bali – sehr schön!
Und ich reise in die Karibik, auf eine kleine Insel.
Um endlich einmal richtig baden und tauchen zu können.

△ In die Karibik – Donnerwetter!
Und ich mache eine Reise nach Kenia.
Um endlich mal richtige Löwen und Elefanten zu sehen.

□ Kenia ist nicht schlecht.
Und du, Hans, was hast du vor?

▽ Ich – ich fahre nach Unter-Hengsbach.

○ Nach Unter-Hengsbach…? Wo ist denn das?

▽ Das ist ganz in der Nähe von Ober-Hengsbach.

□ Aha!

△ Und warum ausgerechnet nach Unter-Hengsbach?

▽ Um endlich meine Ruhe zu haben.
Um die Zeit ist es in Unter-Hengsbach herrlich ruhig,
weil die Unter-Hengsbacher alle weg sind.
Sie sind dann alle auf Bali, in der Karibik oder in Kenia.

Lektion 3

die Bundesrepublik Deutschland

1949 bis 1990

die BRD   die DDR

Schleswig-Holstein
2,6 Mio. Einw.
Kiel

Hamburg
1,6 Mio. Einw.

Mecklenburg-Vorpommern
1,9 Mio. Einwohner
Schwerin

Bremen
700 000 Einw.

Niedersachsen
7,2 Mio. Einwohner
Hannover

Berlin
3,4 Mio. Einw.

Potsdam
Brandenburg
2,6 Mio. Einwohner

Magdeburg

Sachsen-Anhalt
3 Mio. Einwohner

Nordrhein-Westfalen
17,1 Mio. Einwohner

Düsseldorf

Dresden

Erfurt

Sachsen
4,9 Mio. Einw.

Hessen
5,7 Mio. Einwohner

Thüringen
2,7 Mio. Einwohner

Rheinland-Pfalz
3,7 Mio. Einwohner

Wiesbaden

Mainz
Saarbrücken

das Saarland
1,1 Mio. Einw.

Stuttgart

Bayern
11,2 Mio. Einwohner

Baden-Württemberg
9,6 Mio. Einwohner

München

der Bundesadler

die Bundesregierung
(der Bundeskanzler
und die Minister)

die Bundestagspräsidentin

die Regierungsparteien   **der Bundestag**   die Oppositionsparteien

SCHLAGZEILEN

NRZ NEUE RHEIN ZEITUNG *Zeitung für Düsseldorf*

RHEINISCH-WESTFÄLISCHE ZEITUNG   UNABHÄNGIG-MEINUNGSFREUDIG   DIE GROSSE ZEITUNG AM RHEIN UND RUHR   DF EINZELPREIS 80 PF 1 H 3826 A

WZ Westdeutsche Zeitung
Die überparteiliche   *Düsseldorfer Nachrichten*   Ausgabe D, Nr. 121, 1,50 MI/1,20 pm Mittwoch, 26. Mai 1993, 90 Pfennig

Bald Wahlrecht für ausländische Arbeitnehmer?

Fußballstar wegen Verletzung drei Wochen ins Krankenhaus

Preiskrieg in der Zigarettenindustrie

Kein Geld für das neue Stadion:
Fußballverein enttäuscht

Italienische Zollbeamte streiken für mehr Lohn

Verkehrsunfall in der Berliner Straße

Durch den Steuerskandal:
Regierungskrise in Portugal

Ärger an der Grenze:
300 Lastwagen müssen warten

Ausländer bald auch im Parlament?

Straßenbahn fuhr gegen einen Bus:
Außer dem Fahrer niemand verletzt

Leere Kassen im Rathaus:
Kein neuer Sportplatz

Bald neue Regierung in Lissabon?

Wegen seiner Knieoperation:
Ohne Matthäus gegen den HSV

Raucher können jetzt sparen

1. Welche Schlagzeilen bringen die gleiche Nachricht?

Neue Rheinzeitung	Westdeutsche Zeitung
Preiskrieg in der Zigarettenindustrie	…
Kein Geld …	…

Immer noch kein Wahlrecht für Hexen!

2. Welche Nachrichten gehören zu welcher Rubrik?

Sie lesen heute:	
Ausland	**Seite 3**
Wirtschaft	**Seiten 9/10**
Lokalteil	**Seite 7**
Innenpolitik	**Seite 5**
Sport	**Seite 14**

Immer noch kein Wahlrecht für Hexen!

BROCKEN ZEITUNG

3. Sehen Sie die Bilder an. Was ist da wohl passiert?

4. Ergänzen Sie „durch", „für", „ohne", „außer", „mit" oder „wegen". – Zu welchem Bild passen die Sätze?

§ 13

Bild

– Hochhaus fünf Stunden _____ Strom. Viele mussten im Aufzug warten.
– Junge fand Briefumschlag _____ 10000,– DM.
– Pakete und Päckchen für Weihnachten bleiben _____ des Poststreiks liegen.
– _____ einem Lebensmittelladen und einer Bäckerei gibt es keine Geschäfte.
  Der neue Stadtteil „Gernhof" ist immer noch _____ Einkaufszentrum.
– 2000 ausländische Arbeitnehmer demonstrieren _____ das neue Ausländergesetz.
  Sie wollen in der Bundesrepublik bleiben.
– Fabrik _____ Feuer zerstört. 500 Angestellte jetzt _____ Arbeit.
– _____ die Verkehrsprobleme im Stadtzentrum gibt es immer noch keine Lösung.

5. Hören Sie die Interviews.

Ein Reporter hat vier Personen interviewt, die von den Ereignissen auf den Bildern erzählen. – Welches Bild passt zu welchem Interview?

🔊 18-21

Interview	1	2	3	4
Bild Nr.				

Präpositionen
außer + Dativ
wegen + Genitiv oder Dativ

1

6. Welche Nachrichten haben Sie heute / gestern gehört oder gelesen?

Machen Sie mit Ihrem Nachbarn aktuelle Schlagzeilen zu
Politik, Wirtschaft, Sport, Lokalnachrichten,
Klatsch…

Mafiaboss Riina in Palermo verhaftet

Polizei fuhr Braut mit Blaulicht zur Hochzeit

Ölkatastrophe:
Tanker vor britischem Vogelparadies gestrandet

Sechs Jahre Freiheitsstrafe
Auf Probefahrten in Bayern Luxusautos geraubt

Mehrere Kandidaten für tschechische Präsidentschaft
Havels Wahlchancen gesunken

Am Grab: Rote Rose für Anna Wimschneider

Nach 20 Jahren in Deutschland
Türkin erkämpft Aufenthalt
Rechtsstreit um Ausweisung gewonnen

Gefangen im Aufzug die lange Nacht von Sandra und Ge…

Mordanschlag in Sarajewo
Bosniens Vize-Regierungschef getötet

§ 14

Wo ist der Friede in Gefahr?
Wo ist Krieg / Bürgerkrieg?
Wo gibt es eine Regierungskrise?
Wo gibt es eine Wahl?
Wo gibt es eine Konferenz?
Welcher Politiker besucht welches Land?
Wer hat einen Vertrag unterschrieben?
Wer ist zurückgetreten?

Wofür fehlt Geld?
Wer streikt? Wo? Warum?
Wo hat es eine Demonstration gegeben?
Wo gibt es Umweltprobleme?
Wo hat es ein Unglück / eine Katastrophe
  gegeben?
Wo ist ein Verbrechen geschehen?
Wo gibt es einen Skandal?
Wo ist etwas Komisches passiert?
Wer ist gestorben?
Wer hat geheiratet / ein Baby bekommen…?
Wer hat eine Meisterschaft gewonnen?

Aus der Presse

Abgeordnete bekommen 6,5 % mehr Geld ❶
Berlin (AP) Die 662 Abgeordneten des deutschen Bundestages bekommen ab 1. Oktober 6,5% mehr Gehalt. Das wurde gestern im Bundestag mit großer Mehrheit beschlossen. Nur wenige Abgeordnete kritisierten den Beschluss.

Wahlrecht für Ausländer hat kaum Chancen ❷
Bonn / Berlin (dpa) Eine große Gruppe von Abgeordneten fast aller Parteien fordert ein neues Wahlrecht, damit auch Ausländer, die länger als 10 Jahre in Deutschland leben, wählen dürfen. Der Vorschlag, für den eine Änderung der Verfassung notwendig ist, wird diese Woche im Bundestag diskutiert.

Landtagswahlen in Brandenburg ❸
Potsdam (eig. Ber.) Die Sozialdemokraten (SPD) haben am Sonntag die Landtagswahlen in Sachsen-Anhalt gewonnen. Sie wurden mit 43% der Stimmen stärkste Partei. Die Christlichen Demokraten (CDU), die Partei des alten Ministerpräsidenten, bekam nur noch 38,5%, die Freien Demokraten (FDP) 8,7%.

Bundespräsident zu Staatsbesuch in Schweden ❹
Stockholm (dpa) Der Bundespräsident ist seit Dienstag zu einem viertägigen Staatsbesuch Schwedens in Stockholm. Er wurde im Königlichen Schloss zusammen mit seiner Frau von König Carl Gustaf und seiner aus Deutschland stammenden Frau, Königin Silvia, begrüßt.

Wirtschaftsminister droht mit Rücktritt ❺
Köln In einer Fernsehdiskussion hat der Bundeswirtschaftsminister mit seinem Rücktritt gedroht, wenn das Kabinett nicht bis zum 10. Juli beschließt, in den nächsten beiden Jahren die Subventionen um 30 Milliarden Mark zu kürzen.

Bundesrat kritisiert Reform des Mehrwertsteuergesetzes
Berlin Der Bundesrat hat das neue Mehrwertsteuergesetz kritisiert. Die meisten Bundesländer sind mit dem Gesetz nicht einverstanden, weil sie nach ihrer Meinung zu wenig Geld aus der Mehrwertsteuer bekommen. ❻

Der schleswig-holsteinische Ministerpräsident erklärte im Bundesrat: „Die Geldprobleme der Länder dürfen nicht noch größer werden!" Jetzt muss der Bundestag einen neuen Vorschlag machen. **ⓐ**

Die alte Koalition aus CDU und Freien Demokraten hat damit ihre Mehrheit im Landtag verloren. Der neue Ministerpräsident kommt wahrscheinlich von der SPD, die eine Koalition mit der FDP bilden möchte. **ⓑ**

Doch es ist sehr wahrscheinlich, dass die Ausländer auch bei der nächsten Bundestagswahl zu Hause bleiben müssen. Denn die CSU und über 70 Abgeordnete der CDU sind gegen eine Änderung des Wahlgesetzes. Ohne ihre Stimmen aber gibt es keine Zweidrittelmehrheit für eine Verfassungsänderung. **ⓒ**

„Nur wenn wir selbst sparen, können wir auch von den Bürgern höhere Steuern verlangen", meinte eine Abgeordnete. Sie schlug vor, die Zahl der Abgeordneten bei der nächsten Bundestagswahl zu verkleinern, und erinnerte an einen Satz des Finanzministers: „662 Abgeordnete sind einfach zu viel." **ⓓ**

Der Bundespräsident wird vom Bundesaußenminister begleitet, der mit seinem schwedischen Kollegen Sten Andersson ein längeres Gespräch über internationale Fragen führte. **ⓔ**

„Wenn das Ziel nicht erreicht wird, dann hat die Bundesregierung einen neuen Wirtschaftsminister", sagte er. Der Minister hofft, dass das Kabinett seinem Vorschlag folgt. Die Alternative wären höhere Steuern oder neue Schulden. Der Bundeskanzler kommentierte die Sätze seines Wirtschaftsministers mit den folgenden Worten: „Einen Rücktrittswunsch kann ich auch annehmen." **ⓕ**

---

7. Setzen Sie die Teile der Zeitungstexte richtig zusammen.

1	2	3	4	5	6

8. Welche Informationen über das politische System in Deutschland bekommen Sie aus den Texten? – Was wissen Sie außerdem über die Politik in Deutschland?

Parteien, Wahlen, Bundeskanzler, Minister...

Das politische Wahlsystem in der Bundesrepublik Deutschland

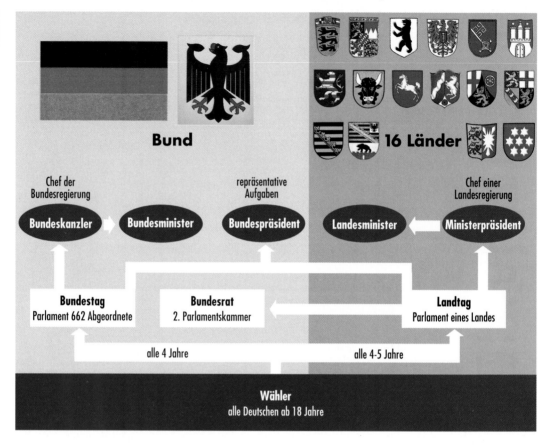

Bund

16 Länder

Chef der
Bundesregierung

repräsentative
Aufgaben

Chef einer
Landesregierung

Bundeskanzler → **Bundesminister**

Bundespräsident

Landesminister ← **Ministerpräsident**

Bundestag
Parlament 662 Abgeordnete

Bundesrat
2. Parlamentskammer

Landtag
Parlament eines Landes

alle 4 Jahre

alle 4-5 Jahre

Wähler
alle Deutschen ab 18 Jahre

9. Beschreiben Sie die Darstellung. Ergänzen Sie die Sätze.

In der Bundesrepublik Deutschland können alle Frauen und Männer, die über 18 Jahre alt sind, …
Das nationale Parlament heißt…
Es wird alle…
Der Regierungschef ist der…
Er wird nicht direkt vom Volk gewählt, sondern von den Abgeordneten des…
Der Bundeskanzler bestimmt die Politik und ernennt die…

Alle 4 oder 5 Jahre wählen die Bürger eines Bundeslandes ihr Landesparlament, den …
Regierungschef eines Landes ist der…
Auch er wird nicht vom Volk gewählt, sondern…
Er ernennt die…
Der Bundesrat ist die…
Die Mitglieder des Bundesrates kommen aus den 16…

Der Bundespräsident wird von den Mitgliedern der Landtage und des … gewählt.
Der Bundespräsident ist der Staatschef, aber er hat nur…

10. Bundestagswahl. Hören Sie die Interviews.

Wie sind die Antworten der Personen? (r = richtig, f = falsch, ? = er/sie weiß es nicht)

	Mann	Frau	Kind
– Der Bundestag hat 662 Abgeordnete.			
– Der Bundeskanzler ist Regierungschef.			
– Der Bundeskanzler wird vom Bundestag gewählt.			
– Der Bundesrat ist die zweite Parlamentskammer.			

– Der Bundestag hat 662
Abgeordnete.
– Der Bundeskanzler ist
Regierungschef.
– Der Bundeskanzler wird
vom Bundestag gewählt.
– Der Bundesrat ist die
zweite Parlamentskammer.

POLITIK-QUIZ

1. Wann wurde die Bundesrepublik Deutschland gegründet?
   a ☐ 1933
   b ☐ 1949
   c ☐ 1990

2. Nach dem 2. Weltkrieg gab es
   a ☐ zwei deutsche Staaten.
   b ☐ einen deutschen Staat.
   c ☐ drei deutsche Staaten.

3. Heute gibt es
   a ☐ einen deutschen Staat mit der Hauptstadt Berlin.
   b ☐ einen deutschen Staat mit der Hauptstadt Bonn.
   c ☐ zwei deutsche Staaten und auch zwei Hauptstädte: Berlin und Bonn.

4. Die Bundesrepublik ist
   a ☐ eine sozialistische Republik.
   b ☐ eine parlamentarische Demokratie.
   c ☐ eine parlamentarische Monarchie.

5. Die beiden größten politischen Parteien in der Bundesrepublik sind
   a ☐ CDU und FDP.
   b ☐ SPD und CSU.
   c ☐ CDU und SPD.

6. Die Politik der CDU nennt man
   a ☐ nationalistisch.
   b ☐ konservativ.
   c ☐ liberal.

7. Die Politik der SPD nennt man
   a ☐ sozialistisch.
   b ☐ sozialökonomisch.
   c ☐ sozialdemokratisch.

8. Der Bundeskanzler der Bundesrepublik heißt
   a ☐ Klaus Kinkel (FDP).
   b ☐ Helmut Kohl (CDU).
   c ☐ _____

11. Berichten Sie über Ihr Land.

Was für ein Staat ist Ihr Land? (Republik, Monarchie, Demokratie, ...) Mit welchen anderen Staaten ist Ihr Land befreundet? Mit welchen Staaten hat es Probleme?
Wie heißt das Parlament? Wie oft wird es gewählt? Wie heißen die Parteien? Was für Ziele haben sie? Gibt es Regionalparlamente?
Wer ist der Regierungschef? Wer wählt oder ernennt ihn? Wer ist der Staatschef?

Zweimal Deutschland

1949, vier Jahre nach dem 2. Weltkrieg, gab es zwei deutsche Staaten: Die Deutsche Demokratische Republik (DDR) im Osten und die Bundesrepublik Deutschland im Westen. Obwohl sie eigene Regierungen hatten, waren die beiden Staaten anfangs nicht völlig unabhängig. In der DDR bestimmte die Sowjetunion die Politik, die Bundesrepublik stand unter dem Einfluss von Großbritannien, Frankreich und den USA.

Konrad Adenauer, der spätere Bundeskanzler, unterschreibt am 23.5.1949 das Grundgesetz der Bundesrepublik Deutschland.

Im März 1952 schlug die Sowjetunion den USA, Großbritannien und Frankreich einen Friedensvertrag für Deutschland vor. Die DDR und die Bundesrepublik sollten zusammen wieder ein selbständiger deutscher Staat werden, der neutral sein sollte. Aber die West-Alliierten waren gegen diesen Plan. Sie wollten, dass die Bundesrepublik zum Westen gehörte. Ein neutrales Deutschland wäre, so meinten sie, von der Sowjetunion abhängig. Auch die damalige konservativ-liberale Regierung (CDU / CSU / FDP) entschied sich für die Bindung an den Westen.

Am 3. Oktober 1990 treten die Länder der DDR nach Artikel 23 des Grundgesetzes der Bundesrepublik Deutschland bei.

Nach 1952 wurden die Unterschiede zwischen den beiden deutschen Staaten immer größer. Die DDR und die Bundesrepublik bekamen 1956 wieder eigene Armeen. Die DDR wurde Mitglied im Warschauer Pakt, die Bundesrepublik in der NATO.

Während es in der DDR große wirtschaftliche Probleme gab, entwickelte sich die Wirtschaft in der Bundesrepublik sehr positiv. Tausende Deutsche aus der DDR flüchteten vor allem deshalb in die Bundesrepublik. Die DDR schloss schließlich ihre Grenze zur Bundesrepublik und kontrollierte sie mit Waffengewalt. Durch den Bau der Mauer in Berlin wurde 1961 die letzte Lücke geschlossen.

12. Erstellen Sie eine Zeitleiste.

1949	Es gibt zwei deutsche Staaten.	1953	...	Seit 1969	...
1952	Die Sowjetunion schlägt...	1956	...	1972	...
1952-1969	...	1961	...	1989	...

Am 10. Oktober 1949 nimmt die Regierung der Deutschen Demokratischen Republik unter Otto Grotewohl ihre Tätigkeit auf.

Der „Tag der deutschen Einheit", der vorher an den 17. Juni 1953 erinnerte, wird seit 1990 am 3. Oktober gefeiert.

Während der Zeit des „Kalten Krieges" von 1952 bis 1969 gab es nur Wirtschaftskontakte zwischen den beiden deutschen Staaten. Im Juni 1953 kam es in Ostberlin und anderen Orten der DDR zu Streiks und Demonstrationen gegen die kommunistische Diktatur und die Wirtschaftspolitik. Sowjetische Panzer sorgten wieder für Ruhe. In der Bundesrepublik war die große Mehrheit der Bürger für die Politik ihrer Regierung. Ende der sechziger Jahre gab es jedoch starke Proteste und Studentendemonstrationen gegen die kapitalistische Wirtschaftspolitik und die enge Bindung an die USA.

Politische Gespräche wurden zwischen den beiden deutschen Staaten erst seit 1969 geführt. Das war der Beginn der sogenannten „Ostpolitik" des damaligen Bundeskanzlers Willy Brandt und seiner sozialdemokratisch-liberalen Regierung. 1972 unterschrieben die DDR und die Bundesrepublik einen „Grundlagenvertrag". Die politischen und wirtschaftlichen Kontakte wurden seit diesem Vertrag besser. Immer mehr Bundesbürger konnten ihre Verwandten in der DDR besuchen; allerdings durften nur wenige DDR-Bürger in den Westen reisen.

Im Herbst 1989 öffnete Ungarn die Grenze zu Österreich. Damit wurde für viele Bürger der DDR die Flucht in die Bundesrepublik möglich. Tausende verließen ihr Land auf diesem Weg. Andere flüchteten in die Botschaften der Bundesrepublik in Warschau und Prag und blieben dort, bis sie die Erlaubnis zur Ausreise in die Bundesrepublik erhielten.

Bald kam es in Leipzig, Dresden und anderen Städten der DDR zu Massendemonstrationen. Zuerst ging es um freie Ausreise in die westlichen Länder, besonders in die Bundesrepublik, um freie Wahlen und freie Wirtschaft. Aber bald wurde der Ruf nach „Wiedervereinigung" immer lauter. Oppositionsgruppen entstanden; in wenigen Wochen verlor die SED, die Sozialistische Einheitspartei Deutschlands, ihre Macht.

13. Schreiben Sie einen kleinen Text zur neueren politischen Geschichte Ihres Landes.

– Machen Sie zuerst eine Zeitleiste.
– Wählen Sie nur wenige wichtige Daten.
– Benutzen Sie Wörter wie „dann"; „danach"; „aber"; „deshalb"; „trotzdem"…

Kursbuch 1
§ 20, 58

4

„Heute Nacht sind die Deutschen das glücklichste Volk der Welt"

Die DDR öffnet ihre Grenzen

Ost-Berlin, Donnerstag, den 9. November 1989, 18 Uhr 55: Auf einer Pressekonferenz über das Flüchtlingsproblem sagt ein Sprecher der DDR-Regierung: „Deshalb haben wir uns dazu entschlossen, eine Regelung zu treffen, die es jedem Bürger der DDR möglich macht, über Grenzübergangspunkte der DDR auszureisen." Eine halbe Stunde später kann jeder DDR-Bürger die Sensation in den Fernsehnachrichten hören: Die Grenzen sind offen! Schon kurze Zeit danach kommen Zehntausende zu den Grenzübergängen, weil sie es nicht glauben können. Für einige Stunden gehen sie nach West-Berlin und in die Bundesrepublik. An den Grenzen herrscht Volksfeststimmung. Der Regierende Bürgermeister von West-Berlin sagt: „Heute Nacht sind die Deutschen das glücklichste Volk der Welt!"

14. Hören Sie die Interviews.

Welche Sätze fassen die Stimmung der Leute am besten zusammen?

§ 18

Die meisten Leute	ist	sehr glücklich.
Einige	sind	sehr bewegt.
Eine Frau	will	traurig.
Ein Mann	wollen	beinahe ohnmächtig vor Glück.
Keiner	kann	es noch nicht glauben.
	können	den Ku'damm sehen.
	hat	Schaufenster ansehen.
	haben	Sekt getrunken.
		wieder zurück in die DDR.
		im Westen bleiben.
		dankbar für den herzlichen Empfang.
		nur ein Bier oder einen Kaffee trinken.
		auf der anderen Seite der Mauer stehen.
		öfter hinüberfahren.
		die Wiedervereinigung Deutschlands.
		eine ökologische Gesellschaft in der DDR aufbauen.
		ihre Arbeit machen und ein bisschen verreisen.

15. Was denken Sie, wenn Sie die Bilder ansehen? – Sprechen Sie im Kurs darüber.

Von 1961 bis 1988 sind über 200.000 Menschen aus der DDR geflohen, und rund 410.000 sind legal ausgereist. Allein im Jahr 1989 kamen dann fast 350.000 Menschen legal oder illegal aus der DDR in die Bundesrepublik. Dies waren die wichtigsten Gründe, warum sie die DDR verlassen haben:

– Sie konnten nicht ins westliche Ausland reisen.
– Sie verdienten zu wenig Geld.
– Sie hatten Probleme mit dem Staat und seinen Behörden.
– Sie fanden das Leben in der DDR langweilig.
– Sie wollten in einer Demokratie leben, in der der Staat nicht alles kontrolliert und man frei seine Meinung sagen kann.
– Sie wollten besser leben als in der DDR.
– Sie wollten zu ihren Verwandten in der Bundesrepublik.
– Sie durften ihren Beruf nicht frei wählen.
– Sie glaubten nicht an die Zukunft des Sozialismus.
– Sie wollten in ihrem Beruf etwas Neues machen.

16. Hören Sie das Gespräch mit Dieter Karmann.

Das ist Dieter Karmann (34). Er ist Fotograf und Buchautor. Bis 1989 hat er in der DDR gelebt. Dann ist er in die Bundesrepublik gekommen. Jetzt wohnt er in Norddeutschland.

 29

a) Warum ist er in die Bundesrepublik gekommen?
b) Wie hat er das geschafft?
c) Worüber hat er sich geärgert? Warum?

5

Ein klares Programm

Hase	Herr Minister – seit Monaten hat es nicht mehr geregnet, die Felder und Wiesen sind ausgetrocknet. Was werden Sie dagegen tun, wenn Sie die Wahlen gewinnen?
Wolf	Also, dass wir die Wahlen gewinnen, ist für mich überhaupt keine Frage. Die letzten Umfragen zeigen ja eindeutig, dass der Wähler uns vertraut.
Hase	Gut, aber was wollen Sie gegen die Trockenheit machen?
Wolf	Im Unterschied zur Opposition, die ganz offensichtlich ratlos ist, haben wir uns Gedanken gemacht und wir werden die drängenden Fragen der Gesellschaft mit aller Entschiedenheit in Angriff nehmen.
Hase	Und wie werden Sie diese Trockenheit bekämpfen – ich meine, ganz konkret?
Wolf	Wir wissen sehr gut, dass es so nicht weitergehen kann, und wir sind uns unserer Verantwortung voll und ganz bewusst. Im übrigen sind wir Realisten und keine Träumer.
Hase	Ich meine – haben Sie schon konkrete Maßnahmen ins Auge gefasst?
Wolf	Meine Freunde und ich stimmen darin überein, dass wir diese und andere Probleme nur mit großer Entschlossenheit lösen können – und zwar im Auftrag der Wähler.
Hase	Eine letzte Frage, Herr Minister: Leiden Sie persönlich unter der Trockenheit?
Wolf	Ich bin persönlich der Meinung, dass wir alles, was den Bürger bedrückt, ernst nehmen müssen. Sehr ernst.
Hase	Herr Minister – ich danke Ihnen für dieses Gespräch.

25 JAHRE

die silberne Hochzeit

Lektion 4

die Rentnerin der Rentner

50 JAHRE

die goldene Hochzeit

die Rente

65 JAHRE

die eiserne Hochzeit

1

Jung und alt unter einem Dach?

Lesen Sie, was unsere Leser zu diesem Thema schreiben.

Eva Simmet,
32 Jahre

Irene Kahl,
35 Jahre

Franz Meuler,
42 Jahre

Wilhelm Preuß,
74 Jahre

Wir wohnen seit vier Jahren mit meiner Mutter zusammen, weil mein Vater gestorben ist. Sie kann sich überhaupt nicht mehr anziehen und ausziehen, ich muss sie waschen und ihr das Essen bringen. Deshalb musste ich vor zwei Jahren aufhören zu arbeiten. Ich habe oft Streit mit meinem Mann, weil er sich jeden Tag über Mutter ärgert. Wir möchten sie schon lange in ein Altersheim bringen, aber wir finden keinen Platz für sie. Ich glaube, unsere Ehe ist bald kaputt.

Viele alte Leute sind enttäuscht, wenn sie alt sind und allein bleiben müssen. Muss man seinen Eltern nicht danken für alles, was sie getan haben? Manche Familien wären glücklich, wenn sie noch Großeltern hätten. Die alten Leute können im Haus und im Garten arbeiten, den Kindern bei den Schulaufgaben helfen, ihnen Märchen erzählen oder mit ihnen ins Kino oder in den Zoo gehen. Die Kinder freuen sich darüber und die Eltern haben dann auch mal Zeit für sich selber.

Wir freuen uns, dass wir mit den Großeltern zusammen wohnen können. Unsere Kinder wären sehr traurig, wenn Oma und Opa nicht mehr da wären. Und die Großeltern fühlen sich durch die Kinder wieder jung. Natürlich gibt es auch manchmal Probleme, aber wir würden die Eltern nie ins Altersheim schicken. Sie gehören doch zu uns. Die alten Leute, die im Altersheim leben müssen, sind oft so unglücklich, weil niemand sie besucht und niemand ihnen zuhört, wenn sie Probleme haben.

Seit meine Frau tot ist, lebe ich ganz allein. Ich möchte auch gar nicht bei meiner Tochter in Stuttgart wohnen; ich würde sie und ihre Familie nur stören. Zum Glück kann ich mir noch ganz gut helfen. Ich wasche mir meine Wäsche, gehe einkaufen und koche mir mein Essen. Natürlich bin ich viel allein, aber ich will mich nicht beschweren. Meine Tochter schreibt mir oft Briefe und besucht mich, wenn sie Zeit hat. Ich wünsche mir nur, dass ich gesund bleibe und nie ins Altersheim muss.

Unser Diskussionsthema für nächste Woche: Wann darf ein Kind allein in den Urlaub fahren? Schreiben Sie uns Ihre Meinung und schicken Sie ein Foto mit.

1. Wer meint was?

	Herr	Frau

a) Alte Leute und Kinder können nicht gut zusammenleben.
b) Probleme mit den Großeltern sind nicht schlimm.
c) Alte Leute sollen nicht allein bleiben.
d) Alte Leute stören oft in der Familie.
e) Alte Leute gehören ins Altersheim.
f) Großeltern können viel für die Kinder tun.
g) Es ist schwierig, mit alten Leuten zusammen zu wohnen.
h) Großeltern gehören zur Familie.
i) Manche Familien sind ohne Großeltern traurig.

2. Was schreibt Herr Preuß? Erzählen Sie.

Erzählen Sie auch, was die anderen Personen sagen.

Seit seine Frau tot ist, lebt er ganz allein.
Er möchte nicht bei seiner Tochter in Stuttgart
wohnen, denn ...

Reflexivpronomen

Ich	ärgere	**mich.**	*Akkusativ*
Er/Sie	ärgert	**sich.**	

(sich ausziehen, waschen, beschweren, unterhalten, jung fühlen)

Ich	helfe	**mir.**	*Dativ*
Er/Sie	hilft	**sich.**	

(sich wünschen, Essen kochen, Haare waschen)

Kursbuch 1
§ 25

3. Sollen Großeltern, Eltern und Kinder zusammen in einem Haus leben?

Was meinen Sie? Diskutieren Sie im Kurs.

Ja,	weil ...	das Familienleben stören	nicht allein sein
Nein,	wenn ...	für die Kinder wichtig sein	krank sein
	obwohl ...	mit den Kindern spielen	aktiv sein
	aber ...	Platz im Haus haben	gesund sein
		die Eltern lieben	Streit bekommen
		Probleme bekommen	weiterarbeiten
		den Kindern helfen	sich jung fühlen

4. Wohnen bei den Kindern oder im Altersheim? Welche Alternativen gibt es noch für alte Menschen? Diskutieren Sie Vor- und Nachteile.

Wohngemeinschaft – Altenwohnung – Altensiedlung – Wohnung in der Nähe von Angehörigen ...

2

Ein schöner Lebensabend

Im Seniorenheim „Abendfrieden" in einem Vorort von Stuttgart wird dieser Wunsch wahr. In hellen, freundlichen Kleinappartements (ab DM 1900 / Monat), zum Teil mit Balkon, können unsere Pensionäre sich so einrichten, wie sie gern möchten – mit ihren eigenen Möbeln. Allein ist man bei uns nur dann, wenn man allein sein möchte. Eine Krankenschwester und ein Arzt sind immer da, wenn Hilfe gebraucht wird. Wir helfen Ihnen, wenn Sie sich nicht mehr selbst helfen können.

Pflege in Ein- und Zweibettzimmern ab DM 120 / Tag

Schreiben Sie für nähere Informationen an:

Seniorenheim „Abendfrieden",
Sekretariat
Friedrichstraße 7, 70174 Stuttgart

»Haus Schlosspension«
Privates Alten- und Pflegeheim

Wir sind immer für Sie da!

Unser Haus liegt ruhig in der Stadtmitte von Idar-Oberstein. Wir betreuen, pflegen und versorgen alte und kranke Menschen in einer angenehmen, wohnlichen Atmosphäre. Unsere Zimmer sind groß und haben alle ein Bad, eine Toilette, einen Balkon und ein Telefon.

Bitte informieren Sie sich:
»Haus Schlosspension«
Nordtorstraße 9
55743 Idar-Oberstein
Tel. 06781/2 24 39
täglich 9.00–18.00 Uhr

Johanneshaus Altenheim der evangelischen Kirche

Gemeinschaft – Sicherheit – Pflege bietet der Aufenthalt im Senioren- und Pflegeheim „Johanneshaus" in Saarbrücken. Es liegt ruhig am Stadtrand, aber trotzdem nur 15 Busminuten von der City.
Die Bewohner leben in hellen, speziell für alte Leute eingerichteten 1- u. 2-Bett-Zimmern (Pflege) oder Appartements mit eigener Dusche und WC, Telefon und TV-Anschluss. Das Haus hat alle Einrichtungen für eine moderne Pflege und bietet viele Freizeitmöglichkeiten (Vorträge, Videofilme, gemeinsame Busfahrten und Ausflüge, Bibliothek, Hobbyräume und sogar ein kleines Schwimmbad).
Das Haus ist offen für Privatzahler und für Personen, deren Kosten von der Pflegeversicherung oder vom Sozialamt bezahlt werden. Auch wenn Sie noch keine Pflege brauchen, können Sie in unserem Haus wohnen und sich selbst versorgen. Wenn Sie Interesse haben, rufen Sie uns an. Wir haben Zeit uns mit Ihnen über Ihre Wünsche und Probleme zu unterhalten.

Senioren- und Pflegeheim „Johanneshaus"
Theodor-Heuss-Straße 120 · 66133 Saarbrücken
Telefon: (02302) 8 59 80

---

5. Was bieten die Altenheime?

a) „Seniorenheim Abendfrieden": | Das Heim hat … / Es gibt …
b) „Haus Schlosspension": | Die Pensionäre wohnen in …
c) „Johanneshaus": | Die Pensionäre kommen …

6. Welches Altenheim finden Sie am besten? Warum?

Was fehlt Ihrer Meinung nach in den Altenheimen? Wie stellen Sie sich ein ideales Altenheim vor?

> Wohnungen für Ehepaare – Veranstaltungen – Freizeitmöglichkeiten – Lage – Kosten –
> gemeinsame Reisen – Sport – Hobbyräume – Küche – Tanz – Kontakte zu jungen Leuten

Gruppenarbeit: Diskutieren Sie die Bedingungen für ein ideales Altenheim.

7. Seniorentreffen

 31

Hören Sie die Gespräche von der Kassette und notieren Sie die Angaben zu jeder der 4 Personen.

a) Wie alt sind die drei Rentner und die Rentnerin?
b) Welchen Beruf hatten die Personen früher?
c) In welchem Alter haben sie aufgehört zu arbeiten?
d) Wie viel Rente bekommen sie im Monat?
e) Wohnen sie im Altersheim, bei ihren Kindern oder in einer eigenen Wohnung?
f) Sind sie verheiratet, ledig oder verwitwet?

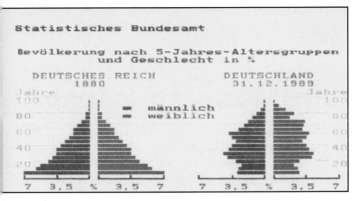

Statistisches Bundesamt

Bevölkerung nach 5-Jahres-Altersgruppen und Geschlecht in %

DEUTSCHES REICH 1880 — DEUTSCHLAND 31.12.1989

■ männlich
■ weiblich

Die Zukunft gehört den Alten
Auf je 100 Einwohner kamen/kommen...

...so viele Ältere
(65 Jahre und mehr)

...so viele Kinder
und Jugendliche
(bis zu 14 Jahren)

1910 (Deutsches Reich)
5 — 34

1988 (Gesamtdeutschland)
15 — 16

2040 (Gesamt-
deutschland)
29 — 12

8715 © Globus — DIW-Schätzung

Kursbuch 1
§ 19

8. Was sagen die Statistiken aus?

☐ 1880 gab es mehr junge Leute als alte.
☐ 1880 war die Mehrheit der Bevölkerung über 60.
☐ 1989 gab es fast genauso viele 60-Jährige wie 40-Jährige.
☐ 1989 gab es mehr 80-jährige Frauen als Männer.
☐ 1988 waren 15% der Bevölkerung älter als 65 Jahre.

☐ 1988 waren nur 16% der Bevölkerung älter als 14 Jahre.
☐ 2040 ist die Mehrheit der Bevölkerung über 65 Jahre.
☐ 2040 gibt es mehr alte Leute als Jugendliche und Kinder.

9. Was meinen Sie: Welche Probleme und Konsequenzen kann es geben, wenn es in einer Gesellschaft immer mehr alte Menschen gibt?

Die Politik wird stärker von alten Menschen	bieten, ...
Die Finanzprobleme der Rentenversicherung	geben, ...
Man muss mehr besondere Wohnungen für alte Leute	arbeiten, ...
Wenn sie können, müssen alte Leute auch mit 70 noch	werden größer, ...
Die Industrie muss mehr besondere Artikel für alte Leute	bestimmt, ...
Man muss mehr Altenheime	steigen, ...
Die Kosten für die Krankenversicherung	bauen, ...
Es muss mehr Pflegepersonal	produzieren, ...
Industrie und Handel müssen mehr besondere Arbeitsplätze für alte Leute	

... weil	alte Leute häufiger krank sind.
	viele alte Leute sich nicht mehr selbst versorgen können.
	sie bei Wahlen mehr Stimmen als früher haben.
	alte Leute andere Wünsche und Bedürfnisse haben.
	sie nicht mehr so schwer und so schnell arbeiten können.
	es nicht genug junge Arbeitskräfte gibt.
	viele alte Leute nicht im Altenheim wohnen möchten.
	immer mehr Leute eine Rente bekommen.

Welche Probleme / Konsequenzen fallen Ihnen noch ein?
Welche Lösungen sehen Sie?

3

Endlich ist mein Mann zu Hause

Herr Bauer, 64, war Möbelschreiner. Vor einem Jahr ist er in Rente gegangen. Was tut ein Mann, wenn er endlich nicht mehr arbeiten muss? Er wird Chef im Haus, wo vorher die Frau regierte. Wie das aussieht, erzählt (nicht ganz ernst) Frau Bauer.

So lebte ich, bevor mein Mann Rentner wurde: Neben dem Haushalt hatte ich viel Zeit zum Lesen, Klavier spielen und für alle anderen Dinge, die Spaß machen. Mit meinem alten Auto (extra für mich) fühlte ich mich frei. Ich konnte damit schnell ins Schwimmbad, in die Stadt zum Einkaufen oder zu einer Freundin fahren.

Heute ist das alles anders: Wir haben natürlich nur noch *ein* Auto. Denn mein Mann meint, wir müssen jetzt sparen, weil wir weniger Geld haben. Deshalb bleibt das Auto auch meistens in der Garage. Meine Einkäufe mache ich jetzt mit dem Fahrrad oder zu Fuß. Ziemlich anstrengend, finde ich. Aber gesund, meint mein Mann. In der Küche muss ich mich beeilen, weil das Mittagessen um 12 Uhr fertig sein muss. Ich habe nur noch selten Zeit morgens die Zeitung zu lesen. Das macht jetzt mein Mann. Während er schläft, backe ich nach dem Mittagessen noch einen Kuchen (mein Mann findet den Kuchen aus der Bäckerei zu teuer) und räume die Küche auf.

Weil ihm als Rentner seine Arbeit fehlt, sucht er jetzt immer welche. Er schneidet die Anzeigen der Supermärkte aus der Zeitung aus und schreibt auf einen Zettel, wo ich was am billigsten kaufen kann. Und als alter Handwerker repariert er natürlich ständig etwas: letzte Woche einen alten Elektroofen und fünf Steckdosen. Oder er arbeitet im Hof und baut Holzregale für das Gästezimmer unter dem Dach. Ich finde das eigentlich ganz gut. Aber leider braucht er wie in seinem alten Beruf einen Assistenten, der tun muss, was er sagt. Dieser Assistent bin jetzt ich. Den ganzen Tag höre ich: »Wo ist ...?«, »Wo hast du ...?«, »Komm doch mal!«, »Wo bist du denn?« Immer muss ich etwas für ihn tun. Eine Arbeit muss der Rentner haben!

10. So sieht Frau Bauer die neue Situation.

Was glauben Sie, was würde wohl Herr Bauer schreiben? Worüber ärgert er sich? Worüber regt er sich auf?

11. „Immer will er etwas!"

Erika, ich brauche das Werkzeug. Bringst du mir das mal!

Ich backe gerade einen Kuchen. Kannst du es dir nicht selbst holen?

Antja! Kannst du mir das bringen?

Moment! Ich bringe es dir gleich.

Personalpronomen
|
Bringst du es mir?
Bringst du   mir das?
|
Definitivpronomen

| Öl | Pflaster | Farbe | Lampe | Bürste | Bleistift | Holz |
| Papier | Kugelschreiber | Seife | Zigaretten | Brille | Messer | |

bringen
suchen
holen
geben

☞ § 47

12. Kennen Sie auch alte Leute? (Großmutter, Großvater, Nachbarin, Vermieter…)

Wie leben sie? Was machen sie?

morgens
mittags
nachmittags
abends
jeden Tag
immer
gewöhnlich
manchmal
meistens
oft

im Garten arbeiten   auf die Kinder aufpassen   den Kindern helfen

Briefe schreiben   telefonieren   noch arbeiten   Karten spielen

viel schlafen   Spaziergänge machen   sich mit | Freunden | treffen
                                                  | Bekannten |

in einem … Verein sein   allein sein

immer zu Hause bleiben   viel Besuch haben   Musik hören

lesen   sich unterhalten   viel reisen   Verwandte besuchen

» DIE EISERNEN «

Viele Paare feiern nach 25 Ehejahren die „silberne Hochzeit", nur noch wenige nach 50 Jahren die „goldene Hochzeit". Und ganz wenige Glückliche können nach 65 gemeinsam erlebten Jahren die „eiserne Hochzeit" feiern. Unser Reporter hat drei „eiserne Paare" besucht und mit ihnen gesprochen.

❀ „Liebe Ilona! Glaube mir, ich liebe immer nur Dich. Dein Xaver." Das hat Xaver Dengler vor langer Zeit seiner späteren Frau auf einer Postkarte geschrieben. Die „Liebe für immer" haben schon viele Männer versprochen, aber Xaver Dengler ist nach 70 Jahren wirklich noch mit seiner Ilona zusammen. Sie sitzen in ihrer Dreizimmerwohnung und lesen ihre alten Liebesbriefe. „Ich hätte keinen anderen Mann geheiratet", sagt Ilona. „Und ich keine andere Frau", sagt Xaver. Als sie sich kennen lernten, war sie 14 Jahre alt und er 18. „Das war so", erzählt Frau Dengler, „meine Schwester und ich konnten schön singen. Wir haben im Garten vor unserem Haus gesessen. Da ist der Xaver mit einem Freund vorbeigekommen. Sie haben zugehört, wie wir gesungen haben, und dann haben sie gefragt, ob sie sich zu uns setzen dürfen. So hat alles angefangen." „Ja, das ist wahr", sagt er und lacht, „aber mich habt ihr nie mitsingen lassen."

Als sie 1916 heirateten, war das erste Kind schon da. „Die Leute im Dorf haben natürlich geredet, aber meine Familie hat es Gott sei Dank akzeptiert. Es war damals Krieg. Wir mussten warten, bis Xaver Heiratsurlaub bekam", erzählt Frau Dengler. „Ganz so ungewöhnlich war das damals wohl nicht", meint Herr Dengler. „Die Leute haben es schon verstanden. Nur, geredet haben sie trotzdem."

70 gemeinsame Jahre – waren Ilona und Xaver das ideale Ehepaar? Eine Traumehe war es wohl nicht. „Er ist jeden Sonntag in die Berge zum Wandern gegangen und ich war allein zu Hause mit den Kindern. Beim Wandern waren auch Mädchen dabei, das habe ich gewusst. Da habe ich mich manchmal geärgert. Ob er eine Freundin hatte, weiß ich nicht. Ich habe ihn nie gefragt." Xaver: „Ich hätte es dir auch nicht gesagt. Aber wir beide haben uns doch immer gern gehabt." Streit haben sie nie gehabt, sagen Xaver und Ilona. Nur einmal, aber das war schnell vorbei. „Ja, du warst immer ein guter Mann, Xaver", sagt Ilona. Was kann man sich noch erzählen, wenn man schon 65 Jahre verheiratet ist? Für die Denglers ist das offenbar kein Problem. Ihre Tochter, die bei ihnen wohnt, hört die alten Leute im Bett oft noch stundenlang reden.

❋ In einem Hamburger „Tanzsalon" haben sie sich 1910 kennen gelernt und noch vor dem ersten Weltkrieg geheiratet: Marianna und Adolf Jancik. Als Schlosser hatte er damals einen Wochenlohn von 38 Mark. „Wenn du deine Arbeit hast, dein Essen und Trinken: Was soll da schwierig sein", sagt der 93jährige im Rückblick auf seine lange Ehe. Seine 90jährige Frau ist stolz auf ihren Eherekord: „70 Jahre lang jeden Tag Essen kochen – das soll mir erst einer nachmachen!"
Das Erinnerungsfoto stammt von der goldenen Hochzeit der beiden.

❋ „Bei uns kann man wirklich sagen, es war Liebe auf den ersten Blick", meint Heinrich Rose. Als er und seine spätere Frau Margarethe sich im Jahr 1921 verlobten, war er noch Student. Zwei Jahre später, bei der Hochzeit, arbeitete er schon als Jurist.
So gut er kann, hilft der 88jährige seiner 87jährigen Frau im Haushalt. Seine Liebeserklärung heute: „Ich würd' dich noch mal heiraten, bestimmt …" Die längste Zeit der Trennung in über 60 Ehejahren? „Sieben Tage warst du einmal allein verreist", sagt sie, „eine schreckliche Woche!"

13. Was sagen die alten Leute?

a) über ihre Ehepartner?   b) über ihre Ehe?   c) über ihr gemeinsames Leben?

§ 9

14. Was steht im Text über Xaver und Ilona?

Erzählen Sie im Kurs. Hier sind Stichworte.

> schon über 70 Jahre – immer noch – Alter, als sie sich kennen lernten – wie kennen gelernt? – Kind schon vor der Ehe – Traumehe? – Wochenende allein – Freundin – Streit – sich viel erzählen…

Xaver und Ilona haben sich vor 70 Jahren kennen gelernt. Jetzt sind sie …

Reziprokpronomen

Er lernt sie kennen. Sie lernt ihn kennen.
Sie lernen **sich** kennen.

15. Kürzen Sie den Text über Xaver und Ilona.

Kürzen Sie den Text so, dass er nicht länger ist als die Texte zu den beiden anderen Paaren.

16. Auch eine Liebesgeschichte

> Ich bin 65 Jahre alt und fühle mich seit dem Tod meiner Frau sehr einsam. Welche liebe Dame (Nichtraucherin) möchte sich einmal mit mir treffen? Ich bin ein guter Tänzer, wandere gern und habe ein schönes Haus im Grünen.
> **Tel. 77 53 75**

Erzählen Sie die Liebesgeschichte. Verwenden Sie folgende Wörter.

Am Anfang	Später	Am Schluss
Deshalb	Schließlich	Dann

sich verabredet
sich verlobt
sich besucht
sich beim Tanzen getroffen
sich gestritten
sich nicht mehr geliebt
sich verliebt

Die Rentner-Band von Ludwigshafen

Pensionär gründet Motorrad-Museum

Die Reisen des Rentners Emil Kranz

Nach der Pensionierung:
Als Sozialarbeiter in Afrika

Emil Staiger (66) gewinnt Volkslauf in Hillegossen

Eine Großmutter für 10 Mark pro Stunde

Kochen wie zu Großmutters Zeiten:
Rentnerin organisiert Kochkurse für junge Frauen

Statt Altersheim: Mit 70 in die Wohngemeinschaft

17. Hören Sie das Interview.

a) Welche Schlagzeile passt zu dem Interview?

b) Sind die folgenden Aussagen richtig ⓡ oder falsch ⓕ?

□ Frau Heidenreich ist 69 Jahre alt.

□ Sie war früher Ärztin von Beruf.

□ Vor zwei Jahren hat sie einen Verein für Leihgroßmütter gegründet.

□ Das bedeutet, sie vermittelt ältere Damen an Familien, die eine Hilfe für die Hausarbeit brauchen.

□ Der Verein antwortet auf Anzeigen, die von jungen Familien aufgegeben werden.

□ Der Verein hat 27 Mitglieder.

□ Die alten Damen sind zwischen 62 und 77 Jahre alt.

□ Frau Heidenreich hat früher einen kleinen Jungen aus der Nachbarschaft betreut.

□ Die Nachbarsfamilie ist später nach Hamburg umgezogen.

□ Frau Heidenreich hat die Idee zu dem Verein zuerst mit ihren Freundinnen besprochen.

□ Die jungen Eltern kommen zum Verein und suchen sich eine Leihgroßmutter aus.

□ Der Verein bekommt von den Familien eine einmalige Vermittlungsgebühr.

□ Die Vereinsmitglieder möchten mit ihrer Tätigkeit vor allen Dingen Geld verdienen.

□ Ein Mitglied des Vereins ist inzwischen ganz zu einer Familie gezogen, bei der sie vorher Leihgroßmutter war.

□ Wenn es Probleme gibt, werden sie gemeinsam im Verein besprochen.

c) Korrigieren Sie die falschen Aussagen.

d) Schreiben Sie einen Zeitungsartikel über Frau Heidenreich und ihren Verein.

18. Haben Sie schon Wünsche oder Ideen für Ihr eigenes Alter?

6

○ Schau nur, Otto, da drüben, die jungen Leute!

□ Wo ...? Ach, du meinst das Pärchen, das gerade zu uns rüberschaut?

○ Was glaubst du, was die jetzt denken?

□ Weiß ich nicht, ist mir auch völlig egal.

○ Sicher denken sie: „Die in ihrem Alter, dass die sich nicht schämen."

□ Schämst du dich, mein Schäfchen?

33

○ Nein, mein kleiner Humpelbock, im Gegenteil. Ich freue mich.

□ Ich auch. Mein Gott, nie wieder möchte ich so jung sein!

○ Ich auch nicht, um keinen Preis. Dieses schreckliche Theater
   mit der sogenannten Liebe ...

□ Ja, sie können einem Leid tun, die jungen Leute!

○ Siehst du, jetzt stehen sie auf und gehen fort.

□ Sicher hat er gesagt, dass er nicht versteht, warum sie
   gestern in der Disko ständig mit dem Bob getanzt hat.

○ Und sie hat gesagt, dass sie nicht versteht, warum er
   das dem Bob erlaubt hat.

□ Und so weiter ...

○ Und so weiter ...

□ Wie gut, dass wir nicht mehr in die Disko gehen!

○ Sondern an Weihnachten nach Bali fliegen.

□ Wie wär's mit einem Kuss?

○ Tut man das in unserem Alter? Und in aller
   Öffentlichkeit?

□ Natürlich nicht. Deswegen ist es ja auch so schön!

Lektion 5

das Lexikon

Bilder-Lexikon

Kochen ist Kunst

das Kochbuch

die Zeitschrift

Wochenende

DEIN BABY

Hochzeit des Jahres

der Krimi

100 X Krimi

100 Gewinne!

DAS AUTO

das Sachbuch

1

Reime-Baukasten

A Reime mit »..and/..ant«

a) Mein Boot liegt dort unten am Strand.
b) Schon zieht der Sommer übers Land.
c) Weich und warm ist hier der Sand.
d) Die blaue Blume in deiner Hand.

e) Ein Bild von dir an meiner Wand.
f) Du weißt, dass ich es nie verstand.
g) Wo gestern Baum und Haus noch stand.
h) Du glaubst, du hättest mich gekannt.

B Reime mit »..eit/..eid«

a) Hast du heute für mich Zeit?
b) Der Frühling trägt ein buntes Kleid.
c) Der Fluss ist hier so tief und breit.
d) Bis morgen haben wir noch Zeit.

e) Meine Worte tun mir leid.
f) Noch sieben Stunden. Der Weg ist weit.
g) Hörst du die Vögel? Sie haben Streit.
h) Ein Kind ruft laut: »Es schneit! Es schneit!«

C Reime mit »..ir/..ihr/..ier«

a) Ich bin schon seit zwei Jahren hier.
b) Vor mir liegt ein Brief von dir.
c) Ich bin allein. Du bist nicht hier.
d) Ich sehe Fische unter mir.

e) Gehört der kleine Hund zu ihr?
f) Mein Abendessen: drei Glas Bier.
g) Ich zähle die Wolken. Es sind nur vier.
h) Die Stadt ist leer. Kein Mensch, kein Tier.

1. Machen Sie aus den Sätzen kleine Gedichte.

Finden Sie auch einen Titel. Zum Beispiel:

Allein im Sommer
Vor mir liegt ein Brief von dir.
Du glaubst, du hättest mich gekannt.
Ich zähle die Wolken. Es sind nur vier.
Schon zieht der Sommer übers Land.

2. Sie können die Reime auch anders ordnen.

Zum Beispiel:

… Land	… Land	… Wand
… Wand	… hier	… stand
… hier oder	… vier oder	… Hand
… vier	… Wand	… Sand

3. Wenn Sie möchten, können Sie die Sätze verändern.

Zum Beispiel:

Mein Haus steht dort unten am Strand.
Ich liege mit dir am Strand.
Kommst du mit an den Strand?
…

4. Machen Sie selbst auch neue Reime.

Zum Beispiel mit:

… Mai
… frei
… vorbei
… zwei
… drei
…

Herbsttag

(...)

Wer jetzt kein Haus hat, baut sich keines mehr,
Wer jetzt allein ist, wird es lange bleiben,
wird wachen, lesen, lange Briefe schreiben
und wird in den Alleen hin und her
unruhig wandern, wenn die Blätter treiben.
(...)

Rainer Maria Rilke (1875–1926)

(...)

Jm wunderschönen Monat Mai,
Als alle Knospen sprangen,
Da ist in meinem Herzen
Die Liebe aufgegangen

Jm wunderschönen Monat Mai,
Als alle Vögel sangen,
Da hab ich ihr gestanden
Mein Sehnen und Verlangen.
(...)

Heinrich Heine (1797–1856)

Vergänglichkeit

(...)

Vom Baum des Lebens fällt
Mir Blatt um Blatt
O taumelbunte Welt,
Wie machst du satt.
Wie machst du satt und müd,
Wie machst du trunken!
(...)

Hermann Hesse (1877–1962)

DER RAUCH

DAS KLEINE HAUS UNTER
BÄUMEN AM SEE.
VOM DACH STEIGT RAUCH.
FEHLTE ER
WIE TROSTLOS DANN WÄREN
HAUS, BÄUME UND SEE

BERTOLT BRECHT (1898–1956)

Lied des Harfenmädchens

(...)

Heute, nur heute
Bin ich so schön;
Morgen, ach morgen
Muß alles vergehn!
Nur diese Stunde
Bist du noch mein;
Sterben, ach sterben
Soll ich allein.
(...)

Theodor Storm (1817–1888)

2

Buch-Boutique

Marie-Luise Kreuter
1 Der Bio-Garten

Hedwig Maria Stuber
2 Ich helf dir kochen

Sven Nordquist
Eine Geburtstagstorte für die Katze
3

Gabriele Krone-Schmalz
4 ... an Russland muss man einfach glauben

Umberto Eco
5 Der Name der Rose

Lara Cardella
6 Ich wollte Hosen

◆ Der alte Herr Pettersson hat eine Katze. Aber Findus ist keine normale Katze, denn sie kann sprechen. Und sie hat dreimal im Jahr Geburtstag, weil das lustiger ist. Dann backt Herr Pettersson immer eine Torte. Aber diesmal kann er kein Mehl finden und dann wird alles sehr kompliziert.

◆ Hier finden Sie mehr als 2000 Rezepte für den kleinen und für den großen Hunger. Auch schwierige Menüs werden einfach erklärt. Außerdem gibt es viele Tipps für die gesunde Ernährung.

◆ Das ist die Geschichte eines Mädchens aus Sizilien, aber es ist keine schöne Geschichte. Die Eltern schlagen ihre Tochter und von ihrem Onkel wird sie sexuell missbraucht. Ein Bestseller in Italien und in Deutschland.

◆ Als erste westliche Korrespondentin machte die Autorin ein Interview mit Michael Gorbatschow. In ihrem Buch beschreibt sie ihre vier Moskauer Jahre, ihre privaten und offiziellen Kontakte aus dieser Zeit.

◆ Bunte Blumen, frisches Obst, gesundes Gemüse – alles aus dem eigenen Garten: Wer möchte das nicht? In diesem Buch finden Sie alles, was Sie über den biologischen Garten wissen müssen. Die Autorin gibt viele Tips aus der eigenen Gartenpraxis.

◆ Interessieren Sie sich für die Geschichte des Mittelalters? Lieben Sie Kriminalromane? Dann ist dieser Roman ganz bestimmt das Richtige für Sie. Nach diesem Bestseller wurde auch ein Kinofilm gedreht – mit Sean Connery in der Hauptrolle.

5. Welcher Text gehört zu welchem Buch?

6. Welches Buch ist ein:

Kinderbuch, Kriminalroman, politisches Buch, Gartenbuch, Kochbuch, Roman?

Anna Wimschneider

HERBST MILCH

Lebenserinnerungen einer Bäuerin

Anna Wimschneider, geboren 1919 in Niederbayern, ist acht Jahre alt, als ihre Mutter bei der Geburt des neunten Kindes stirbt. Da ist für Anna die Kindheit vorbei. Als ältestes Mädchen muss sie in der großen Bauernfamilie die Hausfrau und Mutter ersetzen. Annas Jugend besteht nur aus Arbeit und Armut. Mit zwanzig Jahren heiratet sie ihre erste und einzige Liebe Albert Wimschneider. Elf Tage nach der Hochzeit muss Albert zum Militär; Anna bleibt auf dem Bauernhof ihres Mannes mit vier alten kranken Leuten zurück. Jetzt beginnt ihr Arbeitstag um zwei Uhr in der Nacht. Anna Wimschneider, die nur fünf Jahre eine Schule besuchen konnte, hat in dem Buch „Herbstmilch" ihr Leben beschrieben – das Leben einer Bäuerin. Es ist keine Idylle vom fröhlichen und gesunden Landleben.

Bestseller

BELLETRISTIK

1 **Wimschneider: Herbstmilch**
Piper; 22 Mark
(1)

2 **Allende: Eva Luna**
Suhrkamp; 38 Mark
(2)

3 **Danella: Das Hotel im Park**
Hoffmann und Campe; 39,80 Mark
(4)

4 **King: Schwarz**
Heyne; 19,80 Mark
(3)

5 **Süskind: Das Parfüm**
Diogenes; 29,80 Mark
(6)

6 **Mehta: Die Maharani**
Droemer; 39,80 Mark
(5)

7 **Groult: Salz auf unserer Haut**
Droemer; 34 Mark
(9)

8 **Lessing: Das fünfte Kind**
Hoffmann und Campe; 29,80 Mark
(7)

9 **Sheldon: Die Mühlen Gottes**
Planvalet; 39,80 Mark
(11)

10 **Bradley: Die Feuer von Troia**
Krüger, 48 Mark
(8)

Hektar : ein Hektar =
10 000 m²

Bub: Junge (bayerisch)

Badewandl: Badewanne
(bayerisch)

röcheln: laut und
schwer atmen
Bettstadl: Kinderbett
(bayerisch)

Dirndsarbeit: Arbeit für
Mädchen
Dirndl: Mädchen
(bayerisch)
eine runterhauen: ins
Gesicht schlagen
Rohrnudel,
Dampfnudel: bayeri-
sche Mehlspeise

Dämpfer: Kochtopf
(bayerisch)
Kanapee: Möbel, auf
dem man sitzen und lie-
gen kann

Sau: weibliches
Schwein

flicken: kaputte
Kleidung reparieren

Im Landkreis Rottal-Inn steht an einem leichten Osthang ein Bauernhof mit neun Hektar Grund. Drinnen wohnten Vater und Mutter und der Großvater, das war Mutters Vater, und dazu noch acht Kinder. Franz war der älteste, dann kam der Michl, der Hans und ich, das erste Mädchen, nach mir Resl, Alfons, Sepp und Schorsch und später dann noch ein Bub. (...)

Einmal spielten wir auch so schön und lustig und liefen alle rund ums Haus. Da kam bei der Haustüre die Fanny heraus mit unserem Badewandl und schüttete nahe beim Haus viel Blut aus. ... Sie sagte, das ist von der Mutter. ... Die Mutter lag im Bett, sie hatte den Mund offen und ihre Brust hob und senkte sich in einem Röcheln. Im Bettstadl lag ein kleines Kind und schrie, was nur rausging. Wir Kinder durften zur Mutter ans Bett gehen und jedes einen Finger ihrer Hand nehmen.

(...)

Es war gerade Sommer, meine Mutter ist am 21. Juli 1927 gestorben.

(...)

Es kam die Ernte, und die meiste Arbeit war da die Feldarbeit, und jeder hatte es satt, immer wieder zu helfen. Da dachte der Vater, ich muß mir selber helfen. Es blieb ihm nichts anderes übrig, als die Kinder arbeiten zu lassen.

(...)

Es dauerte nicht lange, da sagten die Buben, im Haus ist alles deine Arbeit, das ist Dirndsarbeit. Nach der Schule kam die Meieredermutter, um mir das Kochen beizubringen. In meinem Beisein sagte der Vater zu ihr, wenn sich's das Dirndl nicht merkt, haust du ihr eine runter, da merkt sie es sich am schnellsten. An Sonntagen lernte sie mir das meiste, da war keine Schule. Mit neun Jahren konnte ich schon Rohrnudeln, Dampfnudeln, Apfelstrudel, Fischgerichte und viele andere Dinge kochen.

(...)

Milch und Kartoffeln und Brot gehörten zu unserer Hauptnahrung. Abends, wenn ich nicht mehr richtig kochen konnte, weil wir oft von früh bis vier Uhr nachmittags Schule hatten und dann erst in der Abenddämmerung heimkamen, da haben wir für die Schweine einen großen Dämpfer Kartoffeln gekocht. Die kleinen Kinder konnten kaum erwarten, bis er fertig war, schliefen dann aber doch auf dem Kanapee oder auf der harten Bank ein. Wir mußten sie dann zum Essen wecken. Weil wir so viel Hunger hatten, haben wir so viele Kartoffeln gegessen, daß für die Schweine nicht genug übrigblieb. Da hat der Vater geschimpft. Der Hans hat einmal 13 Kartoffeln gegessen, da hat der Vater gesagt,(...) friß nicht so viel, es bleibt ja nichts mehr für die Sau.

(...)

Hosen wurden jeden Tag zerrissen. Da zwang mich mein Vater, bis um zehn Uhr abends zu nähen und zu flicken, wenn alle anderen schon im Bett lagen. Auch er ging zu Bett. Wenn es mir dann gar zu viel wurde, ging ich in die **Speisekammer**, machte die Tür ganz auf und stellte mich hinter die aufgeschlagene Tür. Da konnte ich mich verstecken und weinte mich aus. Ich weinte so bitterlich, daß meine Schürze ganz naß wurde. Mir fiel dann immer ein, daß wir keine Mutter mehr haben. Warum ist gerade unsere Mutter gestorben, wo wir doch so viele Kinder sind.

> Speisekammer: kleiner, kühler Raum für Lebensmittel

(...)

Es kam das Jahr 1939, und manche Leute redeten vom Krieg. An einem Sonntag fragte mich Albert, ob ich seine Frau werden will. Ich konnte es anfangs gar nicht recht glauben. Dann **hielt er bei meinem Vater um mich an.** Da war es nun nicht mehr so leicht für den Vater, denn mit mir verlor er eine Arbeitskraft, und meine Schwester konnte mich nicht so leicht ersetzen.

> um eine Frau anhalten: um Erlaubnis für die Heirat bitten

(...)

Am 25. Juli 1939 wurde an Albert der Hof übergeben. Am 18. August war die standesamtliche und am 19. die kirchliche **Trauung.**

> Trauung: Hochzeit

(...)

In einer halben Stunde war alles vorbei, und wir waren Mann und Frau. Wir zogen unsere schönen Kleider aus und fingen die Arbeit an. Das Essen war wie an anderen Tagen auch. Ein Hochzeitsfoto wurde nicht gemacht.

(...)

Wie wir geheiratet haben, waren wir so arm, das kann sich heute niemand vorstellen. Das mußte man schon von klein an gewöhnt sein, sonst hätte man das nicht ausgehalten.

(...)

Es war noch Erntezeit, (...), da kam mit der Post der **Einberufungsbefehl** für meinen Mann. (...) Daß mein Mann in der ganzen Gemeinde der erste und einzige war, der **einrücken** mußte, hat mich sehr geärgert. Nur weil meine vier alten Leute keine **Nazis** waren! Alle anderen jungen Männer waren lange Zeit noch daheim.

> Einberufungsbefehl: Befehl, Soldat zu werden
> einrücken: zum Militär gehen
> Nazis: Nationalsozialisten

(...)

Meine Schwiegermutter sagte, jetzt wo dein Mann nicht mehr hier ist, mußt du bei mir in der Kammer schlafen, du bist noch jung, und es könnte einer zu dir kommen. Mir war es gleich, ich war am Abend sowieso müde, daß ich nur schlafen wollte. Daher zog ich in ihre Kammer.

Um zwei Uhr morgens mußte ich aufstehen, um zusammen mit der **Magd** mit der **Sense** Gras zum Heuen zu mähen. Um sechs Uhr war die Stallarbeit dran, dann das Futtereinbringen für das Vieh, im Haus alles herrichten und wieder hinaus auf die Wiese. Ich mußte nur laufen. Die Schwiegermutter stand unter der Tür und sagte, lauf Dirndl, warum bist du Bäuerin geworden? Sie aber tat nichts.

> Magd: weibliche Arbeiterin auf einem Bauernhof (früher)
> Sense: altes Werkzeug zum Gras schneiden

Nach dem Buch „Herbstmilch" wurde ein Film gedreht. Auch der Film wurde ein großer Erfolg.

Das Buch „Herbstmilch" ist im deutschsprachigen Raum ein großer Erfolg. In vielen Zeitungen und Zeitschriften gab es Interviews mit Anna Wimschneider. Wir haben hier die wichtigsten Informationen für Sie zusammengestellt.

Was bedeutet der Titel des Buches?

Herbstmilch ist eine Suppe aus saurer Milch, Mehl und Wasser. Sie war früher ein häufiges Frühstück für arme Bauernfamilien in Bayern.

Las Anna Wimschneider gerne Bücher?

Außer der Bibel hat sie in ihrem Leben kaum etwas gelesen – noch nicht einmal ihr eigenes Buch.

Warum hat Anna Wimschneider ihre Lebenserinnerungen aufgeschrieben?

Anna Wimschneider hatte drei Töchter, die jetzt erwachsen sind und in München leben. Die Töchter baten die Mutter oft ihre Lebenserinnerungen aufzuschreiben, weil sie wissen wollten, wie Annas schwere Kindheit und Jugend wirklich war. Als sie schon über sechzig Jahre alt war, war Anna lange Zeit schwer krank. Da setzte sie sich an ihren Küchentisch und schrieb zwei Wochen lang ihre Lebensgeschichte für ihre Kinder auf – dabei saß ihre Katze auf ihrem Schoß.

Wieso wurde aus dem privaten Manuskript ein Buch?

Nur durch Zufall. Annas zweite Tochter Christine ist mit einem Arzt verheiratet. Eines Tages kam ein Kollege zu Besuch und las Annas Lebensbericht. Er gefiel ihm so gut, dass er ihn dem Verleger Piper zu lesen gab, mit dem er befreundet ist.

Was veränderte sich für Anna Wimschneider durch den großen Erfolg ihres Buches?

Anna Wimschneider hatte in ihrem Leben große Armut erlebt. Durch das Buch und den Film verdiente sie sehr viel Geld, aber sie blieb trotzdem eine einfache Bauersfrau. Sie wohnte mit ihrem Mann im gleichen Haus wie früher, mit den gleichen alten Möbeln. Für sich selbst gab sie nicht gerne Geld aus, aber Schenken machte ihr Freude. Ihr größtes Glück im Alter war, dass sie jetzt endlich so lange schlafen konnte, wie sie wollte.

Anna Wimschneider starb am 1. Januar 1993.

Für welche Bücher würden Sie sich am meisten interessieren?

5 Demonstration der Bücher

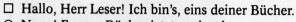

☐ Hallo ..!

○ Was ist? Wer ruft denn da?

☐ Hallo, Herr Leser! Ich bin's, eins deiner Bücher.

○ Nanu! Fangen Bücher jetzt auch schon an zu rufen? Und was willst du?

☐ Ich möchte endlich gelesen werden!

○ Gelesen werden – wozu? Sei froh, dass ich dich in Ruhe lasse.

☐ Ich spreche auch im Namen meiner vielen Freunde. Die möchten auch endlich einmal gelesen werden.

○ Red keinen Unsinn! Es ist sehr schön, wie ihr da steht. Es sieht gut aus und macht einen guten Eindruck.

☐ Es ist uns egal, ob wir einen guten Eindruck machen – wir wollen gelesen werden!

○ Außerdem habt ihr viel Geld gekostet – also seid jetzt bitte zufrieden!

☐ Nein, wir sind nicht zufrieden! Wenn du uns nicht liest, dann machen wir eine Demonstration.

○ Eine Demonstration? Ihr? Dass ich nicht lache!

☐ Wir fangen an zu rütteln, zu rucken und zu zucken, bis wir aus dem Regal kippen und auf den Boden fallen.

○ Kommt nicht in Frage! Ihr bleibt, wo ihr seid!

☐ Und auf dem Boden machen wir dann keinen guten Eindruck mehr.

○ Ich verbiete euch ... Also gut, morgen beginne ich mit dem Lesen.

☐ Wir glauben dir nicht. Seit Jahren willst du morgen beginnen.

○ Dann heute Abend.

☐ Heute Abend sitzt du doch wieder vor dem Fernseher – wie immer.

○ Mein Gott, was seid ihr lästig. Also gut – sofort.

☐ Danke, lieber Herr Leser, vielen Dank!

die frische Luft

der Bauernhof

Lektion 6

...nichts los

die Kuh

die Ruhe

die Natur

der Neubau

die Einkaufsmöglichkeiten

OBST

BROT

das Freizeitangebot

blond

KINO

der Altbau

der Gestank

die Kreuzung

der Lärm

die Gesundheit

die Baustelle

1. Suchen Sie die Bildteile zu den Wörtern in Übung 1b (auf Seite 67).

a) Nummerieren Sie zusammen die einzelnen Gegenstände und Bildteile.

b) Beschreiben Sie die Gegenstände genauer.

der Berg	der Gipfel	wohnen	das Boot
der Fluss	das Tor	fahren	die Stelle
der Park	der Baum	surfen	das Brett
der Garten	die Brücke		der Weg
das Gemüse	der Strand	wandern	der Strand
das Obst	das Kraftwerk	paddeln	das Rad
der Müll	die Bank	rudern	das Haus
das Wasser	die Bahn		
das Vieh	der Zaun	baden	
der Mist	die Deponie	halten	
das Auto	der Turm	anlegen	
	das Feld		
die Sonne	der Stall		
der Bauer	die Wiese		
die Blume	die Bucht		
das Meer	der Schirm		
die Aussicht	die Fabrik		
die Kirche	der Hof		
	der Haufen		

§ 1

Nr. ..., was für ein Boot ist das?

Ein Ruderboot.

Zusammengesetzte Nomen

der Berg + der Gipfel → der Berggipfel
die Sonne + der Schirm → der Sonnenschirm
das Meer + der Strand → der Meeresstrand
die Kirche + der Turm → der Kirchturm

wohnen + das Haus → das Wohnhaus
wandern + der Weg → der Wanderweg
baden + der Strand → der Badestrand

2. Wo tun die Leute das?

spazieren gehen	Schiff fahren	angeln	im Park
baden	paddeln	in die Stadt fahren	auf dem Berg
schwimmen	anlegen	wohnen	durch den Wald
Rad fahren	Bus fahren	auf den Turm steigen	am Badestrand
sich sonnen	rudern	arbeiten	am Fluss entlang
Auto fahren	surfen	die Aussicht genießen	an der Brücke vorbei
wandern	Obst pflücken	bauen	um den Bauernhof herum
			quer durch die Stadt ...

3. Wo würden Sie am liebsten wohnen? Warum?

innerhalb der Stadt
außerhalb der Stadt
im obersten Stockwerk

...ist	direkt	gegenüber	...liegt	gegenüber	dem Park
	gleich	nebenan		nahe bei	...
		um die Ecke			
	nahe			kurze Entfernungen zu...	
				ruhige Gegend	
				herrliche Aussicht	

§ 15

Neubau   Hochhaus
Altbau   Vorort

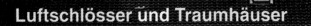

Luftschlösser und Traumhäuser

ein großer Wohnwagen,
mit dem ich um die Welt fahren könnte,
der viel Komfort hätte,
der mein Eigentum wäre …

ein großes Schloss,
das auf einem Berg läge,
wo ich oft Besuch bekäme,
mit herrlicher Aussicht ins Tal,
wo es Wälder und Wiesen gäbe …

ein Penthaus mitten in der Stadt
  mit einem Dachgarten,
von dem ich einen herrlichen Blick auf die
  Stadt hätte,
das einen eigenen Lift hätte,
wo ich tolle Partys gäbe,
von dem aus man nur fünf Minuten bis zum
  Stadtzentrum gehen müsste …

ein schöner, alter Bauernhof mit großem
  Obstgarten,
wo es große, hohe Zimmer gäbe,
wo ich alte Bauernmöbel hätte,
wo ein offener Kamin oder ein gemütlicher
  Ofen wäre,
wo ich Tiere halten könnte …

ein kleines Häuschen im Grünen
  mit Blumengarten,
wo es viel Platz für Kinder gäbe,
wo ich nur Felder und Wälder um mich herum sähe …

eine einsame Insel in der Karibik,
wo niemand hinkäme,
wo es nirgends Industrie gäbe,
wo ich Boot fahren könnte …

§ 24

4. Beschreiben Sie Ihr Traumhaus oder Ihre Traumwohnung.

Konjunktiv II

er hat – er hatte – er <u>hätte</u>
er ist – er war – er <u>wäre</u>
er kommt – er kam – er <u>käme</u>
es gibt – es gab – es <u>gäbe</u>
er sieht – er sah – er <u>sähe</u>

Ich wünschte mir …	Dann könnte ich …
Ich würde gern …	Dann wäre ich …
Ich hätte gern …	Dann hätte ich …
	Dann würde ich …
	Dann gäbe es …

5. Zeichnen Sie Ihr Traumhaus / Ihre Traumwohnung und erklären Sie.

Hier	wäre …
Daneben	gäbe es …
Davor	könnte man …
Darüber	würde ich …
Gegenüber	hätte …

Ich wünschte mir ein kleines Haus
im Wald, wo viele Kinder hinkämen …

In der Stadt oder auf dem Land wohnen

6. Hören Sie vier Meinungen.

a) Welches Bild passt zu welchem Interview? zu ___, zu ___, zu ___, zu ___

 1-4

b) Hören Sie noch einmal genauer zu. Machen Sie Notizen zu jedem Interview.

	1. Interview	2. Interview	3. Interview	4. Interview
Wohnlage	*im Zentrum direkt …*			
Nachteile	*zu teuer Bahn*			
Vorteile				
Wünsche				

7. Machen Sie Interviews im Kurs.

a) Interviewen Sie Ihre Nachbarin oder Ihren Nachbarn und machen Sie Notizen.

b) Berichten Sie:

… wohnt in …
Sie ist mit ihrem Zimmer nicht zufrieden, weil …
Aber …

Bist du mit … zufrieden?	Erst mal …
Fühlst du dich … wohl?	Und dann …
Lebst du gern …?	Und außerdem …
Hast du …?	Übrigens …
Und … brauchst du nicht?	Ganz einfach! …
Willst du ausziehen?	Was soll ich mit …?
Aber dann | müsstest | du doch …	Ja, wenn … | hätte!
hättest	gäbe!
kämest	…
	Aber dann …

2 Gekündigt

2) 5

○ Mensch, Carlo, was machst du denn für ein Gesicht?

□ Ach, mein Vermieter hat mir gekündigt. Jetzt muss ich schon wieder ein neues Zimmer suchen.

○ Wie kommt das denn? Du bist doch erst vor einem halben Jahr eingezogen.

□ Ja, und jetzt soll ich schon wieder umziehen. Der Vermieter braucht das Zimmer selbst, behauptet er.

○ Sag mal, du hast doch einen Mietvertrag abgeschlossen, nicht? Was steht denn da drin?

□ Na ja, ich wohne ja nur als Untermieter; wenn der Vermieter das Zimmer selbst braucht, kann er mir kündigen.

○ Ach was! Das muss er erst mal beweisen! Es gibt schließlich ein Mieterschutzgesetz!

□ Was nützt mir das?

○ Du solltest erst einmal zum Mieterverband gehen. Dort kannst du dich nach deinen Rechten erkundigen.

□ Meinst du? Vielleicht sollte ich das wirklich versuchen…

8. Hören und lesen Sie den Modelldialog und spielen Sie ihn.

2) 6-7

9. Hören Sie zwei weitere Dialoge auf Kassette. Spielen Sie dann ein ähnliches Gespräch.

| Was | ist denn mit dir los? | | Meine Wohnung | ist mir gekündigt worden. |
| | hast du denn? | | Mein … | |

Du bist doch	gerade erst	eingezogen.	Der	Besitzer	will	den Raum	selbst
	erst vor…						benutzen.
	erst seit… da drin.			Vermieter		das Haus	renovieren.
				…			

| Was | steht denn in | deinem Mietvertrag? | Ich habe ja | nur ein möbliertes Zimmer. / … |
| | ist denn mit | | | gar keinen Mietvertrag. |

| | | | Das | kann | innerhalb eines Monats | gekündigt |
| | | | | | fristlos /ohne weiteres | werden. |

Das heißt noch gar nichts.		Das	nützt	doch nichts. Der macht ja doch,
Da bin ich nicht so sicher.			bringt	was er will.
Es gibt doch gesetzliche Vorschriften.				

Kennst du überhaupt deine Rechte?		Vielleicht hast du Recht.
Erkundige dich mal	beim Mieterverband.	Ach weißt du, ich möchte keinen Ärger haben.
	bei deinen Nachbarn.	Ach nein, ich will keine Schwierigkeiten haben.
	…	Ich	suche lieber wieder etwas Neues.
			gehe lieber zur Zimmervermittlung. / zu …

Wohnung gesucht

10. Hören Sie das Gespräch mit dem Makler und machen Sie sich Notizen.

2 ZKB. Innenstadt, 570,– kalt, sofort frei.
AMG-Immobilien. Tel. 33 80 58

– Größe der Zimmer
– Lage / Verkehrslage
– Zustand der Wohnung
– Nebenkosten
– Mietbedingungen
– Einzugstermin

11. So sieht die Wohnung wirklich aus.

a) Beschreiben Sie die Mängel der Wohnung. Welche Angaben des Maklers sind falsch?

Balkontür	Aussicht	nicht dicht	existiert nicht
Zimmertür	Balkon	beschädigt	liegt direkt an / gegenüber
Zimmerdecke	Wand	kaputt	fährt direkt | vor | ... vorbei
Teppich	Kreuzung	schief	| an |
Lampe	S-Bahn	feucht	hat Flecken
Birne	Tapete	hässlich	hat ein Loch
Heizung / Kohleofen	Gardine	scheußlich	muss | repariert | werden
Lichtschalter		laut	| erneuert |
		es zieht	| gestrichen |
		es tropft	| tapeziert |

§ 27 d

b) Schreiben Sie dem Makler einen Brief. Teilen Sie ihm mit, unter welchen Bedingungen Sie die Wohnung mieten würden.

Sehr geehrter Herr...,
ich habe mir die Wohnung, die Sie mir angeboten haben, inzwischen
angesehen. Allerdings haben Sie mir einige falsche Angaben gemacht,
und die Räume sind in einem schlechten Zustand. Ich würde die
Wohnung trotzdem nehmen, wenn vorher...
Mit freundlichen Grüßen

3

Die Nesthocker

Manche wohnen schon zwanzig Jahre in ihren vier Wänden

Eine schön eingerichtete Wohnung in guter Lage ohne Umweltbelastung halten die meisten Bundesbürger (91 Prozent) für besonders wichtig. „Etwas mehr Geld" geben die Westdeutschen dennoch lieber für Reisen (53 Prozent), Essen und Trinken (50 Prozent) und Kleidung (44 Prozent) aus. Nur ein Drittel investiert „gerne mehr" für Möbel und Interieur. Zu diesem Ergebnis kommt die Studie „Wohnen + Leben" des Hamburger GFM-GETAS-Instituts.

Nach ihren Wohnwünschen und ihrer Wohnsituation wurden mehr als 6000 Westdeutsche im Alter zwischen 18 und 64 Jahren im vergangenen Herbst befragt. Aufgrund des „ständigen Wandels" in den neuen Bundesländern wurden die Ostdeutschen noch nicht berücksichtigt.

Die meisten Befragten (84 Prozent) können an der Wohnungseinrichtung den guten Geschmack und Stil erkennen. Vier Fünftel verwirklichen dabei ihren persönlichen Stil – und der ist breit gefächert: Die größte Gruppe (15 Prozent) richtet sich „altdeutsch" ein – mit massiven Schränken und dicken Polstermöbeln. „Gradlinig jung" mit bequemen Sitzgarnituren und schlichten Regalen, „modern bürgerlich" mit dem praktischen Wohndesign der 70er Jahre, und „repräsentativ modern" mit Einbauschränken und Glastischen: In diesen Stilrichtungen werden von jeweils über zehn Prozent der Westdeutschen die Wohnungen möbliert. Avantgarde-Designermöbel sind nur bei einer Minderheit beliebt. Wichtig für die meisten Befragten: Die Möbel müssen praktisch sein. Rustikales Holz, Leder, Glas und Marmor werden bevorzugt.

Tendenziell sind zwei Drittel der Deutschen laut Studie „Nesthocker". Fünf von zehn Befragten kaufen sich nur einmal eine Wohnungseinrichtung „fürs Leben" und wohnen schon länger als zehn Jahre in ihrer Wohnung. Jeder Fünfte sitzt bereits seit über zwanzig Jahren in denselben vier Wänden. Ein Drittel der Befragten fühlt sich zu Hause wohl.

12. Was passt zusammen?

Drei von zwanzig Deutschen
Genau die Hälfte der Deutschen
Gut die Hälfte der Deutschen
Jeder dritte Deutsche
Knapp die Hälfte der Deutschen
Nur ganz wenige Deutsche
Vier von fünf Deutschen
Zwei von zehn Deutschen

fühlt sich zu Hause wohl.
gibt gern Geld für Reisen aus.
ist bereit, für gutes Essen etwas mehr zu bezahlen.
kaufen Möbel im „altdeutschen" Stil.
kaufen sich Designermöbel.
kauft auch etwas teurere Möbel.
kauft sich nur einmal eine Wohnungseinrichtung.
legt Wert auf gute Kleidung.
möchten beim Möbelkauf ihren persönlichen Stil verwirklichen.
wohnen schon zwanzig Jahre oder länger in der gleichen Wohnung.

§ 29

Aus dem „Großen Duden"

...e], die; - Schicksal
...hai = als
Anteil erhalten] (griech. Philos.): *das unausweichliche Verhängnis, Schicksal.*
Heimat ['haima:t], die; -, -en ⟨Pl. ungebr.⟩ [mhd. heim(u)ot(e), ahd. heimuoti, heimöti, zu ↑Heim mit dem Suffix -öti]: **a)** *Land, Landesteil od. Ort, in dem man [geboren u.] aufgewachsen ist od. sich durch ständigen Aufenthalt zu Hause fühlt (oft als gefühlsbetonter Ausdruck enger Verbundenheit gegenüber einer bestimmten Gegend):* München ist seine H.; Wien ist meine zweite H. *(ich fühle mich jetzt in Wien zu Hause, obwohl ich nicht dort geboren bin);* seine alte H. wiedersehen; die H. aufgeben müssen, verlieren, verlassen; die H. lieben, verteidigen; er hat keine H. mehr; er hat in Deutschland eine neue H. gefunden; ein Schlepper mit einem warmen Licht, tröstlich, als berge er tausend -en (Remarque, Triomphe 357); sie ... haben mit ihren Kindern ein Recht auf H. angemeldet; sie folgte ihm in seine Heimat *(zog mit ihm nach der Heirat in seine Heimat);* jmdm. zur H. werden; Ü Eines Tages lernte sie den christgermanischen Kreis ... kennen ... und fühlte sich mit einemmal in ihrer wahren H. (Musil, Mann 312); **b)** *Ursprungs-, Herkunftsland eines Tiers, einer Pflanze, eines Erzeugnisses, einer Technik o. ä.:* die H. dieser Fichte ist Amerika; Deutschland gilt als die H. des Buchdrucks.
heimat-, Heimat-: ~**abend,** der: *Abendveranstaltung mit musikalischen, tänzerischen o. ä. Darbietungen der betreffenden Gegend;* ~**berechtigt** ⟨Adj.; o. Steig.; nicht adv.⟩: **a)** svw. ↑wohnberechtigt; **b)** (schweiz.) *an einem bestimmten Ort Bürgerrecht besitzend;* ~**berechtigung,** die: svw. ↑Wohnberechtigung; ~**blatt,** das: svw. ↑ ~zeitung; ~**dichter,** der: *Dichter, Schriftsteller, dessen Werk in der betreffenden heimatlichen Landschaft mit ihrem Volkstum wurzelt;* ~**dichtung,** die; ~**erde,** die: *heimatliche Erde als Ausdruck der Verbundenheit mit der Heimat;* ~**fest,** das: *[aus Anlass eines Jubiläums veranstaltetes] Fest, bei dem die betreffende engere Heimat mit ihrer Geschichte u. ihrem Brauchtum im Mittelpunkt steht;* ~**film,** der: *im ländlichen Milieu spielender Film, in dem die Verwurzelung der handelnden Personen in ihrer engeren Heimat gezeigt wird;* ~**forscher,** der: *jmd., der sich mit der Erforschung von Natur u. Geschichte der heimatlichen Landschaft beschäftigt;* ~**forschung,** die; ~**freund,** der: *jmd., der sein Interesse an Natur u. Geschichte seiner Heimat [durch eine Mitgliedschaft in einer entsprechenden Vereinigung] bekundet:* dem Verein der -e angehören; ~**front,** die (bes. ns.): *Betrieb, Bereich o.ä., in dem mit allen Mitteln daran gearbeitet wird, den Krieg gewinnen zu helfen;* ~**gefühl,** das: *Gefühl einer engen Beziehung zur Heimat;* ~**genössig** [-gənøsɪç] ⟨Adj.; o. Steig.; nicht adv.⟩ (schweiz.): svw. ↑berechtigt (b): er ist in Frauenfeld h.; ~**geschichte,** die: *Teil der Geschichtswissenschaft, der sich mit der Geschichte eines [kleineren] Landesteils befasst;* ~**hafen,** der: *Hafen, in dem ein Schiff in das Schiffsregister eingetragen ist:* Dieses U-Boot war vor kurzem in den H. zurückgekehrt (Menzel, Herren 96); ~**kalender,** der: *Kalender mit Abbildungen u. kleinen Geschichten, der für einen eng umgrenzten Landschaftsraum bestimmt ist;* ~**kunde,** die ⟨o. Pl.⟩: *Geschichte, Geographie u. Biologie einer engeren Heimat (als Unterrichtsfach);* ~**kundler,** der: svw. ↑ ~forscher; ~**kundlich** ⟨Adj.; o. Steig.; nicht präd.⟩: *die Heimatkunde betreffend, zu ihr gehörig:* -er Unterricht; ein -es Thema; ~**kunst,** die ⟨o. Pl.⟩: *sich in Kunsthandwerk u. Heimatdichtung ausprägende, auf dem Boden von Landschaft u. Tradition gewachsene Kunst;* ~**land,** das ⟨Pl. -länder⟩ [2: nach engl. homeland]: **1.** *Land, aus dem jmd. stammt od. in dem er seine Heimat hat.* **2.** svw. ↑Homeland; ~**liebe,** die ⟨o. Pl.⟩: *Liebe zur Heimat;* ~**lied,** das: *die Heimat besingendes Lied;* ~**los** ⟨Adj.; Steig. ungebr.; nicht adv.⟩: *keine Heimat mehr besitzend:* -e Emigranten; Ü als Schicksal das geistig -en Menschen (Nigg, Wiederkehr 19); ⟨subst.⟩ ~**lose,** der u. die; -n, -n ⟨Dekl. ↑Abgeordnete⟩, dazu: ~**losigkeit,** die; -: *das Heimatlossein;* ~**museum,** das: *Museum mit naturkundlichen u. kulturgeschichtlichen Sammlungen der engeren Heimat;* ~**ort,** der: **a)** *Ort, in dem jmd. [geboren u.] aufgewachsen ist, seine Heimat hat;* **b)** svw. ↑ ~hafen; ~**pflege,** die: *Erhaltung des Charakters der Heimat durch Umweltschutz, Pflege der Kulturdenkmäler, Bräuche o.ä.;* ~**presse,** die: vgl. ~zeitung; ~**prinzip,** das ⟨o. Pl.⟩ (schweiz.): *Grundsatz des Straf-*

rechts, nach dem eigene Staatsangehörige, die im Ausland straffällig geworden sind, nicht ausgeliefert, sondern im eigenen Land abgeurteilt werden; ~**recht,** das ⟨Pl. selten⟩: *Recht, in einem Ort, Land weiterhin leben zu dürfen:* Wir haben beschlossen, ihr Gast- und Heimatrecht zu gewähren (Hagelstange, Spielball 54/55); eine Art H. erwerben; Ü wird daher auch künftighin die deduktive ... Methode ... gerade in der Forstwissenschaft besonderes H. beanspruchen können (Mantel, Wald 90); ~**schein,** der (schweiz., österr. [früher]): *Bescheinigung des Heimatrechtes;* ~**schriftsteller,** der: vgl. ~dichter, ~**schuss,** der (Soldatenspr.): *Schussverletzung, auf Grund deren man in die Heimat versetzt werden kann:* General Jänicke hatte zwar nicht den berühmten H. erhalten (Plievier, Stalingrad 262); ~**schutztruppe,** die ⟨o. Pl.⟩: *Truppe des Territorialheeres der Bundeswehr mit der Aufgabe, die Operationsfreiheit der eigentlichen Kampftruppen u. -verbände durch die Sicherung wichtiger Gebiete u. Anlagen zu gewährleisten;* ~**sprache,** die: *in einem Landesteil, in jmds. engerer Heimat gesprochene Sprache;* ~**staat,** der: *Staat, aus dem man stammt, dessen Staatsangehörigkeit man besitzt;* ~**stadt,** die: vgl. ~ort (a); ~**tag,** der: svw. ↑ ~fest: Das Städtchen feierte wie jedes Jahr seinen H. (Chr. Wolf, Himmel 99); ~**treffen,** das: *Treffen der Heimatvertriebenen zum Gedenken an die verlorene Heimat;* ~**verbunden** ⟨Adj.; nicht adv.⟩: *seiner Heimat verbunden;* ~**verteidigung** die ⟨o. Pl.⟩: *Verteidigung des Heimatstaates;* ~**vertrieben** ⟨Adj.; o. Steig.; nicht adv.⟩: *nach 1945 aus den deutschen Ostgebieten vertrieben:* Den christlichen Kräften des -en Landvolks komme jetzt besondere Bedeutung zu (Glaube, 51/52, 1960, 23), dazu: ~**vertriebene,** der u. die; -n, -n: *Der Gesamtdeutsche Block BHE (Block der -n und Entrechteten) ist eine Interessenpartei der aus dem Osten stammenden Vertriebenen (Fraenkel, Staat 249);* ~**verwurzelt** ⟨Adj.; o. Steig.; nicht adv.⟩: *in seiner Heimat verwurzelt;* ~**zeitung,** die: *Zeitung bes. mit Lokalberichten u. -nachrichten, die nur für ein engeres Gebiet bestimmt ist:* der Konkurrenzkampf mit den großen Tageszeitungen macht den kleineren -en das Leben schwer; für die H. schreiben.

...⟨Adj.; o. Steig.; nicht adv.⟩: **a)** *in der Heimat* ...
...Berge ~ Sprache;
bef...
ma...
ge...
rü...
-[...

Aus der Brockhaus Enzyklopädie

Heimat [ahd. heimoti, zu Heim], allgemein die Umwelt, mit der der Einzelne durch Geburt oder Lebensumstände verwachsen ist. Bes. im Deutschen begreift das Wort eine Gemütsbindung ein, verkehrsferne, abgeschlossene Verhältnisse, *Daheim-Geborgensein.* Naturnahe Lage fördern das *Heimatgefühl;* es ist jedoch weder auf die Naturlandschaft noch etwa auf die schöne Landschaft beschränkt. Die Klein- und Mittelstadt mit lokalem Geschichtsbewusstsein bietet seit alters ein günstiges Klima für *Heimatliebe* und *Heimattreue.* Aber auch moderne Industriestädte können zur H. werden. Ebensowenig sind Familie und Herkunft für das *Heimatbewusstsein* wesensnotwendig; *Wahlheimat* hat es immer gegeben; Kinder von Heimatvertriebenen können schnell *heimisch* werden, wenn die Umstände günstig sind. Anderseits kann das *Heimweh* nach der verlorenen H. sich bis zu körperl. Krankheitserscheinungen steigern.

heimisch, ahd. heimi...
einheimisch; zahm; nicht wildwachsend; ...⟨...
adv.⟩ *das eigene Land betreffend, dazu gehörend; in einer bestimmten Heimat vorhanden, von dort stammend, einheimisch:* die -e Bevölkerung, Regierung, Wirtschaft. Industrie; -e Pflanzen; diese Tiere sind in Asien h.; Andere gingen ins Ausland, um dort das neue Verfahren h. zu machen (Bild. Kunst 3, 58); **b)** ⟨nur attr.⟩ *zum eigenen Heim, zur vertrauten häuslichen, heimatlichen Umgebung*

1179

13. Erklären Sie fünf Stichwörter aus dem Duden, die Ihnen wichtig erscheinen, mit Ihren eigenen Worten. Versuchen Sie, Beispiele dafür zu finden.

3

14. Beschreiben Sie die beiden Bilder und vergleichen Sie sie.

fröhlich einsam

interessiert kalt

unpersönlich

neugierig traurig

modern glücklich

zufrieden lebendig

freundlich arm

gemütlich

abweisend

altmodisch ...

Das Bild	links	ist /sind	...
Das Haus	rechts	zeigt / zeigen	
Die Menschen	...	wirkt / wirken	
Die Atmosphäre		...	
...			

15. Lesen Sie die Reportage auf Seite 75 und versuchen Sie, die drei Felder zu füllen.

hat mit „Heimat" zu tun	hat wenig oder nichts mit „Heimat" zu tun
wo ich mich wohl fühle *Gefühl*	*Territorium* *Deutschland*

macht es schwer, Heimatgefühl zu empfinden
Neubauviertel   *Cola*

Wie geht unsere Generation mit Heimat um? Wir haben 170 Jugendliche zwischen 18 und 24 befragt.

„Da, wo ich mich wohl fühle, geborgen und verstanden, da, wo ich aufgewachsen bin." So allgemein umschreiben es die meisten Jugendlichen. „Heimat ist kein Territorium, eher ein Gefühl", sagen vage die einen; unsicher: „Vielleicht das Haus oder die Stadt, in der ich lebe, weil hier meine Freunde sind", die anderen. Kaum einer, der „Deutschland" nennt. Was macht es uns so schwer, Heimat so zu bestimmen, wie es unsere Eltern und Großeltern noch konnten? Warum fällt uns bei Heimat weder der Michel ein noch die Zugspitze, weder das Brandenburger Tor noch der Rhein?

Wir sind in Neubauvierteln großgeworden, mit Cola und Cornflakes, mit Michael Jackson und „Sesamstraße". Wir wollten nicht mehr Polizist werden oder Prinzessin, sondern Filmstar oder Ölmilliardär. Wir sind mit sieben schon auf Mallorca gewesen und haben die Familie im Stockwerk über uns nicht gekannt. Wir konnten mit zwölf schon Englisch und verstanden Omas Dialekt nicht mehr. Wir haben lieber Gameboy gespielt als Räuber und Gendarm. Wir lernten von vielen Kulturen und kennen die eigene am wenigsten. Wir arbeiten mehr mit Computern und Maschinen als mit Menschen.

Heimat hat viel zu tun mit Geborgenheit, mit dem Gefühl, zusammenzugehören. Das finden nahezu alle Jugendlichen, mit denen wir gesprochen haben.

Aber: Die Anonymität der Städte, die Hektik, der wachsende Egoismus lassen für Gemeinschaft nicht viel Platz. Die Kirchen sind nur Heiligabend voll, Stadtteilvereine und Straßenfeste können die dörfliche Wärme kaum ersetzen. Ohne die Verbundenheit mit Ort und Menschen kann aber auch kein Heimatgefühl entstehen.

Deshalb greifen wir auf den begrenzten Raum der Wohnung, des Zimmers zurück, auf den engsten Kreis von Freunden und Verwandten. Was für unsere Eltern noch unvorstellbar war, ist für uns Realität: Heimat ist verschiebbar. Weil wir Kindheitserlebnisse nicht mehr an Orte, sondern vielmehr an Menschen knüpfen, können wir Heimat quasi in den Umzugskarton packen und am neuen Wohnort herausholen, sei es nun Kiel oder Tokio.

Selbst Sprache ist, seitdem Dialekte nur noch selten zu hören sind und Englisch allgegenwärtig ist, als Bindeglied zur Nebensache geworden. Ist das aber noch Heimat? So unsicher, wie Deutschlands Jugend bestimmt, was Heimat ist, so sicher kann sie sagen, was nicht: das Vaterland nämlich. Vaterland (oder Geburtsland, was für uns besser klingt, weil „Vaterland" den faschistischen Beigeschmack noch lange nicht verloren hat), das ist Deutschland. Nur, weil man hier geboren ist. „Heimat muss nicht unbedingt im Geburtsland liegen". – „Vaterland ist negativ besetzt, Heimat positiv." – „Vaterland ist ein konkreter Ort, Heimat eher ein Gefühl."

Sicherlich, uns geht es viel besser als den Generationen vor uns. Wir können reisen, wohin wir wollen, wohnen, wo es uns passt (gesetzt den Fall, dass es noch Wohnungen gibt). Wir brauchen nur auf einen Knopf zu drücken, schon können wir wählen zwischen Spielfilm, Talk-Show, Quiz und Nachrichten – uns die Welt ins Wohnzimmer holen. Wir können aussehen, wie wir möchten, tragen, was uns gefällt. Wir leben leichter, bequemer und länger als unsere Großeltern. Wir können vieles haben, was man kaufen kann.
Nur Heimat nicht.

Heimat

Da, wo ich mich wohl fühle

4

… Die Heimat
Ist also wohl das Teuerste, was Menschen
Besitzen. …

Schiller, Jokasta und Polynice

Im schönsten Wiesengrunde
Ist meiner Heimat Haus.

Volkslied von W. Ganzhorn

Denn nichts ist doch süßer als unsre Heimat und Eltern,
Wenn man auch in der Fern' ein Haus voll köstlicher Güter,
Unter fremden Leuten, getrennt von den Seinen, bewohnet.

Homer, Odyssee

Der ist in tiefster Seele treu,
Wer die Heimat liebt wie du.

Theodor Fontane, Archibald Douglas

In der Fremde erfährt man, was die Heimat wert ist,
und liebt sie dann um so mehr.

Wichert, Heinrich von Plauen

Nirgends ist der Himmel so hoch und die Erde so groß,
Nirgends sind die Wälder so ohne Ende …

Siegfried von Vegesack, Nordische Heimat

Die wahre Heimat ist eigentlich die Sprache.

Wilhelm von Humboldt

In die Heimat möcht' ich ziehen,
In das Land voll Sonnenschein.

E. Geibel, Der Zigeunerbub im Norden

Hier ist keine Heimat – jeder treibt
Sich an dem andern rasch und fremd vorüber
Und fraget nicht nach seinem Schmerz.

Schiller, Wilhelm Tell

die Autofähre

das Schiff

Schusters Kleintransporte aller Art

der Lastwagen

der Zollbeamte

der Schlagbaum

das Fahrrad

der Grenzübergang

die Grenze

ZOLL

1

1. Was machen die Leute?

§ 37

Der	kleine	Mann	mit der blauen Badehose	springt ins …
Die	alte	Frau	mit dem Stock	fliegen zum …
Das	dicke	Kind	auf der Brücke	
Die	…	Leute	im Raumschiff	

ein Schild aufstellen   falsch abbiegen   die Vorfahrt nicht beachten

vor dem Bahnübergang warten   einen LKW überholen   einziehen   spazieren gehen

sich verabschieden   zusammenstoßen   starten   ins Wasser stoßen

vor der Ampel halten   sich nach dem Weg erkundigen

den Mann verlassen   ein Auto abschleppen   den Verkehr regeln   vor einer Katze bremsen

aus dem Gefängnis fliehen   mit der Eisenbahn ankommen   über die Mauer klettern

im Stau stehen   in die Einbahnstraße fahren   wandern   gerade noch den Zug erreichen

zum Mond fliegen   ins Wasser springen   über die Grenze fahren   das Haus abschließen

reiten   einen Einbrecher verhaften   entgegenkommen   landen

die neue Autobahn eröffnen   ein Auto schieben   hupen   an die Tür klopfen

2. Erzählen Sie: Haben Sie schon einmal eine von diesen Situationen oder eine ähnliche erlebt?

Einmal	bin ich	...	Da / erst / dann / danach / plötzlich / schließlich
	habe ich		
	war ich		

2

§ 17, 32

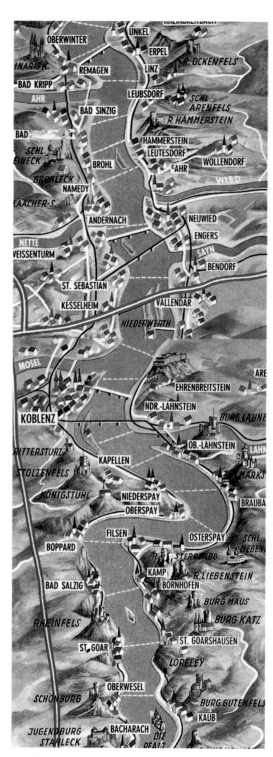

Steile Berge, alte Burgen
Mit dem Rad am Rhein entlang

Mein Freund Stephan und ich sind in den Osterferien mit dem Rad den Rhein hinauf bis Straßburg gefahren, also von Norden nach Süden. Mein Vater hat uns mit dem Auto auf der Autobahn von Köln bis ins Siebengebirge gefahren. Das liegt östlich von Bonn. So konnten wir gleich am Anfang der Fahrt etwa 12 km bergab ins Rheintal nach Linz hinunterfahren. Das war super. In den vielen Kurven mussten wir stark bremsen. Darum bin ich immer rund 100 Meter hinter Stephan geblieben. So sind wir auch durch das alte Stadttor nach Linz hineingefahren.

Südlich von Linz wird das Rheintal immer enger. Hoch oben über den Weinbergen sind Burgen, Schlösser und Burgruinen. Am besten kann man die auf der anderen Seite des Rheins sehen. Die Straße führt oft direkt am Rhein entlang. Hier fahren nur wenige Autos. Von Leutesdorf aus sind wir mit der Autofähre nach Andernach hinübergefahren. Das ist nicht teuer und macht viel Spaß. Andernach hat eine alte Stadtmauer aus dem Mittelalter. Südlich von Andernach wird das Rheintal wieder breiter. Dort gibt es viel Industrie und ein Atomkraftwerk. Nach einer Stunde fuhren wir auf einer Brücke über die Mosel nach Koblenz hinein. Dort fließt die Mosel in den Rhein. Wer aus Frankreich, Belgien oder Luxemburg kommt, sollte unbedingt über Trier und Cochem die Mosel abwärts zum Rhein fahren!

Als wir nun wieder über den Rhein fuhren und zur Jugendherberge in der Festung Ehrenbreitstein wollten, mussten wir unsere Fahrräder einen steilen Berg (13%) hinaufschieben. Als wir durch das erste Tor kamen, sahen wir nur Schießscharten. Danach ging es durch weitere Tore, bis wir auf einem großen Platz standen – mit Blick hinunter auf den Rhein. Hier standen noch im Ersten Weltkrieg (1914–1918) die großen Kanonen. In der Jugendherberge war es sehr kalt, viel kälter als draußen. Wir haben die ganze Nacht gefroren.

Nach einem guten Frühstück fuhren wir den steilen Berg hinunter. Bei Lahnstein fuhren wir über die Lahn weiter nach Süden bis Braubach. Dort stellten wir unsere Räder in einen Hinterhof und stiegen hinauf zur Marksburg. Es ist die älteste Burg am Rhein. Die ältesten Teile sind aus dem 13. Jahrhundert. Wir konnten noch viele Kanonen, Rüstungen und Folterinstrumente aus dem 16. Jahrhundert sehen.

Von Boppard fuhren wir mit einem Rheinschiff nach St. Goar. Von der Flussmitte konnten wir rechts die Burg Rheinfels und links die Burgen Liebenstein und Sterrenberg sehen. Man nennt sie die feindlichen Brüder, weil ihre Besitzer immer wieder Krieg gegeneinander geführt haben. Sie stehen sehr dicht beieinander. Dazwischen steht aber eine dicke, hohe Mauer. Weiter südlich kann man Burg Katz und Burg Maus sehen. Diesen Namen nach waren die Burgherren sicher auch nicht gerade die besten Freunde. Von St. Goar fuhren wir über Oberwesel nach Bacharach. Dort mussten wir wieder unsere Räder zur Burg Stahleck hochschieben, denn in der Burg ist eine sehr schöne Jugendherberge. Der Blick hinunter auf den Rhein bei Nacht ist wunderschön …   *Norbert G. (14)*

3. In welcher Reihenfolge haben Norbert und Stephan die Orte a) bis f) gesehen? Wie heißen die Orte?

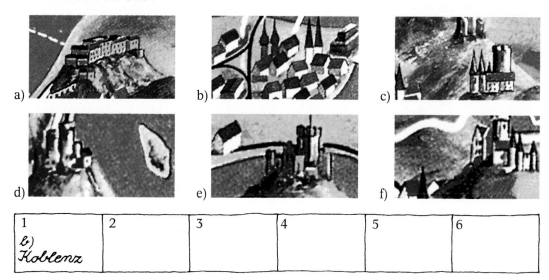

a) b) c)

d) e) f)

1	2	3	4	5	6
e) *Koblenz*					

4. Was erfahren Sie aus dem Text über diese Orte? Berichten Sie.

| Andernach   Marksburg |
| Ehrenbreitstein |
| Siebengebirge   Koblenz |
| Linz |

| Stadtmauer aus dem Mittelalter   Jugendherberge |
| Mosel fließt in den Rhein   altes Stadttor   steiler Berg |
| Folterinstrumente   östlich von Bonn   Schießscharten |
| Kanonen im 1. Weltkrieg   Fähre   älteste Burg am Rhein |

In ... gibt es ...   ... liegt ...   In ... kann man ... sehen.   Bei ...

5. Hören Sie Stephans Erzählung von der Kassette.

Machen Sie sich Notizen und vergleichen Sie mit der
Landkarte:
– In welchen Punkten widerspricht Stephans Erzählung
  dem Bericht von Norbert?
– Welche Punkte lässt er aus?

6. Würden Sie auch gerne einmal mit dem Rad am Rhein entlang fahren? Was würde Ihnen gefallen, was nicht?

7. Haben Sie schon einmal eine längere Tour gemacht? Erzählen Sie.

2 10

8. Verkehrshinweise

Herr und Frau Gebhardt aus Flensburg sind mit dem Auto unterwegs nach Süden. Sie wollen ihren Urlaub an der italienischen Riviera, in San Remo, verbringen. In Karlsruhe haben sie bei Verwandten übernachtet. Zur Zeit sind sie auf der Autobahn A 5 Karlsruhe – Basel kurz vor Freiburg im Breisgau. Zur Urlaubszeit ist auf diesem Autobahnabschnitt immer besonders dichter Verkehr.

a) Hören Sie den Dialog.

b) Schauen Sie sich die Straßenkarte an. Auf welcher Strecke will Herr Gebhardt nach Süden fahren?

c) Hören Sie sich die Verkehrshinweise noch einmal an. Auf welche Verkehrsbehinderungen weist der Nachrichtensprecher hin, und an welchen Streckenabschnitten sind sie entstanden?

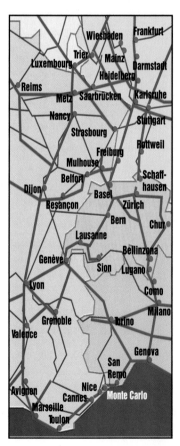

A. Grenzübergang Basel (D-CH)

B. A 81 vor der Ausfahrt Rottweil (D)

C. Grenzübergang Schaffhausen (D-CH)

D. San-Bernardino-Tunnel (CH)

E. Grenzübergang Como (CH-I)

1. Es hat einen Unfall gegeben.
2. Ein Stau wird gemeldet.
3. Die Strecke ist gesperrt.
4. Die Wartezeit bei der Ausreise beträgt mindestens eine Stunde.
5. Es gibt eine Umleitung.

d) Herr und Frau Gebhardt können jetzt eine andere Strecke fahren. Überlegen Sie zusammen mit Ihrem Nachbarn: Welche Strecken kommen für sie in Frage? Welche Strecken lohnen sich überhaupt? Wo ist der Umweg zu groß? Welche Verkehrshinweise müssen sie dann beachten?

§ 15 c

Sie könnten zuerst	in Richtung…	fahren.
Dann könnten sie	um…herum	
Bei…könnten sie	über…	
Ich würde	nach…	
Dann würde ich	von…aus…nach…	
	ab…die…nehmen.	
Das würde ich nicht tun.	bei…auf die…abbiegen.	
Ich würde eher		
Ja, aber dann müssten sie		
Sie könnten aber auch		
Sie sollten besser		

Ich würde zunächst in Richtung Tokio fliegen, bei Katmandu rechts abbiegen und dann die Luftstraße Nr. 367 über Bombay, Daressalam und Tunis nach San Remo nehmen.

Der Freizeitmensch wird zum Warte-Profi

Studie sagt Massenverkehr und Konsumrausch voraus
Von unserem Korrespondenten Thomas Vinsor / Hamburg

§ 20, 28

Zunehmender Autoverkehr, wachsende Landschaftszerstörung durch Freizeitanlagen, Kampf gegen die Langeweile: Eine Studie zur Freizeit im Jahr 2001, die am Montag in Hamburg vorgelegt wurde, verspricht nichts Gutes für die Zukunft.

„Genießen wir unsere Freizeit heute, denn besser kann sie kaum werden", heißt die Erkenntnis der Experten vom BAT-Freizeitforschungsinstitut. Sie beruht auf der Befragung von rund 2000 Bundesbürgern im Alter von über 14 Jahren. Danach halten die meisten Menschen die Zukunftsrisiken der Freizeitgestaltung für weit höher als die Chancen.

„Mobil und immer aktiv sein" – so wird wahrscheinlich das Motto des Freizeitmenschen der Zukunft heißen. Die Hamburger Forscher meinen: „Das bedeutet auch Massenverkehr. Nach dem Jahr 2000 wird etwa ein Drittel der Bevölkerung dauernd irgendwo auf Kurzurlaub oder Wochenendfahrten unterwegs sein." Das führt zu überfüllten Straßen, zu noch größeren Staus als jetzt schon.

Zumindest in den Industrieländern könnte das nächste Jahrhundert zu einem „Zeitalter der Massenfreizeit" werden mit überfüllten Straßen, Städten, Hotels, Zügen, Kinos und Theatern. Professor Horst Opaschowski,

Leiter des BAT-Institutes: „Der Freizeitmensch von 2001 wird sich zum Warte-Profi entwickeln müssen."

Beinahe rauschhafte Formen nimmt voraussichtlich der Konsum an. Die Kauflust wird zu einem Mittel, die Langeweile zu verhindern, meinen die Freizeitforscher: „Shopping wird zu einer Fluchtburg gegen Einsamkeit." Schon jetzt geben 54 Prozent der berufstätigen Frauen und 46 Prozent der Männer unter 34 Jahren zu: „Ich gebe in der Freizeit zu viel Geld aus."

Ein anderes Mittel, Isolation und Langeweile zu überwinden, heißt „Thrilling": Nervenkitzel, Angstlust – eine Mischung aus aufregendem Erlebnis und Risikobereitschaft soll dem Freizeitmenschen der Zukunft ein neues Selbstwertgefühl verschaffen. „Die ständige Bedrohung durch Langeweile verstärkt das Raffinement, das Ausüben extremer Sportarten, die Sucht nach Spaß, nach Strapazen, nach Ablenkung um jeden Preis", sagen die Freizeitforscher. Jeder dritte Bundesbürger fühlt sich heute schon „gestresst", wenn er „in völliger Stille", ohne Fernsehen und Radio, mit sich allein sein muss. Quintessenz der Experten: Die zunehmende Unfähigkeit vieler Menschen, mit sich und der Freizeit umgehen zu können, wird eines der Hauptprobleme der Zukunft werden.

Augsburger Allgemeine

---

9. Versuchen Sie die Bedeutung der folgenden Wörter im Gespräch zu klären.

Freizeitanlage Freizeitmensch Freizeitforscher Freizeitforschungsinstitut Massenfreizeit
Zukunftsrisiko Nervenkitzel Angstlust Kauflust Fluchtburg Warte-Profi

> Was versteht man unter einer Freizeitanlage?

> Eine Freizeitanlage ist eine Anlage oder Einrichtung, in der man seine Freizeit verbringen kann.

Präsens
Sie lesen mehr.

Futur
Sie werden mehr lesen.

10. Was werden die Menschen wohl in 20 Jahren in ihrer Freizeit tun?

§ 20

| Ich | glaube,
nehme an,
vermute,
denke, | die Menschen
die Leute | werden | lieber
öfter
mehr
weniger | zu Hause bleiben. / Auto fahren.
Sport treiben. / reisen.
lesen. / Computerspiele spielen.
Radio hören. / einkaufen. / … |

Europa ohne Schlagbäume

Vier Freiheiten, ein Markt – das beschreibt die wesentlichen Änderungen für die 340 Millionen Bürgerinnen und Bürger der Europäischen Union seit dem 1. Januar 1993. Ein Raum ohne Grenzen zwischen Jütland und Sizilien, Chemnitz und Lissabon. Jetzt gilt der Binnenmarkt mit den Grundsätzen „Freizügigkeit für die Bürger", „Freier Warenverkehr", „Freier Dienstleistungsverkehr", „Freier Kapitalverkehr". Steuergrenzen und unterschiedliche technische Vorschriften standen lange im Weg. Seit 1993 wurde nicht alles anders – aber manches. Dafür einige Beispiele:

Keine Steuern für „Souvenirs"

Zigaretten und Alkohol dürfen jetzt ohne neue Versteuerung über die Grenzen innerhalb der Union gebracht werden – unter der Voraussetzung, dass man nicht mehr als 800 Zigaretten und 90 Liter Wein oder 110 Liter Bier „zu privaten Zwecken" im Kofferraum hat. Aber: Pkw gelten nicht als „Souvenirs" – wer ein Auto im Nachbarland kauft, muss trotzdem die Mehrwertsteuer des Landes zahlen, in dem der Wagen angemeldet wird.

Keine Grenzen für das Geld

Geld kann jetzt in jedem EU-Land angelegt werden – in beliebiger Höhe. Banken und Versicherungen dürfen auch in Ländern Aufträge abschließen, in denen sie keine eigenen Niederlassungen haben. Der Wettbewerb nimmt zu, die Kunden haben größere Auswahl. Privatpersonen, aber auch Unternehmen können ohne Begrenzung Geld von einem in jedes andere Mitgliedsland überweisen.

Unbegrenztes Aufenthaltsrecht

Arbeiten auf Mallorca oder in Rom: Alle EU-Bürger, nicht nur die berufstätigen, auch Rentner und Studenten dürfen sich im Mitgliedstaat ihrer Wahl niederlassen und unbegrenzt aufhalten – ohne eine Arbeitserlaubnis zu beantragen. Allerdings: Man muss ein regelmäßiges Einkommen und eine Krankenversicherung haben.

Am Grenzübergang Venlo/Schwanenhaus sägen der deutsche Zollbeamte Gerhard Grüttner (links) und sein niederländischer Kollege Wil Kec den Schlagbaum durch.

Keine Lastwagenstaus mehr an den EU-Grenzen

Jeder „Verkehrsunternehmer" hat das Recht, in allen Mitgliedstaaten der EU Dienstleistungen anzubieten. Allein durch Wartezeiten und Verwaltungsarbeiten entstanden an den Grenzen vor 1993 jedes Jahr Ausgaben von 15 Milliarden DM für die Unternehmen. Die Steuerformalitäten werden jetzt in den Unternehmen selbst erledigt.

---

11. Welche Überschrift passt zu den „vier Freiheiten"?

1. Freier Kapitalverkehr: Keine ...
2. Freier Warenverkehr: ...
3. Freier Dienstleistungsverkehr: ...
4. Freizügigkeit für die Bürger: ...

12. So war es früher. Wie ist es heute?

Früher

... durfte man nur 300 Zigaretten und 4 Liter Wein aus einem EU-Land in das andere mitnehmen.

... durften Banken nur in Ländern Geschäfte machen, in denen sie eine Niederlassung hatten.

... brauchten EU-Bürger eine Arbeitserlaubnis, um in einem anderen EU-Land zu arbeiten.

... mussten Lastwagen an den Grenzen oft lange warten, um die Formalitäten zu erledigen.

... durften Verkehrsunternehmer in Ländern, in denen sie keine Niederlassung hatten, keine Dienstleistungen anbieten.

Heute

... darf man 800 ...

... können ...

2 11

13. Meinungen zum europäischen Binnenmarkt

Hören Sie die Interviews. Ordnen Sie die Aussagen den Personen zu. (Die Aussagen sind nicht wörtlich wiedergegeben!)

1. Gesine Hofer, Busunternehmerin
2. Sepp Grumbach, Student
3. Constanze Bach, Hausfrau
4. Walter Liebherr, Buchhalter

☐ hat nichts vom Binnenmarkt.

☐ ist froh, dass man an den Grenzübergängen nicht mehr warten muss und nicht mehr kontrolliert wird.

☐ klagt darüber, dass die Mehrwertsteuer gestiegen ist.

☐ fürchtet, dass Verbrecher leichter fliehen können.

☐ findet, dass die Bürokratie im Binnenmarkt gewachsen ist.

☐ hat Angst vor der ausländischen Konkurrenz.

☐ findet es gut, dass man ohne Probleme in einem anderen Land wohnen kann.

☐ fürchtet, dass zu viele Ausländer nach Deutschland kommen und Arbeitsplätze wegnehmen.

☐ hofft, dass die D-Mark stabil bleibt.

☐ meint, dass der Binnenmarkt nur den großen Firmen Vorteile bringt.

14. Welche Vorteile / Nachteile / Chancen / Gefahren sehen Sie in der Öffnung der Grenzen in Europa?

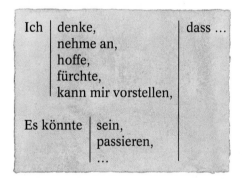

Ich	denke,	dass ...
	nehme an,	
	hoffe,	
	fürchte,	
	kann mir vorstellen,	
Es könnte	sein,	
	passieren,	
	...	

Zahl der Pleiten   Preise   kleine Firmen
Arbeitslosigkeit   Arbeitnehmer   Probleme
Kriminalität   große Firmen   Chancen ...

zunehmen   sich verschlechtern   abnehmen
kleiner werden   sinken
weniger / mehr Konkurrenz haben   wachsen
steigen   sich verbessern   größer werden   ...

Tankstelle statt Zollhäuschen

So hatten sich die Architekten dieses Gebäudes das sicher nicht vorgestellt: Die Zollstation an der Autobahn Trier-Luxemburg wird in eine Tankstelle verwandelt. Seit Öffnung des EU-Binnenmarktes stehen die Gebäude der Zollstation leer. Jetzt wird auf beiden Seiten der Grenze je eine große Tankstelle eingerichtet. Der Vorteil: Es wird kein weiterer Boden für den Bau einer neuen Tankstelle verbraucht.

15. Überlegen Sie: Was könnte man an anderen Grenzübergängen mit den Zollhäuschen machen?

5

Während die anderen im Stau stecken, an überfüllten Stränden einen Sonnenbrand kriegen oder an Flughafenschaltern Schlange stehen, können Sie Ihren Urlaub zu Hause genießen. Und dafür gibt es gute Gründe:

Gute Gründe, im Urlaub zu Hause zu bleiben

1 Sie wissen immer, wieviel Geld Sie haben: Sie brauchen keins umzutauschen.

2 Beginnen Sie mit Ihrer Diät. Niemand passt auf, ob Sie wirklich abnehmen.

3 Um eine Baustelle direkt unter Ihrem Fenster zu haben, brauchen Sie kein teures Hotel zu bezahlen.

4 Frühstück, wie Sie es mögen. Kein schwarzer Toast, kein kalter Kaffee. Und Sie können in Ruhe Ihre Heimatzeitung lesen.

5 Im Schwimmbad ist endlich Platz. Sie können rückwärts schwimmen, ohne sich umzudrehen, oder einfach die Stille genießen.

6 Mit dem Kellner können Sie in Ihrer Muttersprache schimpfen.

7 Endlich können Sie Ihre Briefmarkensammlung ordnen.

8 Der Urlaubsflirt wohnt nebenan. Das heißt: kein Trennungsschmerz.

9 Statt für Sonnenöl können Sie Ihr Geld für einen 78er Burgunder ausgeben.

10 Sie bekommen den Auftrag Ihres Lebens – Sie sind als einziger in Ihrer Firma telefonisch erreichbar.

11 Sie können in Ruhe zuschauen, wie die Wohnung Ihrer Nachbarn ausgeräumt wird.

12 Sie helfen die Umwelt schützen: Sie verbrauchen kein Benzin.

13 Beim Zahnarzt brauchen Sie nicht stundenlang Illustrierte zu lesen: Sie kommen sofort dran.

14 Sie sind der Herr im Haus: Über Ihnen ein Dutzend leere Wohnungen – Sie können Beethovens Neunte in voller Lautstärke hören.

15 Sie brauchen keine dummen Ansichtskarten zu schreiben.

16 Sie sichern Ihre Zukunft: Endlich können Sie mal Ihren reichen Onkel besuchen.

17 Ihr Bankdirektor ist zufrieden: Sie machen keine Schulden.

18 Ihr Rücken bleibt gerade: Sie brauchen kein schweres Gepäck zu tragen.

19 Sie haben Zeit, die Fotos vom letzten Urlaub ins Album zu kleben.

20 Endlich finden Sie einen Parkplatz in der Stadt.

21 Das Bett ruft! Bleiben Sie 24 Stunden drin!

22 Regen können Sie auch zu Hause haben. Dafür brauchen Sie nicht an die Riviera.

23 Sie bleiben gesund: kein Durchfall, keine Schlafstörungen ...

24 Sie bekommen neue Freunde: Sie lernen andere kennen, die auch zu Hause geblieben sind.

25 Nur wer zu Hause bleibt, kann ungestört vom Urlaub träumen.

---

§ 30 b

16. Finden Sie in Gruppen weitere Gründe, im Urlaub zu Hause zu bleiben – ernsthafte oder weniger ernsthafte.

Endlich	können Sie ...
Dann	dürfen Sie ...
	brauchen Sie nicht zu ...

Erlebnisse zu Hause: ...   Zeit für Hobbys: ...
keine lange Autofahrt: ...   Geld: ...
keine Urlaubsrisiken: ...   fast leere Stadt: ...

17. Schreiben Sie einer Freundin oder einem Freund einen Brief und erklären Sie ihr / ihm, warum Sie dieses Jahr im Urlaub zu Hause bleiben.

..., den ...

Liebe(r) ...,

du wunderst dich sicher, dass ich dir nicht aus einem Urlaubsort schreibe. Aber ich habe beschlossen, dieses Jahr zu Hause zu bleiben. Endlich kann ich ... Ich brauche auch nicht ... zu ...

Herzliche Grüße, dein(e)

Pläne

18. Hören Sie die Dialoge und spielen Sie sie mit einem Kursteilnehmer. Benutzen Sie dafür die Stichworte.

Dialog A

– ausnahmsweise zu Hause bleiben
– sich langweilen
– angenehme Beschäftigungen … jede Menge
– teure Urlaubsreise … kein Geld
– was den ganzen Tag machen?
– lesen, schwimmen gehen …

Dialog B

– Pläne für den Urlaub
– Schiffsreise … Platz gebucht
– teuer
– Sonderangebot vom Reisebüro … freie Plätze
– Schiffsreisen nichts für mich … seekrank …
  Urlaub schon gebucht

19. Planen Sie zusammen mit Ihrem Nachbarn eine gemeinsame Reise / ein gemeinsames Wochenende.

Wir	könnten…	Wie findest du das?	Ich fände es besser, wenn wir…würden.
	sollten…	Was meinst du?	Ich möchte lieber…
Ich schlage vor…			

Dann | können | wir…
| müssen |
| brauchen wir nicht…zu…

die Donau abwärts paddeln   irgendwo ein Picknick machen   seltene Vögel beobachten
Urlaub im Zelt machen   sich auf eine Prüfung vorbereiten
eine Abenteuerreise durch die Sahara machen   an einem Theaterfestival teilnehmen
seine Angehörigen besuchen   mit dem Rad die Deutsche Weinstraße entlangfahren
Urlaub auf dem Bauernhof verbringen   in den Alpen klettern   sein Zimmer tapezieren
im Harz wandern und jeden Abend in einer anderen Unterkunft übernachten   …

Rad fahren kann man auch zu Hause.   Große Hitze hasse ich.   Tiere mag ich gern!

§ 39

Fremde Länder und Kontinente finde ich aufregend.   Campingplätze mag ich nicht!   Kultur strengt mich immer so an!

7

Fünftes Kapitel

Wir fuhren nun über Berg und Tal Tag und Nacht immerfort. Ich hatte gar nicht Zeit, mich zu besinnen, denn wo wir hinkamen, standen die Pferde angeschirrt, ich konnte mit den Leuten nicht sprechen, mein Demonstrieren half also nichts; oft, wenn ich im Wirtshause eben beim besten Essen war, blies der Postillion, ich mußte Messer und Gabel wegwerfen und wieder in den Wagen springen und wußte doch eigentlich gar nicht, wohin und weswegen ich just mit so ausnehmender Geschwindigkeit fortreisen sollte.

Sonst war die Lebensart gar nicht so übel. Ich legte mich, wie auf einem Kanapee, bald in die eine, bald in die andere Ecke des Wagens und lernte Menschen und Länder kennen, und wenn wir durch Städte fuhren, lehnte ich mich auf beide Arme zum Wagenfenster heraus und dankte den Leuten, die höflich vor mir den Hut abnahmen, oder ich grüßte die Mädchen an den Fenstern wie ein alter Bekannter, die sich dann immer sehr verwunderten und mir noch lange neugierig nachguckten.

Aber zuletzt erschrak ich sehr. Ich hatte das Geld in dem gefundenen Beutel niemals gezählt, den Postmeistern und Gastwirten mußte ich überall viel bezahlen, und ehe ich michs versah, war der Beutel leer. Anfangs nahm ich mir vor, sobald wir durch einen einsamen Wald führen, schnell aus dem Wagen zu springen und zu entlaufen. Dann aber tat es mir wieder leid, nun den schönen Wagen so allein zu lassen, mit dem ich sonst wohl noch bis ans Ende der Welt fortgefahren wäre.

Nun saß ich eben voller Gedanken und wußte nicht aus

60

Lektion 8

entwerfen

Kosten berechnen

die Zeichnung

entscheiden

das Modell

kontrollieren

produzieren

verpacken

der Versand

1

1. Ordnen Sie die Berufe den Bildern zu.

Bäcker	Landwirt/Bauer	Schlosser
Feuerwehrmann	Lehrerin	Seemann
Friseurin	Maler	Sekretärin
Hausfrau	Pfarrer	Soldat
Kellnerin	Polizist	Tischler/Schreiner
Kunstmalerin	Rechtsanwältin	Wahrsagerin

2. Hören Sie das Ratespiel.

a) Wie antwortet der Kandidat?

	ja	nein
Herstellung / Verkauf		
Dienstleistung		
besondere Ausbildung		
Lehre		
Abitur		
Hochschulstudium		
größere Firma		
geregelte Arbeitszeit		
viel Freizeit		
freier Beruf		
Kontakt zu Menschen		
zu Leuten gehen		
beraten		
Beratung kostenlos		
nicht selbst bezahlen		
Leute in Schwierigkeiten		
Eheberater		
juristische Probleme		

b) Beschreiben Sie den Beruf mit Hilfe der positiven Antworten:

Der Kandidat arbeitet in einem Dienstleistungsberuf.

Er braucht das Abitur und ...

c) Was meinen Sie: Welchen Beruf hat der Kandidat?

3. Beschreiben Sie die Berufe auf Seite 90:

Branche – Status – Ausbildung – Arbeitsplatz – genaue Tätigkeiten – Aufstiegschancen – Arbeitsbedingungen – Vorteile/Nachteile ...

Branche	Status	Ausbildung	Tätigkeiten	Arbeitsmittel
Handwerk	Beamter	Lehre	herstellen	Metall
Dienstleistung	Selbständiger	Studium	verkaufen	Holz
Industrie	Angestellter	Praktikum	beraten	Leder
freier Beruf	Arbeiter	keine besondere	behandeln	Textilstoffe
Verwaltung	Handwerker	Ausbildung	bedienen	Farben
Handel	...	...	reparieren	...
...			...	

4. Machen Sie selbst ein Ratespiel.

Eine Gruppe wählt einen der Berufe auf Seite 90. Die anderen stellen Fragen, die man mit ja/nein beantworten kann.

Sind Sie mit ... beschäftigt?
Stellen Sie einen Gegenstand her?
Ist dieser Gegenstand ...?
Brauchen Sie in Ihrem Beruf ...?
Haben Sie ...

Gehen Sie ...?
Kommen die Leute ...?
Arbeiten Sie in ...?
mit ...?
auf ...?

2

*Zimmermannsgeselle Jens Brinkmann von drei-
jähriger Wanderschaft zurück / Vorarbeiter in
Westafrika*

Gotteshaus und Präsidentenpalast

*Von Thomas Güntter und Hans Dieter
Stöss (Foto)*

BIELEFELD. Nach genau drei Jahren
und elf Tagen ist Jens Brinkmann,
25jähriger Zimmermannsgeselle, von
seiner Wanderschaft heimgekehrt. Er
ist Mitglied der Zunft der Bauhand-
werker, die die Gesellenwanderschaft
als Tradition ins Atomzeitalter hin-
übergerettet haben.

Von seiner Wanderschaft war er
begeistert: „Absolut gut, wenn man
etwas von der Welt sehen oder in seinem Beruf etwas erleben will." Und
das Beste in den drei Jahren? „Die
Kameradschaft untereinander", sagt
Brinkmann.

Herausragend war mit Sicherheit der
Aufenthalt in Afrika, wo er in Gabun,
im Westen des Kontinents, mithalf,
eine Kirche zu bauen.

➠ Begonnen hatten Brinkmann
und sein Mitgeselle Carsten Ober-
meyer ihre Wanderschaft in Albstadt
in der Schwäbischen Alb. Zweiein-
halb Monate bauten sie dort an einem
großen Ärztehaus mit. Dann tramp-
ten sie weiter, über Koblenz und
Berlin nach Leipzig. (Die Zimmer-
mannsgesellen reisen in Europa zu
Fuß oder per Anhalter. Eisenbahn ist
verpönt, und ein eigenes Auto dürfen
sie in der Wanderzeit nicht haben.)
Die beiden reisten in die DDR ein,
aber nie wieder aus, weil es den zweiten deutschen Staat seit dem 3. Oktober 1990 nicht mehr gibt. Von Leipzig
ging es nach Luxemburg, dann über
Straßburg nach Schaffhausen. Weiter in den Norden, nach Lübeck, und

*Jens Brinkmann
reiste zünftig in
schwarzer Cordjacke
und weiter Hose, auf
dem Kopf den breiten
Hut, auf der Schulter
das Zunfttuch, in dem
Werkzeug und
Wäsche eingewickelt
sind. Der Wanderstab
aus naturge-
wachsener Erle heißt
Stenz.*

wieder in den Süden, nach Rottweil
am Neckar, und schließlich zurück
nach Schaffhausen, wo es Jens
Brinkmann besonders gefiel.
Über das Allgäu, über Nürnberg und
Amberg kamen sie schließlich nach
Basel. Hier sahen sie eine Zeitungs-
anzeige, mit der ein Bauunternehmer
für ein Projekt in Westafrika Fach-
arbeiter suchte.
Brinkmann und sein Kamerad melde-
ten sich, machten alles klar und kamen mit dem Flugzeug am 28.
September 1991 an.
Gebaut wurde eine katholische Kirche. Brinkmann arbeitete als Bau-
leiter. Die Verständigung mit den
Einheimischen lief auf Französisch,
eine Sprache, die er nicht beherrsch-
te. „Wenn man 15 bis 20 Lehrer hat,
und man muss die Sprache schnell
lernen, dann geht das eben."
Der Bauunternehmer, der die beiden
bezahlte und ihren Flug finanzierte,
war Schweizer. Außer an dem Gottes-
haus bauten sie auch am Präsiden-

tenpalast. „El Hadsch Omar Bongo
hieß der Mann; das klingt wie im
Karl-May-Film." Nach vier Monaten
mussten Brinkmann und sein Kamerad wieder nach Europa – wegen
der Zunftvorschriften, denn die erlauben maximal vier Monate hintereinander im außereuropäischen Ausland.
Die beiden Handwerker flogen wieder
nach Schaffhausen. Von dort gingen
sie über Mannheim und Ostfriesland
nach Husum. Im August 1992 reisten
sie noch einmal nach Gabun, wo die
Kirche fertig gebaut wurde. Dann zurück in die Schweiz, ins Allgäu und
nach Fulda, wo sie an einem zweimo-
natigen Restauratorkurs teilnahmen.
Die letzte Station war die nordfriesi-
sche Insel Amrum, wo Brinkmann
fast geblieben wäre, denn man bot
ihm dort eine feste Stelle und eine
Wohnung.
Er musste allerdings nach Hause,
denn sein Vater wartete. Der hat eine
Zimmerei in Bielefeld.

**5. Schauen Sie auf eine Landkarte und folgen Sie dem Reiseweg von Jens Brinkmann.
Ungefähr wie viele Kilometer hat er wohl zu Fuß oder per Anhalter zurückgelegt?**

**6. Bereiten Sie in Gruppen Interviewfragen an Jens Brinkmann vor und spielen Sie dann
ein Interview mit ihm.**

„Handwerk hat goldenen Boden…"

7. Hören Sie das Interview.

a) Was ist richtig? Korrigieren Sie die falschen Aussagen.

Herr Bong…	r	f
ist Tischlermeister.		
hat sich vor 5 Jahren selbständig gemacht.		
hat vor 5 Jahren Pleite gemacht.		
hat vorher in einer Firma gearbeitet, die Fertighäuser herstellte.		
hat im Augenblick keine Gesellen.		
hatte einen Gesellen, der wegen einer Stauballergie aufhören musste.		
wird im Sommer zwei Gesellen bekommen.		
stellt nur Möbel her.		
baut handwerklich gefertigte Möbel nach Maß.		
bekommt keine Aufträge von der Industrie.		
arbeitet mit computergesteuerten Präzisionsmaschinen.		
hat einen Buchhalter eingestellt.		
benutzt einen Computer für Angebote, Rechnungen und Buchhaltung.		
hat keine Rentenversicherung.		
rät den jungen Leuten davon ab, den Beruf des Schreiners zu ergreifen.		
findet, dass Schreiner ein schöner Beruf ist.		
hat Freude daran, selbst etwas herzustellen.		
lässt die Möbel, die er baut, von einem Möbeldesigner entwerfen.		

b) Hören Sie das Interview noch einmal. Was sagt Herr Bong zu diesen Themen:

– Ausbildungszeit
– Gründe, sich selbständig zu machen
– technische Entwicklung im Tischlerhandwerk
– Arbeitsbedingungen und Schutzmaßnahmen
– Beziehung zwischen Handwerk und Industrie
– Zukunftsaussichten
– Altersvorsorge

8. Schreiben Sie in Gruppen ein Porträt von Herrn Bong und vergleichen Sie.

Clemens Bong ist…   Seit 5 Jahren   Er hat…

Früher hat er…   , aber… und …

9. Würden Sie sich auch selbständig machen? – Diskutieren Sie im Kurs.

Welche Vorteile, Nachteile oder Risiken sehen Sie dabei?

2

Handwerk oder Industrie? – Wie ein Kleid entsteht

10. Welcher Text gehört zu welchem Bild? Ordnen Sie.

a) Die fertigen Kleider werden noch einmal kontrolliert. Ist das Etikett mit den Angaben zu Größe und Material und der Pflegeanleitung nicht vergessen worden? Teile mit Fehlern werden aussortiert oder zum Reparieren gegeben.

e) Hier werden die Lieferungen für die verschiedenen Kunden zusammengestellt. Die Kleider sind in Schutzhüllen verpackt, damit sie vor Staub und Schmutz sicher sind.

b) Die Präsentationen haben ein gutes Ergebnis gebracht, viele Kleider sind bestellt worden. Jetzt werden die Stoffe, die Knöpfe, die Reißverschlüsse und andere Zutaten für jedes Modell bestellt. Mit dem Zuschneiden der Stoffteile beginnt die Herstellung der Kleider.

f) Das Modellkleid ist genäht und wird zur Anprobe vorbereitet. Letzte Änderungen können jetzt noch vorgenommen werden.

c) Das Designer-Team hat die neue Sommerkollektion entworfen. Nach der Modellskizze werden die einzelnen Schnitteile am Computerbildschirm über CAD-Systeme konstruiert.

g) Die zugeschnittenen Einzelteile werden in der Näherei angeliefert. Von jeder Mitarbeiterin werden bestimmte Näharbeiten ausgeführt, z.B. Ärmel oder Knopflöcher. Moderne Arbeitsplätze erleichtern den Näherinnen das Arbeiten.

d) In der Versandabteilung werden die Teile in Kartons verpackt und mit Lastwagen oder mit der Eisenbahn an die Kunden verschickt.

h) Die neue Sommerkollektion ist fertig gestellt. Jetzt wird sie auf den Fachmessen präsentiert. Wichtige Kunden von Einzelhandelsgeschäften und Kaufhäusern, aber auch Presseleute und Prominente sind zu einer Modenschau eingeladen worden.

11. Das Kleid ist fertig. Von wem sind welche Tätigkeiten übernommen worden? Überlegen Sie.

Bestellungen der Kunden aufnehmen
das Kleid bügeln
das Kleid den Kunden vorstellen
den Stoff aussuchen
den Verkaufspreis bestimmen
die Herstellungskosten berechnen
eine Modellzeichnung anfertigen
Einzelteile nähen
Einzelteile zuschneiden
entscheiden, ob das Kleid in Serie produziert wird
Stoff und andere Materialien einkaufen

Betriebsleitung Vertreter
Buchhaltung
Einkäufer Mannequin
Designerin Näherinnen
Zuschneiderin Büglerin

§ 27

Die Bestellungen der Kunden sind von den Vertretern aufgenommen worden.

Das Kleid ist von ... worden ...

Passiv:

Vorgang
Das Kleid ist genäht worden.

Zustand, Ergebnis
Das Kleid ist genäht.

3

§ 2 b

850 Stahlarbeiter bald ohne Beschäftigung

Weserstahl vor dem Konkurs

Kritik der Arbeitnehmer: „Der Stahlindustrie geht es seit langem schlecht, das weiß jeder. Aber die Arbeitgeber tun nichts. Wir wollen keine Sozialpläne – wir wollen Arbeit!"

Umsätze in der Textilindustrie sinken

Viele Textilarbeiter bald arbeitslos? – Produktion im Ausland ist billiger.

7000 Gewerkschafter bei Demonstration zum 1. Mai auf dem Römerberg

Frankfurt. „In den letzten drei Jahren sind 10000 Arbeitsplätze im Raum Frankfurt vernichtet worden", so ein Sprecher der Gewerkschaften bei der zentralen Kundgebung zum 1. Mai auf dem Frankfurter Römerberg.

Entlassungen bei Airbus lösen Kritik aus

Deutsche Aerospace Airbus GmbH, Hamburg. Rund 3000 Mitarbeiter, so erklärt der Gesamtbetriebsrat, sollen in den zehn Standorten der DA Airbus GmbH im Zeitraum bis 1995 abgebaut werden. Der Betriebsrat des Flugzeugbau-Unternehmens wirft dem Management daher in einer öffentlichen Erklärung „Versagen in Krisenzeiten" vor…

Flugpersonal streikt bei Austrian Airlines

Wien (dpa). Das fliegende Personal der österreichischen Fluggesellschaft Austrian Airlines trat in einen unbefristeten Streik. Die Mitarbeiter wollen damit gegen geplante Entlassungen protestieren. Auf dem Wiener Flughafen warteten in der Nacht Hunderte von Passagieren auf ihre Flüge…

Große Kundgebung bei Mercedes

Stuttgart (Reuter). Rund 45000 Mitarbeiter der Mercedes-Benz AG haben gestern in verschiedenen Werken gegen den Abbau von Sozialleistungen und Entlassungen demonstriert. Ein Sprecher der IG Metall sagte, im Sindelfinger Werk hätten 20000 Menschen an der größten Kundgebung bei Mercedes seit dem Krieg teilgenommen. Redner kritisierten den geplanten Abbau der freiwilligen Sozialleistungen. Mercedes will 200 Millionen Mark jährlich einsparen.

„Aus" für Böske-Automatenbau

Die Krise im Werkzeugmaschinenbau macht auch vor dem Darmstädter Unternehmen nicht halt. Ende des Monats werden 450 Arbeiter und Angestellte auf der Straße stehen.

Mehr Freizeit, aber weniger Geld

Wolfsburg. Um Massenentlassungen zu vermeiden, schlägt die Volkswagen AG dem Betriebsrat vor, in Zukunft nur noch vier Tage in der Woche zu arbeiten. Nachteil dieses Vorschlags: Die Arbeitnehmer sollen 20 Prozent weniger Lohn bekommen. Das will die Gewerkschaft aber nicht akzeptieren. Ein Gewerkschaftssprecher: „Die Unternehmen machen immer noch genug Gewinn. Weniger Arbeit für jeden, damit alle Arbeit haben – das ist in Ordnung. Deshalb fordern wir schon seit Jahren die 35-Stunden-Woche – aber bei voller Bezahlung!"

12. Fassen Sie die Zeitungstexte mit eigenen Worten zusammen.

a) Welche Gründe geben die Arbeitgeber für die Entlassungen an?
b) Welche Argumente haben die Arbeitnehmer und die Gewerkschaften?
c) Diskutieren Sie: Welche Argumente gibt es für und gegen die 4-Tage-Woche?

13. Ordnen Sie die Sätze zu zwei Dialogen. Hören Sie danach die Dialoge und vergleichen Sie Ihre Lösung mit dem, was Sie hören. Spielen Sie dann die Dialoge.

Das ist ja höchst interessant...   Er hatte doch immer Ärger mit seinen Arbeitskollegen.

    Mal sehen. Vielleicht mache ich mich selbständig.   Ach, mir ist gekündigt worden.

Naja, außerdem scheint er etwas Besseres gefunden zu haben.   Und was machst du nun?

Mensch, was ist denn mit dir los?   Nun, ich kann ja erst mal einen Kredit aufnehmen...

Mit welcher Begründung denn?

    Es gibt kaum noch Aufträge in der Branche. Und jetzt müssen sie 200 Leute entlassen.

    Hast du schon gehört? Georg hat seine Stellung aufgegeben.

So? Was denn?   Er soll der Vertreter einer deutschen Firma im Ausland werden, glaube ich.

    Ist der denn wahnsinnig? Das hätte ich aber nicht getan an seiner Stelle.

Aber deshalb kündigt man doch nicht gleich!   Aber dazu braucht man doch Kapital.

14. Erarbeiten Sie weitere Dialoge zum Thema „Kündigung / Entlassung". Sicher haben Sie noch mehr Einfälle:

§ 39

<u>Ursachen in einem Betrieb</u>

kann nur noch 150 Leute beschäftigen
nur Misserfolge mit dem neuen Produkt
gezwungen, ein ganzes Werk zu schließen
zu hohe Verluste
keine Aufträge mehr
Geschäftsleitung: zu viele Pannen verursacht
kein Bedarf mehr für bestimmte Fachleute
Macht der Konkurrenz zu groß
Abteilung lohnt sich nicht mehr
Rationalisierung im Betrieb
...

<u>Gründe für einen Arbeitnehmer</u>

beruflich verbessern
eigene Existenz aufbauen
mehr Verantwortung tragen
Angebot bekommen von einer anderen Firma
Vertrauen zum Chef gestört
immer Krach gehabt mit den Kolleginnen und
    Kollegen
bessere Aussichten in einer anderen Branche
...

<u>Aussichten / Pläne / Möglichkeiten</u>

erst mal einen Gelegenheitsjob
    machen
umschulen (anderen Beruf lernen)
Vertreter einer ausländischen Gesell-
    schaft werden
mit Ersatzteilen für Computer handeln
Taxi fahren   eine Kneipe aufmachen
einen ganz neuen Artikel herstellen
...

<u>Kommentare / Meinungen</u>

Das kann er sich doch gar nicht
    leisten in seiner Lage!
Dazu fehlen ihm doch mit Sicherheit
    die Mittel!
Bei der Arbeitslosigkeit heute ist das
    doch das Dümmste, was man tun
    kann!
Das würde ich auch tun unter diesen
    Voraussetzungen.
Dazu gehört aber Mut!
...

4

§ 4 a

Berufe mit Zukunft – Berufe der Zukunft

Medienpädagoge / Medienpädagogin

Sie beschäftigen sich mit dem Einfluss der Medien (Fernsehen, Video, Computerspiele usw.) auf Kinder und Jugendliche. Sie beraten Rundfunkanstalten, analysieren Fernsehprogramme und testen Computerspiele. Sie sollten sich für die Welt der Kinder interessieren und ein Studium für Sozialpädagogik an einer Fachhochschule oder Universität abgeschlossen haben. Dann können Sie 4000 Mark und mehr verdienen.

Abfalltechniker / Abfalltechnikerin

Sie planen und organisieren den Transport und die Lagerung von Müll. Sie machen chemische Analysen von Abfällen und Kontrollen von Abfallanlagen und Mülldeponien. Nachdem Sie Ihren Hauptschulabschluss gemacht haben, machen Sie eine zweijährige Ausbildung als staatlich geprüfter Abfalltechniker an einer Fachschule. Ihr Anfangsgehalt beträgt etwa 3600 DM. Sie können dann bei der Industrie, der Kommunalverwaltung oder in besonderen Entsorgungsbetrieben eingestellt werden.

Raumausstatter / Raumausstatterin

Wenn Sie handwerklich begabt und kreativ sind, können Sie zwischen 3500 und 6000 Mark als Selbständiger verdienen. Sie richten Häuser, Wohnungen, Verkaufs- und Büroräume für Privat- oder Geschäftskunden ein, legen Teppiche, verkleiden Wände und entwerfen Fensterdekorationen. Dafür sollten Sie mindestens eine dreijährige Lehre gemacht haben oder Innenarchitektur studiert haben.

Schuldenberater / Schuldenberaterin

In den Zeiten der Wirtschaftskrise steigt die Zahl der Firmenpleiten. Private Bankkunden wissen nicht mehr, wie sie ihre Kredite bezahlen sollen. Hier sind Sie als Schuldenberater gefragt. Sie geben Ratschläge, wie Schulden am besten verteilt werden können. Eine besondere Ausbildung gibt es nicht für diesen Beruf, aber Sie sollten möglichst schon Steuerberater, Betriebswirt, Wirtschaftsprüfer oder Bankkaufmann sein, bevor Sie sich selbständig machen. Ihr Einkommen kann sehr unterschiedlich sein, aber der Bedarf für Schuldenberater wird auf jeden Fall immer größer.

Informationsmakler / Informationsmaklerin

Weltweit existieren fast 10000 Datenbanken mit Informationen zu Wirtschaft, Politik, Wissenschaft und Technik. Beinahe jeder, der einen Computer hat, könnte sich seine Informationen besorgen. Aber wer weiß schon, wo. Sie wissen es! Sie kennen die wichtigsten Datenbanksysteme und können Ihren Kunden die gewünschten Informationen liefern. Sie haben ein Studium der Informationswissenschaften abgeschlossen und vielleicht eine zusätzliche Qualifikation in einem besonderen Fachgebiet. Dann können Sie mehr als 8000 Mark im Monat verdienen.

15. Machen Sie Notizen und berichten Sie mit eigenen Worten über die Berufe der Zukunft.

Beruf	Tätigkeiten	Voraussetzungen / Ausbildung	Einkommen
Medienpädagoge / Medienpädagogin			
Abfalltechniker / Abfalltechnikerin			
Raumausstatter / Raumausstatterin			
Schuldenberater / Schuldenberaterin			
Informationsmakler / Informationsmaklerin			

16. Zukunftsberufe

Berufe

				Tätigkeiten	
Alkohol-	Möbel-	Analytiker		testen	☞
Arbeitsklima-	Mode-	Beamter		beraten	§ 2 b
Arbeitslosen-	Nachfrage-	Berater		erfinden	
Auftrags-	Nahrungsmittel-	Chef		vermitteln	
Ausländer-	Öffentlichkeits-	Designer		ausrechnen	
Ausstellungs-	Patienten-	Erfinder		behandeln	
Bedarfs-	Reklame-	Fachmann		beobachten	
Betriebs-	Schadens-	Ingenieur		beruhigen	
Bewegungs-	Sexual-	Makler		entscheiden	
Eisenbahn-	Software-	Manager		eröffnen	
Feiertags-	Spiele-	Pädagoge		lehren	
Freizeit-	Sport-	Restaurator		leiten	
Gebrauchsanweisungs-	Toiletten-	Techniker		reparieren	
Geldschein-	Umwelt-	Tester		überwachen	
Gelegenheits-	Unterwäsche-	Texter		verkaufen	
Geschenk-	Verkehrs-	Therapeut		ausprobieren	
Kälte-	Verlust-	Vermittler		auswählen	
Kommunikations-	Wärme-	Vernichter		teilnehmen	
Konkurs-	Weltraum-	Verwalter		übersetzen	
Krisen-	Zeit-	Wächter		zusammenarbeiten	
Markennamen-	Zigaretten-	...		...	
Medikamenten-	Zoo-				
	...				

a) Was meinen Sie: Was für Berufe sind auf den Bildern dargestellt?

b) Probieren Sie (in Gruppen) verschiedene Wortkombinationen aus, wählen Sie eine aus
und beschreiben Sie „Ihren" Zukunftsberuf.

5

Max von der Grün

Egon Witty

Was wird sein, wenn ich Meister bin, dachte er. Was wird sein?

Was wird sich im Betrieb und in meinem Leben verändern? Wird sich überhaupt etwas verändern? Warum soll sich etwas verändern? Bin ich ein Mensch, der verändern will?

Er stand unbeweglich und beobachtete nachdenklich das geschäftige Treiben auf dem Platz vor der Lagerhalle, der hundert Meter weiter unter einer brennenden Sonne lag. Die Männer dort arbeiteten ohne Hemd, ihre braunen Körper glänzten im Schweiß.

Ab und zu trank einer aus der Flasche. Ob sie Bier trinken? Oder Cola?

Was wird sein, wenn ich Meister bin? Mein Gott, was wird dann sein? Ja, ich werde mehr Geld verdienen, kann mir auch einen Wagen leisten, und die Kinder werde ich zur Oberschule schicken, wenn es soweit ist. Vorausgesetzt, sie haben genug Verstand dazu. Eine größere Wohnung werde ich bekommen von der Werksleitung, und das in der Siedlung, in der nur Angestellte der Fabrik wohnen.

Vier Zimmer, Küche, Bad, Balkon, kleiner Garten – und Garage. Das ist schon etwas. Dann werde ich endlich heraus sein aus der Arbeitersiedlung, wo die Wände Ohren haben, wo einer dem andern in den Kochtopf guckt und der Nachbar an die Wand klopft, wenn meine Frau den Schallplattenspieler zu laut aufdreht und die Beatles laufen läßt.

Meister, werden dann hundert Arbeiter zu mir sagen – oder Herr. Oder Herr Meister oder Herr Witty. Wie sich das wohl anhört:

Herr Witty! Herr Meister! Er sprach es mehrmals laut vor sich hin.

Der Schweißer Egon Witty sah in die Sonne und auf den Platz, der unter einer brennenden Sonne lag, und er fragte sich, was die Männer mit den nackten Oberkörpern wohl tranken: Bier? Cola? Schön wird das sein, wenn ich erst Meister bin, ich werde etwas sein, denn jetzt bin ich nichts, nur ein Rädchen, das man ersetzen kann. Nicht so leicht ersetzbar aber sind Männer, die Räder in Bewegung setzen und kontrollieren. Ich werde in Bewegung setzen und kontrollieren, ich werde etwas sein, ich werde bestimmen, anordnen, von der Liste streichen, beurteilen, für gut befinden. Ich werde die Verantwortung tragen.

die Prüfung

die Bescheinigung

die Wandtafel

der Unterricht

die Gruppenarbeit

Regel
$a^2 + b^2 = c^2$

die Lernkartei

die Nachhilfe

die Lehrkraft

ANMELDUNG

SEKRETARIAT

1

laufen
sprechen
schwimmen
Rad fahren
Auto fahren
Klavier spielen
schreiben
rechnen
lesen
kochen
Ski laufen
fliegen

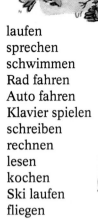

Verlaufsform

Das Kind lernt <u>gerade</u> laufen.
Das Kind <u>ist dabei</u>, laufen <u>zu</u> lernen.

☞ § 43

1. Beschreiben Sie die Situationen auf den Bildern möglichst genau.

Was lernen die Menschen/Tiere gerade?
Wie/in welcher Situation/mit welchen Mitteln lernen sie?
Wer hilft ihnen?

> Auf Bild ... lernt ein Kind gerade laufen.
> Es hält die Hände hoch, damit es nicht fällt.
> Es freut sich darüber, dass ...

> Die kleinen Vögel auf Bild ...
> sind dabei, fliegen zu lernen.
> Die Eltern machen es vor.

2. Können Sie sich erinnern: Wann und wie haben Sie diese und andere Dinge gelernt?

| ... habe ich | mit ... Jahren
in ...
bei ...
von ...
ohne ... | gelernt. | Ich habe immer wieder

... hat mir geholfen, | probiert,
geübt, | ... zu ... |

... hat mir gezeigt, / beigebracht, / vorgemacht, wie ...

| Schließlich
Endlich
Nach ein paar Versuchen/Misserfolgen | ist es mir gelungen, ... zu ...
konnte ich ...
hatte ich es geschafft. |

2

3. Klassentreffen. Hören Sie zu und ordnen Sie zu.

2) **18**

Marlies (M)   Klaus (K)   Herbert (H)

☐ hat immer die Tafel putzen müssen.
☐ hat oft nachsitzen müssen, weil er/sie zu spät gekommen war.
☐ hat dauernd in der Ecke stehen müssen.
☐ hat immer Herberts Pausenbrote essen dürfen.
☐ hat dem Mathematiklehrer einmal das Lösungsbuch gestohlen.
☐ hat seine Hausaufgaben immer von Marlies abschreiben dürfen.
☐ hat sich vor dem Englischlehrer gefürchtet.
☐ hat das Klassenbuch verbrannt.
☐ hat sich einmal im Klassenschrank versteckt.

4. Berichten Sie: Wie war Ihre Schulzeit?

> Also, wir haben nie Gruppenarbeit machen dürfen.

> Bei uns war das anders. Wir haben dauernd Gruppenarbeit machen müssen!

Perfekt + Modalverb
Sie hat die Tafel   geputzt.
Sie hat die Tafel   putzen müssen.

§ 30 a, d

Wir haben	immer nie oft (nur) selten dauernd meistens jeden Tag jede Woche	…	müssen. dürfen. können.

ordentlich in den Bänken sitzen   Hausaufgaben machen
nachmittags in die Schule   unsere Meinung frei sagen
alles sorgfältig ins Heft schreiben   den Lehrer kritisieren
mit dem Nachbarn reden   eine Schuluniform tragen
Gruppenarbeit machen   im Fremdsprachenunterricht
alles auswendig lernen   unsere Muttersprache benutzen

5. Hören Sie gut zu und erzählen Sie zuerst den Streich nach. Erzählen Sie dann ähnliche Geschichten aus Ihrer eigenen Schulzeit.

2) **19**

Eines Tages…
Da/Dann…
Deshalb…
Nach…Minuten
Später…
Schließlich…
Da…

mündlich geprüft werden
Schulklingel auf Tonband aufnehmen
Lautsprecher verstecken
Tonbandgerät einschalten
glauben, dass die Uhr nachgeht
rauskommen
Prüfung nachholen
schimpfen
nachsitzen

3

Sitzordnung...
... ist das überhaupt so wichtig?

Mein ganzes Schülerleben habe ich damit verbracht, nach vorn zu gucken, auf den Lehrer, und so zu tun, als ob ich ihm ständig aufmerksam zuhören würde. Meine Klassenkameraden sah ich entweder gar nicht oder nur
5 von hinten - manchmal wusste ich nicht, wer dieser oder jener Rücken eigentlich war.
Ich gab mir Mühe, alles zu hören, was der Lehrer sagte, denn wenn ich aufgerufen
10 wurde, musste ich es möglichst so wiedersagen, wie ich es gehört hatte. Manchmal gab es eine kleine Diskussion mit dem Lehrer, das
15 machte die Sache spannender. Aber dabei fiel mir auf, dass ich nicht gelernt hatte, auf den Mitschüler zu hören, ihn zu verstehen. Denn die
20 Äußerung eines Mitschülers aufzunehmen und mit ihr weiterzudenken, schien mir selten notwendig – am Ende war ja doch nur das gefragt,
25 was der Lehrer gesagt hatte.

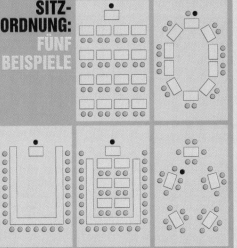

SITZ-ORDNUNG: FÜNF BEISPIELE

nicht möglich. Außerdem – was für einen Wert hatte diese eigene Reaktion schon? Was richtig war, stand fest, und der Lehrer teilte es mir mit.
Sicher habe ich auf diese Weise auch vieles gelernt. Aber 35 ich lernte eben nicht, einen Unterrichtsstoff so intensiv zu verarbeiten, dass ich ihn aus verschiedenen Richtungen sehen konnte, seine verschiedenen Funktionen 40 in meinem Leben und im Leben anderer begriff. Ich konnte zwar alles wiederholen, aber es fiel mir schwer, das, was ich im Un- 45 terricht gelernt hatte, etwa in einer „Pro- und Contra-Diskussion" zu verteidigen, also selbständig damit umzugehen. Denn Zuhören 50 und Eingehen auf das, was ein anderer gesagt hatte, war schon deshalb schwierig, weil es sozusagen mit Gymnastik verbunden war: 55 Mit dem Oberkörper und

Schön fand ich es allerdings, wenn ein Lehrer gut erzählen konnte. Ich hörte dann zwar gespannt zu – aber alles, was die Erzählung in mir bewegt hatte, blieb in meinem Kopf. Ich saß alleine damit herum, wenn ich es nicht
30 wenigstens meinen Eltern erzählen konnte. Mit der eigenen Reaktion weiterzuarbeiten, das war in der Klasse

dem Kopf musste ich mich ständig nach hinten beugen, während das Unterteil an der Bank festklebte.
Heute bilde ich selbst Lehrer aus. Auch dabei ist es oft nicht einfach, jemanden davon zu überzeugen, dass die 60 Sitzordnung in der Klasse immer zur Arbeitsweise passen muss...

6. In welcher Sitzordnung (1–5) hat der Autor wahrscheinlich gesessen?

7. Wo steht das im Text?

Zeile...bis Zeile...

Er blieb mit dem, was ein Lehrer erzählt hatte, allein.

Er fand es meistens nicht notwendig, sich zu merken, was ein anderer Schüler gesagt hatte.

Er hat die Bedeutung des Unterrichtsstoffs für sein Leben nicht verstehen können.

Er hat immer genau wiederholen müssen, was der Lehrer gesagt hatte.

Es war für ihn schwierig, auf die Äußerungen eines Mitschülers zu antworten, weil er sich dann umdrehen musste.

Jetzt unterrichtet er selbst Lehrer, und es ist nicht immer leicht für ihn, die Leute von der richtigen Sitzordnung zu überzeugen.

Seine eigenen Reaktionen waren nicht wichtig.

Während seiner ganzen Schulzeit hat der Autor immer auf den Lehrer schauen müssen.

8. Diskutieren Sie über die Sitzordnungen.

a) Welche Bezeichnung passt am besten für welche Sitzordnung? (Zeichnungen auf Seite 104)

„U-Form"   Nr. ☐   „Kleingruppen" Nr. ☐   „Kombination von U-Form
„Frontalunterricht" Nr. ☐   „Kreis"   Nr. ☐   und Frontalunterricht"   Nr. ☐

b) Welche Vor- und Nachteile haben die Sitzordnungen? Welche finden Sie am besten?

Bei	...	kann	man	gut/nicht so gut	...
In			der Kursleiter	zwar..., aber	
			die Kursleiterin	entweder...oder	
		können	die Kursteilnehmer	weder...noch	
			manche Kursteilnehmer	sowohl...als auch	
				nicht nur..., sondern auch	

☞ § 39c, 46

Im Kreis kann man sowohl auf den Lehrer als auch auf die anderen Kursteilnehmer eingehen.

Beim Frontalunterricht kann man weder Gruppenarbeit noch Diskussionen machen.

In Kleingruppen kann man zwar gut Gruppenarbeit machen, aber manche Kursteilnehmer können die Tafel nicht sehen.

miteinander lernen   aufeinander eingehen   mit einem Partner zusammenarbeiten
in Gruppen arbeiten   den Lehrer sehen   die Tafel sehen   gemeinsam ein Problem lösen
die Kursteilnehmer kontrollieren   dem Lehrer zuhören   einen Text zusammen lesen
Spiele machen   einzeln arbeiten   sich verstecken   schlafen   den Kursteilnehmern helfen
Ergebnisse besprechen   einen Film sehen   sich konzentrieren   selbständig lernen
an einer Diskussion teilnehmen   eine Übung zusammen machen   ein Gespräch führen
jeden sehen   voneinander lernen   gemeinsam singen   gestört werden...

☞ § 9

9. Kreuzen Sie in der folgenden Liste die fünf für Sie wichtigsten Punkte an.

Vergleichen Sie mit Ihrem Nachbarn und diskutieren Sie über Ihre Lerngewohnheiten.

Wie lernen Sie am besten?

☐ wenn der Stoff mit Worten erklärt wird
☐ wenn ich ein Bild oder einen Film sehe
☐ wenn ich etwas von der Tafel abschreibe
☐ wenn ich mir eigene Notizen mache
☐ wenn ich dabei etwas anfassen kann
☐ wenn ich etwas selbst ausprobieren kann
☐ indem ich mir Beispiele merke
☐ indem ich mir eine Regel merke

☐ indem ich etwas auswendig lerne
☐ wenn ich dabei an etwas Schönes denke
☐ wenn etwas mit Humor dargestellt wird
☐ wenn etwas sachlich dargestellt wird
☐ wenn ich mich dafür anstrengen muss
☐ wenn ich in Konkurrenz zu anderen stehe
☐ wenn es dafür Noten gibt
☐ wenn ich es für eine Prüfung brauche
☐ wenn ich mit anderen darüber spreche
☐ wenn ich mit anderen zusammen übe

☐ wenn ich Vertrauen zur Lehrperson habe
☐ wenn die Lehrperson streng ist
☐ wenn ich es direkt anwenden kann
☐ wenn ich damit Geld verdienen kann
☐ wenn ich dabei Musik höre
☐ wenn ich dabei etwas esse oder trinke
☐ wenn ich gute Laune habe
☐ wenn ich mich beim Lernen beeilen muss
☐ wenn ich oft gelobt werde
☐ wenn ich oft verbessert werde

4

Schulbildung heute

Hätten Sie's gewusst?

Unsere Kinder lernen nichts mehr. So klagen Eltern, Lehrer und Arbeitgeber. Wir wollten wissen, ob das stimmt, und testeten die Kenntnisse von 1000 Jungen und Mädchen.

Die Lehrer schüttelten den Kopf und seufzten, wenn sie unsere Klasse verließen und wieder mal festgestellt hatten, dass sie nie schlechtere Schüler als uns gehabt hätten. Wer kennt sie nicht, die Sprüche verzweifelter Pauker und Ausbilder, die dafür bezahlt werden, einer neuen Generation etwas beizubringen...? Wir aber grinsten nur und schlugen die Tafel auf. Da stand: „Kein Schüler kann besser sein als sein Lehrer." Doch die unter uns, die später selbst Lehrer geworden sind, lassen heute wieder die bekannte Klage hören: „Die Schüler lernen einfach nichts."

Dem Chor der Unzufriedenen schließt sich auch alljährlich die Wirtschaft an. Ob die Schulabgänger den Dreisatz beherrschen, mit Computern umgehen können oder zusätzlich einen Schreibmaschinenkurs gemacht haben - dem Wunsch-Lehrling oder dem Traum-Studenten entsprechen sie noch lange nicht. Beim zukünftigen Kfz-Mechaniker fehlt es an der Recht-schreibung, die spätere Rechtsanwaltsekretärin hat Probleme mit der Grammatik, ein zukünftiger Arzt weiß nicht, was der „kategorische Imperativ" ist.

„Allgemeinbildung" heißt das Rezept, das man neuerdings wiederentdeckt hat. Der Präsident des Arbeitgeberverbandes beklagt, dass es zu viele Spezialisten gibt. Er nennt sie „ökonomische Analphabeten" und kennt auch das Gegenmittel: „Allgemeinbildung". Bei einer Umfrage unter nordrhein-westfälischen Wirtschaftsführern sagten 70 Prozent, dass sie eine umfassende Allgemeinbildung einer fachlichen Spezialisierung vorzögen.

„Wer den größeren Horizont hat, kann sich später besser spezialisieren", sagt auch der Hamburger Studienrat Thomas Unruh. Damit die Schüler dieses Wissen immer bereit haben, entwickelte der 38jährige Pädagoge eine Kartei mit 320 Fragen aus zwölf Fachgebieten. „Im Grunde das Wissen", meint Unruh, „über das ein Schulabgänger heute verfügen sollte."

Wir wollten herausfinden, wie es denn wirklich um die Allgemeinbildung unserer Schüler steht, und wählten aus der Lernkartei 20 Fragen aus den Bereichen Kunst bis Computer aus. Diese Fragen legten wir 1000 Jugendlichen vor: Haupt-, Real-, Gesamtschülern und Gymnasiasten, 14 bis 16 Jahre alt, viele von ihnen kurz vor dem Start ins Berufsleben. Gleichzeitig wurden 100 Lehrer auf die Probe gestellt: Sie mussten dieselben Fragen beantworten. Hier die Ergebnisse:

10. Was gehört zusammen?

Die heutigen Kinder...

Die Autoren des Artikels...

Die damaligen Lehrer...

Die heutigen Lehrer...

Viele Schulabgänger...

Der Präsident des Arbeitgeberverbandes...

Die meisten Wirtschaftsführer...

Der Studienrat Thomas Unruh...

100 Lehrer...

...entsprechen nicht den Wünschen der Wirtschaft.
...fordert eine bessere Allgemeinbildung bei Schülern.
...wurden auch mit diesen Fragen getestet.
...haben 1000 Jugendliche mit der Fragenkartei getestet.
...hat eine Kartei mit Fragen aus zwölf Fachgebieten entwickelt.
...klagen darüber, dass die Kinder einfach nichts lernen.
...lernen angeblich nicht genug.
...meint, dass die 320 Fragen das heute notwendige Wissen eines Schulabgängers darstellen.
...meint, dass es zu viele Spezialisten gibt.
...stellten oft fest, dass sie nie schlechtere Schüler gehabt hätten.
...wollten wissen, ob die Allgemeinbildung der Schüler wirklich so schlecht ist.
...würden eine umfassende Allgemeinbildung einer fachlichen Spezialisierung vorziehen.

Fragen	Schüler*	Lehrer*	Ihre Antwort?
1	Welcher Planet wird Abendstern genannt?	23,3	51	
2	Wie nennt man eine Lebensgeschichte, die man selbst geschrieben hat?	38,7	99	
3	Was ist die „Zauberflöte"?	57,6	97	
4	Wofür stehen die olympischen Ringe?	51,3	85	
5	Gegen welche Krankheit verwendet man Insulin?	46	97	
6	Wie groß ist der Umfang der Erde?	35,6	69	
7	Von wem ist „Aida"?	17,6	85	
8	Wer wählt den Bundeskanzler?	46,6	92	
9	Was zeigt das Barometer an?	58,7	61	
10	Welcher große Maler und Naturforscher malte Mona Lisa?	41,2	92	
11	Wer wurde der „Sonnenkönig" genannt?	43,1	95	
12	In welchem alten Buch findet ein Mann, der von einer abenteuerlichen Seefahrt zurückkehrt, ein Menge Männer bei seiner Frau und befreit sie von ihnen?	18	72	
13	Wie heißen die Adern, die das Blut vom Herzen in den Körper transportieren?	42,9	57	
14	Von wem stammt das Bild „Guernica", das die Schrecken des Krieges darstellt?	9,7	59	
15	In welcher Einheit wird der elektrische Widerstand gemessen?	35,7	53	
16	Wie viele Knochen hat der menschliche Körper?	23,4	28	
17	Seit wann gibt es in Deutschland keinen Kaiser mehr?	28,7	80	
18	Welcher Maler stellte Marilyn Monroe auf Postern dar?	9,3	43	
19	Wie heißt die kleinste Informationseinheit beim Computer?	34,8	67	
20	Was ist das Gegenteil von Kernspaltung?	25,2	89	

* richtige Antworten in Prozent

11. Versuchen Sie selbst, die Fragen zu beantworten. Vergleichen Sie dann die Ergebnisse im Kurs mit der Tabelle.

12. Aus welchen Fachgebieten stammen die Fragen?

Fragen Nr.	*Fragen Nr.*	*Fragen Nr.*	*Fragen Nr.*
Astronomie:	Geschichte:	Literatur:	Physik:
Biologie:	Informatik:	Medizin:	Politik:
Geografie:	Kunst:	Musik:	Sonstige:

13. Wie finden Sie die Fragen? Sind sie Ihrer Meinung nach repräsentativ? Welche anderen Fachgebiete sollte man noch berücksichtigen?

14. Machen Sie selbst in Gruppen einen Fragenkatalog von 10 Fragen zur Allgemeinbildung, legen Sie ihn den anderen Gruppen vor und diskutieren Sie im Kurs darüber.

5

Erste-Hilfe-Kurs

Aufgrund vieler Anfragen führt der Malteser-Hilfsdienst (MHD) wieder einen Erste-Hilfe-Kurs durch. Er ist für alle Teilnehmer kostenlos. *Termin: Donnerstag, 29., und Freitag, 30. April, 8.30 bis 16.30 Uhr.* Veranstaltungsort ist die MHD-Geschäftsstelle, Thebäerstraße 44. Die Lehrgangsbescheinigung ist gültig für alle Führerscheinklassen.
Anmeldung unter Tel. 0651/2 50 41-42.

Folkloretanz

Unter dem Motto *Tanzen schafft Lebensfreude* bietet die Familienbildungsstätte, Dietrichstraße 30, einen Folkloretanzkurs für Frauen aller Altersstufen an. Tänze aus Russland, Griechenland, Rumänien und Israel werden eingeübt.
Kursbeginn ist am Donnerstag, 22. April, 19 Uhr, in der Turnhalle des AMG (Eingang Kuhnenstraße).

Seminar: Schlaf

Für viele Menschen bedeuten Nachtstunden eine Qual: Sie können nicht einschlafen oder wachen auf und verbringen den Rest der Nacht hellwach. In einem Seminar „Schlaf und Schlafstörungen", das die Volkshochschule an sechs Abenden anbietet, soll auf diese Probleme eingegangen werden. Informationen und Anmeldung in der Geschäftsstelle der Volkshochschule.

Computerkurs

In der Volkshochschule der Stadt Trier beginnt am Samstag, 24. April ein Kurs „MS-Windows für Anfänger". Die Leitung des Kurses haben Werner Hardt und Jörg O. Potthoff.
Anmeldungen nimmt die Geschäftsstelle der Volkshochschule entgegen.

Pannenkurs für Anfänger

Für alle, die kleinere Schäden oder Pannen an ihrem Auto selbst reparieren wollen: Reifen wechseln, Fehler in der elektrischen Anlage suchen, richtiges Abschleppen usw. – ADAC-Geschäftsstelle. Drei Abende 30,– DM.

---

§ 18, 19

15. Analysieren Sie die Anzeigen.

a) Bei/In...kann man...

> ein Instrument spielen lernen   Betriebswirt werden   lernen, wie man Autos repariert
> lernen, mit Computern umzugehen   eine Ausbildung zum Heilpraktiker machen
> Nachhilfe in...bekommen   Englisch lernen   die Fachhochschulreife bekommen
> Volkstänze lernen   einen Erste-Hilfe-Kurs für die Führerscheinprüfung machen
> eine finanzielle Förderung bekommen   etwas über Schlafstörungen erfahren

b) Welche Angebote bieten…

– berufliche Weiterbildung
– Ausbildung zu einem neuen Beruf?
– schulische Weiterbildung?
– Ideen für ein Hobby?

– eine staatliche Abschlussprüfung?
– Kurse für Kinder/Schüler/Studenten/
  ältere Leute?

16. Welchen Kurs würden Sie gern besuchen? Warum? Was für Angebote vermissen Sie?

17. Hören Sie die Dialoge und machen Sie Rollenspiele im Kurs.

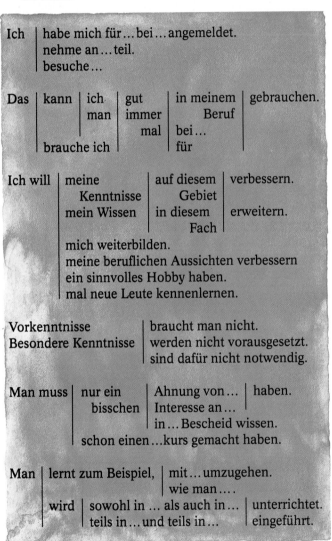

Ich	habe mich für … bei … angemeldet.
	nehme an … teil.
	besuche …

Das	kann	ich	gut	in meinem	gebrauchen.
		man	immer	Beruf	
			mal	bei …	
	brauche ich			für	

Ich will	meine	auf diesem	verbessern.
	Kenntnisse	Gebiet	
	mein Wissen	in diesem	erweitern.
		Fach	
	mich weiterbilden.		
	meine beruflichen Aussichten verbessern		
	ein sinnvolles Hobby haben.		
	mal neue Leute kennenlernen.		

Vorkenntnisse	braucht man nicht.
Besondere Kenntnisse	werden nicht vorausgesetzt.
	sind dafür nicht notwendig.

Man muss	nur ein	Ahnung von …	haben.
	bisschen	Interesse an …	
		in … Bescheid wissen.	
	schon einen … kurs gemacht haben.		

Man	lernt zum Beispiel,	mit … umzugehen.
		wie man ….
	wird	sowohl in … als auch in …	unterrichtet.
		teils in … und teils in …	eingeführt.

| Wie bist du | auf die Idee | gekommen? |
| | darauf | |

| Wozu | machst | du das denn? |
| | brauchst | |
Was hast du denn davon?

| Braucht man | da | Vorkenntnisse? |
| | dazu | |

| Und was | genau wird da gelernt? |
| | macht man da so? |

Wie lange dauert der Kurs?
Wie oft findet der Kurs statt?

Ob das auch etwas für mich wäre?
Sind da noch Plätze frei?
Nehmen die noch Anmeldungen an?
Ich glaube, das wäre nichts für mich.

Das rollende Klassenzimmer

Der Arbeitsvertrag überlässt es der Lehrkraft, „die Gestaltung und die Art" des Unterrichts zu bestimmen. Allerdings soll das Pensum „unter Beachtung anerkannter Unterrichtsmethoden" abgewickelt werden. Wo der Unterricht erteilt wird, ist ebenfalls präzise festgelegt: „in einem Abteil des E 3305, 6.39 Uhr, zwischen Landshut und München,".

Diese Vereinbarung wurde jetzt zwischen der Deutschen Bundesbahn und der Münchner Lehrerin Ursula Sabathil getroffen. Die Pädagogin hält von Anfang November an einen „Sprachkurs im Zug" ab — Unterricht für Pendler, die ihre Fahrt zur Arbeitsstelle nutzen wollen, um Italienisch, Französisch oder Spanisch zu lernen. Die Deutsche Bundesbahn hat sich verpflichtet, ein Abteil 1. Klasse zur Verfügung zu stellen und es „als Sprachkursabteil zu kennzeichnen".

Die Idee des rollenden Klassenzimmers stammt von der 35jährigen Oberstudienrätin Ursula Sabathil. Auf ihren Pendelfahrten zum 80 Kilometer entfernten Gymnasium in Mainburg hatte sie darüber nachgedacht, wie sie die Zeit, die sie in der Eisenbahn verbringt, sinnvoll nutzen könnte.

Die Marketing-Leute der Bahn nahmen den Vorschlag gerne an, weil sie sich davon für ihr Unternehmen einen Image-Gewinn versprechen. Das Vorhaben ist als „Pilot-Projekt" aufgebaut und soll zunächst drei Monate laufen.

Dass die Einrichtung tatsächlich auf Interesse stößt, bestätigt eine Umfrage, die im Eilzug zwischen Regensburg und München durchgeführt wurde - eine Strecke, auf der täglich etwa 900 Pendler fahren. Danach zeigten sich gleich 600 der potentiellen Reiseschüler an dem Express-Kolleg interessiert, die meisten würden gern Italienisch lernen und wünschen einen Stundenplan, der Montag, Freitag sowie den Feierabend freilässt. Inzwischen haben sich auch schon „viele hundert arbeitslose Pädagogen" als Zug-Lehrer angeboten, so die Eisenbahnverwaltung.

Mit einer „Studie produktives Reisen" hatte diese schon Anfang des Jahres die Nachfrage ihrer Kundschaft nach weiteren möglichen Einrichtungen erforscht. Angeboten wurden dabei neben Video-, Musik- und Sauna-Waggons auch ein Friseur-Laden und ein „Schweige-Abteil"...

18. Wie finden Sie die Idee mit dem „rollenden Klassenzimmer"? – Überlegen Sie sich weitere Situationen, in denen man vielleicht eine Sprache lernen könnte.

im Urlaub / im Auto / im Flugzeug / am Computer / beim Schlafen / in der U-Bahn / ...

19. Anmeldung zur Prüfung

2 22

Vor zwei Jahren kam Antonio Vargas als Neunzehnjähriger nach Düsseldorf. An der Volkshochschule hat er Deutsch gelernt. Jetzt möchte er die Zertifikatsprüfung „Deutsch als Fremdsprache" machen.

a) Hören Sie den Dialog.
b) Welche Aussagen sind richtig?
   Korrigieren Sie die falschen Aussagen.

1. Antonio weiß nicht genau, welche Voraussetzungen er für die Prüfung erfüllen muss.
2. Es gibt pro Jahr einen Prüfungstermin.
3. Die nächste Prüfung findet in einem halben Jahr statt.
4. Es gibt keine besonderen Vorbereitungskurse für die Zertifikatsprüfung.
5. Um sich für die Prüfung anzumelden, muss Antonio ein Antragsformular ausfüllen.
6. Die Gebühr für die Prüfung beträgt 25 DM.
7. Antonio bekommt Bescheid, wann die Prüfung genau stattfindet.

20. Denken Sie über Ihre Deutschkenntnisse nach.

a) Welche Situationen beherrschen Sie auf Deutsch? Notieren Sie, wie gut Sie sie beherrschen:

gut ☑ nicht so gut ☐ gar nicht ☐ ich weiß nicht ☐ das muss/möchte ich noch lernen ☒

☐ meinen Namen und meine Adresse buchstabieren

☐ meine Personalien angeben

☐ unbekannte Wörter sofort richtig aussprechen

☐ mir in einem Restaurant etwas zu essen bestellen

☐ nach dem Weg fragen

☐ eine Wegbeschreibung geben

☐ eine Fahrkarte kaufen

☐ ein Hotelzimmer reservieren

☐ eine Wohnung oder ein Zimmer mieten

☐ einem Arzt erklären, was mir fehlt

☐ einer Werkstatt erklären, was an meinem Auto kaputt ist

☐ von meiner Familie erzählen

☐ über meine Hobbys berichten

☐ ein Erlebnis aus meiner Schulzeit erzählen

☐ über meinen Arbeitsplatz berichten

☐ meine Wohnung beschreiben

☐ meinen Tagesablauf beschreiben

☐ über die Geschichte, Politik und Geografie meines Landes berichten

☐ über das Wetter reden

☐ meinen Gastgebern Komplimente für das Essen machen

☐ flirten

☐ mich am Telefon mit jemandem verabreden

☐ eine Einladung höflich ablehnen

☐ jemandem zum Geburtstag gratulieren

☐ die Bedienung eines Geräts erklären

☐ meine Meinung über Umweltprobleme sagen

☐ meine Meinung über einen politischen Konflikt sagen

☐ den Inhalt meines Lieblingsbuches erzählen

☐ ein deutsches Märchen erzählen

☐ über Sport diskutieren

☐ über meine berufliche Zukunft reden

☐ einen kurzen Text mündlich zusammenfassen

☐ ein deutsches Formular ausfüllen

☐ eine Einladung zu meinem Geburtstag schreiben

☐ mich schriftlich für eine Einladung bedanken

☐ eine Urlaubskarte schreiben

☐ eine Bewerbung für einen Arbeits- oder Ausbildungsplatz schreiben

☐ einen einfachen Zeitungsartikel verstehen

☐ die Radio-Nachrichten verstehen

☐ Micky Maus auf Deutsch lesen

☐ ein deutsches Gedicht lesen

☐ einen deutschen Roman lesen

☐ einen deutschen Spielfilm verstehen

☐ die Formen der starken Verben konjugieren

☐ die Wörter im Satz an den richtigen Ort stellen

☐ die Präpositionen mit dem Dativ aufzählen

☐ alle Wörter, die bisher in „Themen" vorgekommen sind, in meine Muttersprache übersetzen

b) Wenn Sie es nicht genau wissen: Probieren Sie einige dieser Situationen – eventuell im Rollenspiel – aus.

c) Ergänzen Sie die Liste zusammen mit Ihrem Nachbarn.

d) Überlegen Sie und besprechen Sie im Kurs:
   – Was brauchen Sie wahrscheinlich für eine Prüfung?
   – Was sollten Sie eventuell wiederholen?
   – Wie können Sie diese Dinge am besten üben?

sich gegenseitig Briefe schreiben und verbessern

so oft wie möglich mit Deutschen sprechen

eine Lernkartei | anlegen
ein Fehlerprotokoll |
ein „Lerntagebuch" |

Lektion...
wiederholen

die Wortliste durcharbeiten

Wörter zu einem bestimmten Thema sammeln

mit einer Freundin | zusammen lernen
einem Freund |

...

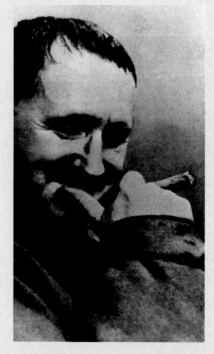

Bertolt Brecht

Ich habe gehört, ihr wollt nichts lernen

Ich habe gehört, ihr wollt nichts lernen.
Daraus entnehme ich: ihr seid Millionäre.
Eure Zukunft ist gesichert – sie liegt
Vor euch im Licht. Eure Eltern
Haben dafür gesorgt, daß eure Füße
An keinen Stein stoßen. Da mußt du
Nichts lernen. So wie du bist
Kannst du bleiben.

Sollte es dann noch Schwierigkeiten geben, da doch die Zeiten
Wie ich gehört habe, unsicher sind
Hast du deine Führer, die dir genau sagen
Was du zu machen hast, damit es euch gut geht.
Sie haben nachgelesen bei denen
Welche die Wahrheiten wissen
Die für alle Zeiten Gültigkeit haben
Und die Rezepte, die immer helfen.

Wo so viele für dich sind
Brauchst du keinen Finger zu rühren.
Freilich, wenn es anders wäre
Müßtest du lernen.

Lektion 10

der Kredit

das Regal

Sonder-angebot

der Kunde

die Kasse

die Scheckkarte

der Obdachlose

der Reiche

der Arme

1

> **Erfrischend anders. Plop.**
> *Jede Menge Extras an Bord. Serienmäßig.*
> **Die Revolution in Farbe**
> Nehmen Sie Ihren Friseur mit nach Hause
> **Stark mit der Stuttgarter**
> Wir geben Ihrer Zukunft ein Zuhause.
> Adrenalin für die Haut
> **Die neue Verbindung zwischen Natur und Waschen**
> Gazal. Göttliche Brillen.
> **Die Technik für mehr Frische.**

1. Beschreiben Sie möglichst genau, was auf den Bildern links zu sehen ist. – Für welche Produkte werben die Bilder?

> Auf dem Bild unten links ist ein Junge zu sehen, der auf einem Dreirad sitzt. Er trägt eine Sonnenbrille, einen roten Helm und ein blaues ... Das ist wahrscheinlich eine Anzeige für ...

> Auf dem Bild <u>kann man</u> einen Jungen <u>sehen</u>.
> Auf dem Bild <u>ist</u> ein Junge <u>zu</u> <u>sehen</u>.

Auto Spielzeug Haarfärbemittel Bier Waschmittel Kühlschrank Krawatten Aftershave Lebensversicherung Hut Haarpflegemittel Brillen Bausparkasse

 § 30 d, 31

| Auf dem Bild | oben links | ist ... zu sehen, der/die/das... |
| | neben... | |

Ich	nehme an,	das ist...	Das	könnte/dürfte	Werbung	für ... sein.
	vermute,			wird	wohl	eine Anzeige	
	kann mir vorstellen, dass das...		muss		

Das glaube ich nicht, ich vermute eher ...   Auf keinen Fall!
Das muss etwas anderes sein!   Bestimmt nicht!   Nein, das ist bestimmt...

2. Welche Werbesprüche passen zu den Bildern?

3. Welche Werbung verspricht ...

... Erfolg?   ... Glück?   ... Sicherheit?   ... Geschmack?

... Eleganz?   ... Qualität?   ... ein gutes Gefühl?   ... Spaß?   § 3 b

... Schönheit?   ... Komfort?   ... Umweltverträglichkeit?   ... Frische?

4. Machen Sie selbst Reklamesprüche zu den Bildern.

5. Hören Sie die Radio-Werbespots.

a) Für welche Produkte wird geworben?
Gebäck? Toilettenpapier? Kindertee?
Versandhauskatalog? Fruchtsaft? Zoo?
Babywindeln? Schlankheitspillen? Obst?

b) Spielen Sie die Szenen im Kurs nach.

 24-27

6. Erfinden Sie Werbesprüche oder Werbeszenen zu folgenden Produkten:

Auto mit Elektromotor / elektrische Zahnbürste / ein neuer Science-Fiction-Film /
das neueste Computer-Modell / ein Bier ohne Alkohol / ...

Die Architektur des Konsums

Jeder kennt das. Wir gehen in einen Supermarkt und kaufen mehr, als wir eigentlich wollen – angelockt von leuchtenden Obstgebirgen und appetitlichen Fleischtheken und verführt durch die raffiniert ausgedachte Anordnung der Waren.

Supermarkt – eine Welt aus Suppendosenwänden, Milchtütenmauern, Obstgebirgen und piependen Kassen. Eine Welt, die uns immer wieder dazu bringt, mehr zu nehmen, als wir brauchen, etwas anderes zu kaufen, als wir vorhatten, länger zu bleiben als geplant.

Jeder Supermarkt beginnt rechts. Der Mensch ist rechtsorientiert, er fährt rechts, und sein Blick wandert immer zuerst nach rechts. Rechts sind die Regale voll und bunt, rechts zeigt der Supermarkt, was er zu bieten hat.

Gleich nach dem Eingang leuchten Tomaten, glänzen Äpfel, und feldfrisch grünt der Salat. Nach Gemüse und Früchten taucht man ein in das Gängelabyrinth des Supermarktes. Auf der rechten Seite summen meterlange Kühlregale mit Joghurt, Quark und Milch. Im Kopf des Kunden wird unmerklich sein Tagesablauf in Gang gesetzt: früher Morgen, Frühstück – Milch muss sein, aber Kefir und Frischkäse wären auch ganz nett. Und weil die Milch meistens ganz hinten steht, muss sich das Auge des Kunden erst an langen Reihen anderer Molkereiprodukte entlangbewegen. Wie zufällig schimmern dann von der linken Seite Kaffeepakete, Teedosen und Marmeladengläser. Nächste Station ist Brot und Toast – die Komplettausstattung für den Morgen.

Nach einer inneren Landkarte des Kunden ordnen die Psychologen die Warenfolge: Nach dem Morgen der Mittag – also Fleisch, Fisch, Gewürze und Gemüsekonserven. Dann kommt die Abendzone: Wein, Bier, Spirituosen, Salzstangen und Schokolade. Bei allen Warengruppen regiert dieses Prinzip. Die meisten Menschen putzen sich zum Beispiel am Morgen zuerst die Zähne, bevor sie sich waschen – also steht die Zahnpasta vor der Seife.

Der zweite »Fokuspunkt Frische«, wie Strategen es nennen, ist die Fleischabteilung. Hier trifft der Kunde zum ersten Mal wieder auf Bedienungspersonal, hier kann er fragen und sich beraten lassen. Hier bleibt er stehen. Um Fleisch verlockend aussehen zu lassen, setzen die Supermärkte Licht ein, das eine gesetzlich zugelassene Rotfärbung hat. Möglichst von der linken oder vorderen Seite werden Rindersteaks, Geflügelbeine und Schweinebäuche beleuchtet. »Die Färbung unterstützt nur die natürlichen Farben des Fleisches, und die Linksbeleuchtung schafft für den von rechts kommenden Kunden einen Schatten, der die Ware plastischer macht«, sagt der Psychologe Norbert Wittmann. So wirkt auch ein dünngeschnittenes blassrosa Schweineschnitzel zunächst wie daumendicke Gourmetware. In vielen Supermärkten schließt sich an die Fleisch- und Wurstabteilung die Käsetheke an. Kaum ein Kunde bemerkt den Übergang vom roten zum gelblichen Licht, das die natürlichen Farben von Gouda und Emmentaler verstärkt.

Nach der Mittagszone folgt ein neues Animationsprogramm. Regalunterbrechungen, Kreuzungen, Sackgassen, Sonderangebote - je mehr der Kunde vor sich sieht, desto häufiger bremst er. Und kauft. Supermarktstrategen haben Fallen aufgestellt: Basislebensmittel wie Mehl, Zucker und Salz liegen links unten. „Das ist Ware zum Suchen, die kann man irgendwo hinstellen", so die Markt-Architekten. Teure Ware wird in Augen- und Griffhöhe ausgestellt, damit der Kunde impulsiv danach greift.

Nach durchschnittlich 20 Minuten landet der Kunde mit vollgepacktem Wagen in der Kassenzone, dem größten Stressfaktor in jedem Supermarkt: Warten und Kinderterror. Viele Märkte hoffen hier auf die kleinen Kunden und stellen Regale mit Kaugummi, Schokolade und manchmal sogar mit Spielzeug in den Weg. Die geschafften Mütter – und noch mehr die Väter – in der Warteschlange geben schnell nach und – schwupps landen ein paar süße Beruhigungsmittel im Einkaufswagen.

Am Ausgang, wenn der Kunde wieder viel mehr eingepackt hat als geplant, ahnt er vielleicht, was die Marktforschung längst weiß: 20 bis 35 Prozent eines Kühlschrankinhaltes wandern – so die »Stiftung Warentest« – unberührt auf den Müll.

7. Was meinen Sie, wo könnten diese Waren im Supermarkt stehen?

Spielzeug Schreibwaren Obst Gemüse Saft
Nudeln Kaffee Tee Nähnadeln Waschpulver
Haushaltsreiniger Käse Süßigkeiten Geschirr
Mehl Werkzeug (Zange, Hammer...) Spielzeug
Kartoffeln Bratenfleisch Tabak / Zigaretten
Zucker Schrauben Zahnpasta Wurst Reis
Tonbänder und Videokassetten haltbare Milch
Nägel Unterwäsche Zwiebeln Schere ...

8. Welche bekannten Verhaltensweisen der Verbraucher spielen bei der Aufstellung der Waren eine Rolle? Welche anderen Tricks werden benutzt, um möglichst viel zu verkaufen?

sich nach rechts orientieren innere Landkarte untere/obere Regalreihe
Farben verstärken impulsiv greifen Licht bremsen Ware zum Suchen
Kaugummi an der Kasse Käse Fleisch Frische Tagesablauf hintereinander ...

9. Schreiben Sie in Gruppen einen kleinen Ratgeber:

„Die 10 goldenen Regeln für den Gang durch den Supermarkt." Vergleichen Sie Ihre Ergebnisse und diskutieren Sie darüber.

Kaufen	Sie	nur,	was...
Nehmen		nicht nur,	worüber...
		nie,	wofür...
		nichts,	
Bleiben Sie ...			
Schauen Sie ...			

umtauschen können
planen probieren
sich interessieren
gebrauchen können
sich später ärgern
sich informieren ...

§ 5, 6, 11

10. Wo kaufen Sie am liebsten ein?

Auf dem Markt,
Im Fachgeschäft,
Im Kaufhaus,
Im Supermarkt,
Per Katalog von
   einem Versandhaus,
Im Tante-Emma-Laden,
In der Ladenstraße in
   einer Fußgängerzone,

weil...
denn...
...nämlich...

§ 30 c

zurücklegen lassen große Auswahl Fachleute
billiger Qualität Garantie nicht so viele Leute
zurückschicken, was einem nicht gefällt frisch
sich beraten lassen keine Parkplatzprobleme
passende Ersatzteile Schaufenster ansehen
   Markenartikel in Ruhe zu Hause aussuchen
holen, was man schnell braucht gute Beratung
   alles unter einem Dach Preise vergleichen
auf Kredit einkaufen gleich um die Ecke ...

3

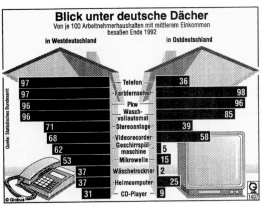

Blick unter deutsche Dächer
Von je 100 Arbeitnehmerhaushalten mit mittlerem Einkommen
besaßen Ende 1992

in Westdeutschland — in Ostdeutschland

Quelle: Statistisches Bundesamt

in Westdeutschland		in Ostdeutschland
97	Telefon	36
97	Farbfernseher	98
96	Pkw	96
96	Waschvollautomat	85
71	Stereoanlage	39
68	Videorecorder	58
62	Geschirrspülmaschine	5
53	Mikrowelle	15
37	Wäschetrockner	2
37	Heimcomputer	25
31	CD-Player	9

© Globus

11. Diskutieren Sie über die Statistik.

a) Was finden Sie überraschend?

	dass		
Ich frage mich, wie es kommt,		so viele Leute	…haben.
Ich hätte nicht gedacht,		so wenig Familien	…besitzen.
Ich finde es überraschend,		fast alle	Geld für…ausgeben.
Es ist merkwürdig,		kaum Leute	
völlig normal,		nur…	

b) Was scheint für die Deutschen am wichtigsten zu sein, was weniger wichtig?
c) Machen Sie ähnliche Statistiken im Kurs und vergleichen Sie.
d) Wenn Sie es sich leisten könnten – was würden Sie sich als nächstes kaufen? Warum?

§ 3

12. Fassen Sie die wichtigsten Aussagen des Textes mit Ihren Worten zusammen.

Inmitten des Wohlstands

Die Zahl der Reichen wie der Armen wächst

In der Statistik ist nicht alles zu lesen

Die Reichen werden immer reicher, aber gleichzeitig wächst auch die Zahl der Armen. Es gibt immer mehr Obdachlose, die die Mieten in den Großstädten nicht bezahlen können. Aber nur dort haben die Menschen Chancen, einen Gelegenheitsjob zu finden.

Im reichen Deutschland ist die „Armut auf dem Vormarsch", urteilte der Deutsche Gewerkschaftsbund neulich aufgrund der gestiegenen Zahl von Sozialhilfe-Empfängern. In der alten Bundesrepublik sind rund vier Millionen auf die Sozialhilfe angewiesen, um ihren Lebensunterhalt bestreiten zu können. Das ist die eine Seite.

Die andere Seite sieht so aus: Die Arbeitnehmer in der Bundesrepublik haben international beim Einkommen eine Spitzenstellung. Das sagt nicht etwa ein Vertreter der Arbeitgeber, sondern der Vorsitzende des Deutschen Gewerkschaftsbundes, Heinz-Werner Meyer. Auch IG-Metall-Vorstandsmitglied Bleicher kommt zu dem Schluss, zwei Drittel der Bevölkerung hätten einen relativ hohen Lebensstandard, Vermögenswerte und Erbschaften nähmen zu. Und das Statistische Bundesamt hat errechnet: Die Deutschen werden immer reicher.

Armut und Reichtum, das sind gewiss sehr vage Begriffe. Für den Obdachlosen ist der im miesesten Hinterzimmer Wohnende wohl schon ein Reicher. Und der Arme in der Bundesrepublik ist ein Reicher, wenn man seine Situation vergleicht mit den Millionen in der Dritten Welt, die nichts haben und nicht wissen, wie sie den Hunger ihrer Kinder stillen sollen.

Die Reichen in Deutschland… Die Armen… Nach der Statistik… Wenn man die Situation der Armen mit…vergleicht, dann…

Das liebe Geld...

13. Herr Fitzpatrick eröffnet ein Konto

a) Hören Sie das Gespräch.

2) **28**

b) Welche Aussagen stimmen?
1. Herr Fitzpatrick möchte ein Girokonto eröffnen.
2. Er möchte ein Sparkonto eröffnen.
3. Seine Staatsangehörigkeit ist irisch.
4. Er ist Praktikant in Deutschland.
5. Er kriegt jeden Monat eine Überweisung von seinem Vater.
6. Er kriegt ein Stipendium in Höhe von 1300 DM.
7. Er kriegt alle drei Monate einen Euroscheck.
8. Euroschecks sind nur zusammen mit der Scheckkarte gültig.
9. Die Scheckkarte wird sofort für Herrn Fitzpatrick ausgestellt.
10. Er bekommt seine Scheckkarte erst dann, wenn das erste Geld auf seinem Konto ist.
11. Er bekommt Bescheid, wann er die Scheckkarte von der Bank abholen kann.
12. Mit den Euroschecks kann man auch Geld aus dem Automaten bekommen.
13. Für die Geldautomaten braucht man die Scheckkarte.

14. Frau Schachtner braucht Geld

a) Hören Sie das Gespräch.

2) **29**

b) Beantworten Sie die Fragen.
1. Wofür braucht Frau Schachtner einen Kredit?
2. Wieviel verdient sie im Monat netto?
3. Wieviel Prozent Zinsen pro Jahr verlangt die Bank für einen Kredit?
4. Die Bankangestellte schlägt Frau Schachtner zwei Möglichkeiten vor.
   – Wieviel muss sie jeden Monat zurückzahlen, wenn sie den Kredit über 3 Jahre laufen lässt?
   – Wieviel muss sie jeden Monat zurückzahlen, wenn die Laufzeit 4 Jahre beträgt?
5. Welche Kreditform wählt Frau Schachtner?

c) Rechnen Sie aus:
1. Wieviel Geld bleibt ihr monatlich übrig?
2. Sie bekommt 15 000 DM von der Bank; aber welche Summe muss sie tatsächlich zurückzahlen?

d) Was ist Ihre Meinung: Lohnt es sich, soviel Schulden zu machen, um ein neues Auto zu kaufen? – Wofür würden Sie einen Kredit aufnehmen, wenn es nötig wäre?

Hans im Glück

■ Hans hatte sieben Jahre bei seinem Herrn gedient, da sprach er zu ihm: „Herr, ich habe jetzt lange genug gearbeitet, ich will jetzt wieder heim zu meiner Mutter, gebt mir meinen Lohn!" Der Herr antwortete: „Du hast mir treu und ehrlich gedient. Wie deine Arbeit war, so soll dein Lohn sein", und gab ihm ein Stück Gold, das so groß wie der Kopf von Hans war. Hans wickelte das Gold in ein Tuch, setzte es auf seine Schulter und machte sich auf den Weg nach Hause.

■ Wie er so dahinging und immer ein Bein vor das andere setzte, kam ihm ein Reiter in die Augen, der frisch und fröhlich auf einem Pferd vorbeitrabte. „Ach", sprach Hans ganz laut, „was ist das Reiten schön! Da sitzt einer wie auf einem Stuhl, stößt an keinen Stein, macht seine Schuhe nicht kaputt und kommt schnell vorwärts." Der Reiter, der das gehört hatte, hielt an und rief: „Ei, Hans, warum läufst du auch zu Fuß?" – „Ich muss ja wohl", antwortete er, „Wie soll ich sonst mein Gold nach Hause bringen? Es drückt mir auf die Schulter und ich kann den Kopf nicht geradehalten." – „Weißt du was", sagte der Reiter, „wir wollen tauschen: ich gebe dir mein Pferd und du gibst mir dein Gold." – „Von Herzen gern", sprach Hans, „aber ich sage Ihnen, es ist sehr schwer." Der Reiter stieg ab, nahm das Gold, half Hans aufs Pferd und sagte: „Wenn du schneller reiten willst, musst du mit der Zunge schnalzen und hopp hopp rufen."

■ Hans war glücklich, als er auf dem Pferd saß und so frei dahinritt. Nach einiger Zeit wollte er schneller reiten. Er schnalzte mit der Zunge und rief hopp hopp. Das Pferd begann zu galoppieren und schon war Hans abgeworfen und lag im Gras. Das Pferd wäre davongelaufen, wenn es nicht ein Bauer festgehalten hätte, der ihm entgegenkam und eine Kuh vor sich hertrieb. Hans war enttäuscht und sagte zu dem Bauern: „Das Reiten macht keinen Spaß, vor allem auf einem Pferd wie diesem, das springt und einen herabwirft, dass man sich den Hals brechen kann. Ich setze mich nie wieder auf dieses Pferd! Wie gut hast du es mit der Kuh, da kann einer gemütlich hinterhergehen und hat jeden Tag seine Milch, Butter und Käse. Ach, – hätte ich doch so eine Kuh!" – „Nun", sagte der Bauer, „ich will die Kuh für das Pferd tauschen, wenn du möchtest." Hans sagte sofort ja, und der Bauer sprang aufs Pferd und ritt schnell davon.

■ Hans war glücklich: „Ein Stück Brot finde ich immer; dazu kann ich, so oft ich Lust habe, Butter und Käse essen. Wenn ich Durst habe, melke ich die Kuh und trinke Milch. Was will ich noch mehr?" In einer Wirtschaft aß Hans in der großen Freude alles, was er bei sich hatte, und trank für sein letztes Geld ein Glas Bier. Dann ging er weiter, immer nach dem Dorfe seiner Mutter zu. Es war sehr heiß, so dass ihm die Zunge im Munde klebte. »Ganz einfach«, dachte Hans, »jetzt will ich meine Kuh melken und die Milch trinken.« Er band sie an einen dünnen Baum und weil er keinen Eimer hatte, so stellte er seine Ledermütze drunter; aber was er auch tat, es kam kein Tropfen Milch. Und weil er es so dumm machte, gab ihm das ungeduldige Tier endlich mit einem der Hinterfüße einen solchen Schlag vor den Kopf, dass er zu Boden taumelte und eine Zeitlang nicht wusste, wo er war. Glücklicherweise kam da ein Metzger mit einem jungen Schwein. „Was ist denn passiert?" fragte er und half dem guten Hans. Hans erzählte alles. Der Metzger gab ihm seine Flasche und sagte: „Da, trink einmal, das tut gut! Die Kuh will wohl keine Milch geben, das ist ein altes Tier, das höchstens noch zum Ziehen oder zum Schlachten zu gebrauchen ist." „Ei, ei", sprach Hans und strich sich die Haare über den Kopf, „aber ich esse nicht gern Kuhfleisch, es ist mir nicht saftig genug. Ja, wer so ein junges Schwein hat! Das schmeckt anders, und vor allem die Würste!" –

■ „Hör mal, Hans", sagte der Metzger, „ich will mit dir tauschen und will dir das Schwein für die Kuh geben." Hans freute sich, ging weiter und dachte darüber nach, wie alles nach seinem Wunsch ging: Immer dann, wenn etwas Unangenehmes passierte, hatte er gleich darauf Glück und war alles wieder in Ordnung.

■ Bald traf er einen jungen Mann, der eine schöne, weiße Gans unter dem Arm trug. Hans erzählte ihm von seinem Glück und wie er immer so vorteilhaft getauscht hätte. Der junge Mann schaute sich nach allen Seiten um und sagte: „Mit dem Schwein ist, denke ich, nicht alles in Ordnung. In dem Dorf, durch das ich gekommen bin, ist vorhin dem Bürgermeister eins gestohlen worden. Ich fürchte, ich fürchte, du hast es da in der Hand. Überall suchen Leute das Schwein; wenn sie dich erwischen …" Der gute Hans bekam einen Schrecken. „Ach Gott, hilf mir", sprach er, „nimm mein Schwein und gib mir die Gans, denn du kennst hier die Gegend besser als ich." „Na gut", sagte der junge Mann, „ganz unge-fährlich ist es nicht, was ich mache, aber ich will auch nicht, dass dir ein Unglück geschieht." Er nahm also das Schwein; Hans war wieder alle Sor-gen los und ging mit der Gans unterm Arm der Heimat zu. „Das war wie-der Glück" sagte Hans,

„das gibt einen guten Braten, dazu eine Menge Fett und nicht zu vergessen die schö-nen weißen Federn für mein Kopfkissen. Was wird meine Mutter für eine Freude haben!"

■ Als er durchs letzte Dorf gekommen war, stand da ein Scherenschleifer, sein Rad dreh-te sich und er sang dazu.

■ Hans blieb stehen und sah ihm zu; schließlich sagte er: „Dir geht's wohl gut, weil du so lustig bist." – „Ja", antwortete der Scherenschleifer, „mir geht es gut; ein Sche-renschleifer ist ein Mann, der, so oft er in die Tasche greift, auch Geld darin findet. Aber wo hast du die schöne Gans gekauft?" Hans erzählte ihm die ganze Geschichte. „Du kannst das Geld in deiner Tasche springen hören und ein glücklicher Mensch werden", sagte der Schleifer. „Wie soll ich das anfan-gen?", sprach Hans. „Du musst ein Schleifer werden, wie ich; dazu brauchst du nur einen Schleifstein, das andere findet sich von selbst. Da habe ich einen, der ist zwar ein bisschen kaputt, dafür brauchst du mir aber auch nur die Gans zu geben. Willst du das?" – „Wie kannst du noch fragen", antwortete Hans, „ich werde ja zum glücklichsten Menschen auf Erden; habe ich Geld, so oft ich in die Tasche greife, was brauche ich mir da länger Sorgen zu machen?", gab ihm die Gans und nahm den Schleifstein. „Nun", sprach der Schleifer und hob einen gewöhn-lichen Stein, der neben ihm lag, auf, „da hast du noch einen großen Stein dazu; mit dem kannst du alte Nägel ge-rade klopfen. Verlier ihn nicht!" Hans nahm den Stein und ging fröhlich weiter; seine Augen leuchteten vor Freude. „Ich muss ein Glückskind sein," rief er, „alles, was ich wünsche, geschieht auch, wie bei einem Sonntagskind."

■ Langsam wurde Hans müde, und er bekam Hunger. Nur mit Mühe konnte er weitergehen und musste jeden Augen-blick Halt machen; dabei drückten ihn die Steine ganz furchtbar. Da dachte er, wie gut es wäre, wenn er sie nicht tragen müsste. An einem Brunnen wollte er Wasser trinken. Um die Steine nicht zu beschädigen, legte er sie vorsichtig neben sich auf den Rand des Brunnens. Als er trin-ken wollte, stieß er gegen die beiden Steine, und sie fielen ins Wasser. Als Hans sie in der Tiefe versinken sah, sprang er vor Freude auf, kniete dann nieder und dankte Gott mit Tränen in den Augen, dass er ihm auch die-se Gnade noch erwiesen und ihn auf so eine gute Art und ohne, dass er sich einen Vor-wurf zu machen brauchte, von den schweren Steinen befreit hätte, die ihn nur gestört hat-ten. „So glücklich wie ich", rief er aus, „gibt es keinen Menschen unter der Sonne." Mit leichtem Herzen und frei von aller Last sprang er nun fort, bis er daheim bei seiner Mutter war.

15. In welcher Reihenfolge besaß Hans diese Dinge, und was gefiel ihm daran nicht?

a) Schleifstein – Gold – Schwein – Kuh – Gans – Pferd

b) Der Schleifstein…
    Das Gold…
    Das Schwein…
    Die Kuh…
    Das Pferd…

…drückte ihm auf die Schulter	…war angeblich gestohlen
…drückte ihn ganz furchtbar	…war ihm zu schwer
…gab keine Milch	…wäre beinahe weggelaufen
…hatte kein saftiges Fleisch	…warf Hans ab
…trat ihm an den Kopf	

Konjunktiv

Situation: Gegenwart – „jetzt"
Wenn ich eine Kuh <u>hätte</u>, <u>hätte</u> ich Milch.

Situation: Vergangenheit – „damals"
Wenn ich eine Kuh <u>gehabt hätte</u>,
<u>hätte</u> ich Milch <u>gehabt</u>.

16. Ergänzen Sie die Sätze. Finden Sie selbst weitere Beispiele.

Wenn	Hans er	…	behalten hätte, nicht getauscht hätte, nicht verloren hätte, nicht weggegeben hätte,	dann	hätte er… wäre er…

§ 25, 26

…angeblich ein glücklicher Mensch werden	…immer Milch, Butter und Käse haben
…eine Menge Fett bekommen	…immer reiten können
…einen guten Braten machen können	…nicht mehr zu Fuß gehen brauchen
…Federn für sein Kopfkissen haben	…saftiges Fleisch haben
…für andere Leute Scheren und Messer schleifen können	…schnell vorwärts kommen
…immer Geld in der Tasche haben	…Würste essen können …

17. Was hätten Sie an Hans' Stelle getan?

Wenn ich so ein großes Stück Gold gekriegt hätte, dann hätte ich…

An seiner Stelle wäre ich…, wenn ich…gehabt hätte.

18. Halten Sie Hans für dumm? – Diskutieren Sie.

Er hat zwar keinen Besitz, aber er fühlt sich glücklich!
Einerseits ist er vielleicht etwas naiv, aber andererseits ist er ein freier Mensch.
Für ihn ist es viel wichtiger, dass er…

Wie kann man glücklich sein, wenn man gar nichts hat?
Der merkt ja gar nicht, dass die anderen ihn nur betrügen!
Wie soll er denn jetzt weiterleben?

19. Machen Sie ein Rollenspiel: Hans kommt zu seiner Mutter zurück…

Sammeln Sie zuerst Sätze, Wendungen und Wörter. Arbeiten Sie zu zweit.

20. Vertreterbesuch an der Haustür

Haben Sie das schon mal erlebt? Es klingelt an
der Haustür, Sie machen auf und schon steht er
mitten in der Wohnung: der Vertreter. Er will
Ihnen eine Versicherung, einen Staubsauger oder
eine Zahnbürste verkaufen. Und Sie? Wie
reagieren Sie? Hören Sie erst mal zu (er könnte
ja etwas Interessantes für Sie haben), oder werfen
Sie ihn hinaus?

a) Hören Sie zunächst ein Beispiel auf Kassette.
   Machen Sie sich Notizen: Was will der Vertreter
   verkaufen? Welche Argumente benutzt er?
   Wie reagiert die Kundin? Welche Argumente
   benutzt sie?

2) 30

b) Bereiten Sie in kleinen Gruppen die Rolle des Vertreters und die des Kunden vor.
   Spielen Sie dann die Situation.

Vorbereitung der Vertreter

– Was wollen Sie verkaufen?
  Staubsauger, Zeitungsabonnement,
  Seife, Haarwaschmittel, Mitgliedschaft
  in einem Buchclub, Rasierklingen,
  Knöpfe, Kämme, Kleiderbügel,
  Handtücher, Teppiche, Zahnbürsten, …
– Sammeln Sie Argumente für den Kauf.
– Überlegen Sie, was Sie tun sollten und
  was Sie nicht tun sollten.

Vorbereitung der Kunden

– Sammeln Sie Argumente gegen einen
  Kauf an der Haustür.
– Was tun Sie, wenn der Vertreter einfach
  nicht gehen will?
– Wen könnten Sie eventuell zu Hilfe
  holen? (Mann, Frau, Nachbar,
  Nachbarin, Polizei…)
– Falls Sie doch etwas kaufen wollen, wie
  können Sie über den Preis diskutieren?

Sie haben doch sicher…,
  dann brauchen Sie auch…
Möchten Sie nicht auch…besitzen?
Ihr(e) Nachbar(in) hat auch schon…
So ein…bekommen Sie nirgends billiger!
Denken Sie doch mal daran, dass/wie…
Darauf haben Sie…Monate Garantie.
…kommt aus der Weltraumforschung.
Dann haben Sie viel mehr Zeit für/zum…
Sie können in bequemen Raten zahlen.
Das Allerneueste!
Eine einmalige Gelegenheit!
Sie sparen eine Menge Geld!

…brauche ich nicht.
…habe ich schon.
Für sowas habe ich keinen Bedarf.
Ich habe überhaupt kein Bargeld da.
Ich kaufe grundsätzlich nichts an der Tür.
Ich bin in Eile.
Tut mir Leid, ich habe keine Zeit.
Darüber muss ich erst mit…sprechen.
Soll ich vielleicht die Polizei rufen?
Bleiben Sie lieber draußen; wir haben alle
  die Masern!
Reden Sie ruhig weiter; ich kaufe doch
  nichts.

7

Konsumgerechtigkeit

Die zwei Männer kamen abends nach sieben. Ich saß gerade beim dritten Bier vor dem Fernseher und schaute mir die Werbung an. Die Herren zeigten ihre Ausweise: zwei Kontrolleure vom Verband für konsumgerechtes Verhalten. „Sie fahren kein Auto", begann der eine. „Schon seit fast einem Jahr", antwortete ich. „Obwohl Sie sich einen Wagen leisten könnten", meinte der andere. „Ich will keinen Wagen mehr. Im Stadtverkehr lohnt es sich nicht. In Urlaub fahre ich mit der Bahn, oder ich fliege." „Sie erlauben sich einen Konsumverzicht, der für unsere Gesellschaft gefährlich werden kann." „Ist das verboten?" „Noch nicht", antwortete einer der beiden Besucher. „Aber wenn Ihr Beispiel Schule macht, werden wir bald ein entsprechendes Gesetz haben. Sie schädigen nämlich den Staat. Er verliert jährlich ein paar tausend Mark an Kraftfahrzeug-, Benzin-, Ölsteuer und so weiter." „Vor allem aber schaden Sie unserer Wirtschaft", fügte der andere hinzu. „Es ist wie eine Kettenreaktion: Die Autofabriken verdienen nichts, der Händler hat Verluste. Sie kaufen kein Benzin, lassen keine Reparaturen ausführen, brauchen keine Winterreifen, kein Zubehör." „Aber dafür gebe ich doch anderweitig Geld aus: Ich fahre öfters Taxi, trinke mehr Alkohol." „Das sind keine Argumente. Ein Mann mit Ihrem Einkommen hat einen Wagen zu fahren." „Und wie ist es mit dem Umweltschutz?" „Das lassen Sie mal unsere Sorge sein. Verhalten Sie sich lieber etwas vorsichtiger: Wir haben uns in Ihrer Stammkneipe erkundigt. Sie propagieren den Konsumverzicht in aller Öffentlichkeit." „Das ist ja …" „Jeder siebte Erwerbstätige in unserem Land", unterbrach mich einer der beiden Kontrolleure, „lebt von der Automobilindustrie. Leute wie Sie sind dabei, unsere Gesellschaftsordnung zu zerstören." Der Mann griff in seine Aktentasche, holte einige Prospekte heraus, legte sie auf den Tisch. „Dies sind ein paar Angebote", sagte er. „Die neuesten Modelle. Unverbindlich. Aber Sie sollten sich gut überlegen, was Sie machen. Unser Verband läßt nicht mit sich spaßen." „Mittelklassewagen", befahl sein Kollege. „Sie sind der Typ für einen Mittelklassewagen. Wir werden uns gelegentlich erkundigen. Auf Wiedersehen." Als die beiden draußen waren, merkte ich, daß ich zitterte. „Was wollten die denn?", fragte Uschi aus der Küche. „Sie haben uns erwischt", antwortete ich. „Zwei Kontrolleure vom Verband für konsumgerechtes Verhalten." „Das mußte ja kommen", meinte Uschi. „Du mit deinem Konsumverzichtsfimmel. Sie halten dich sicher für einen Extremisten. Du stehst bestimmt schon auf der Liste." „Sie haben Prospekte dagelassen." „Gott sei Dank", sagte Uschi. „Dann hast du ja noch eine Chance."

Hans Gebhardt

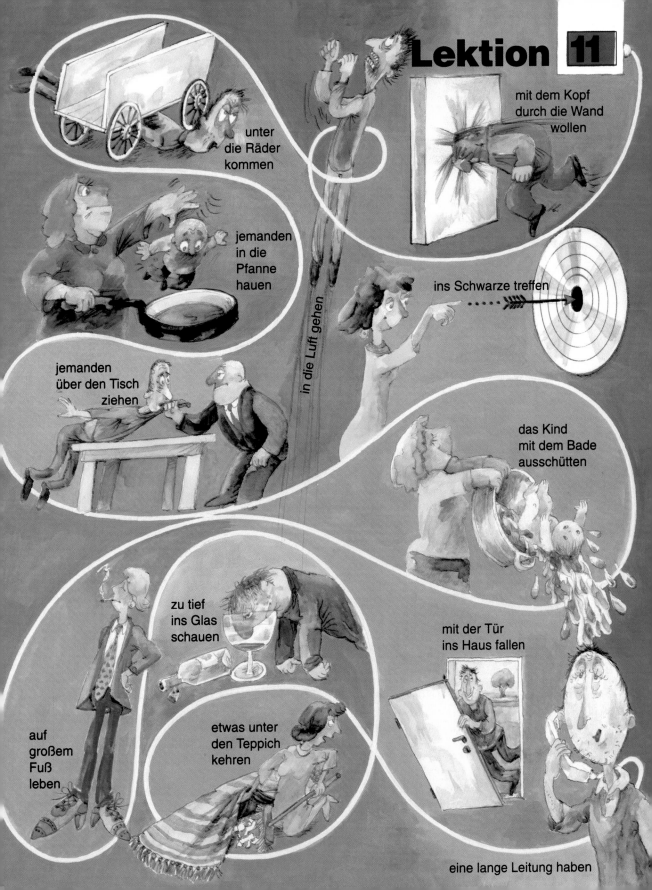

Förmliche Gespräche

1. Hören Sie die Dialoge.

a) Welche Bilder passen zu welcher Situation?

Sit. Nr.__   Sit. Nr.__   Sit. Nr.__   Sit. Nr.__

Sit. Nr.__   Sit. Nr.__   Sit. Nr.__

b) In welchen Situationen tun die Leute das?

	Situation Nr. ...		Situation Nr. ...
jemanden zum Abendessen einladen	☐	sich anmelden	☐
sich verabschieden	☐	sich verabreden	☐
sich vorstellen	☐	einen Bekannten begrüßen	☐
einen Dritten vorstellen	☐	einen Fremden ansprechen	☐
jemanden zu einem Drink einladen	☐	jemanden empfangen	☐
mit einem Getränk anstoßen	☐	sich zu einem Fremden an den Tisch setzen.	☐
		jemanden am Telefon verbinden	☐

2. Spielen Sie die folgenden Situationen.

Bereiten Sie sie mit Ihrem Nachbarn vor. Sie können die Redemittel auf Seite 127 benutzen. Legen Sie vorher Personen, Ort und Umstände fest, und vergleichen Sie Ihre Dialoge im Kurs.

Stellen Sie sich vor!
Beginnen Sie ein Gespräch!
Empfangen Sie Ihren Gast!
Laden Sie jemanden ein!
Stellen Sie einen Dritten vor!

Fragen Sie nach einem freien Platz im Café!
Fragen Sie am Telefon nach jemandem!
Fragen Sie, ob Sie rauchen dürfen!
Melden Sie sich in einem Büro an!
Zeigen Sie, dass Sie einen Plan auch gut finden!

Am Telefon

| Hier… | Kann ich bitte mit | Herrn | …sprechen? | Einen Moment bitte, |
| Hallo, hier… | | Frau | | ich verbinde. |

Im Vorzimmer

| Ich habe um vier einen Termin mit | Herrn | … | …erwartet | seinem | Büro. |
| | Frau | | Sie in | ihrem | |

Sich dazusetzen | *Jemanden willkommen heißen*

Entschuldigung, ist hier noch frei? | Herzlich willkommen!
| Nehmen Sie doch Platz!

Vorstellen

Darf ich mich vorstellen? Mein Name ist… | Sehr angenehm.
Darf ich Ihnen bei dieser Gelegenheit…vorstellen? | Freut mich, Sie kennenzulernen.

Besorgnis äußern

Entschuldigen Sie, wenn ich stören sollte. | Nein, Sie stören überhaupt nicht.
| Im Gegenteil, ich freue mich, dass Sie anrufen.

Um Erlaubnis bitten

| Gestatten | Sie, dass ich rauche? | Bitte sehr! |
| Erlauben | | |

Gespräch eröffnen | *Einverständnis ausdrücken*

Weshalb ich Sie anspreche:… | Das würde ich auch sehr begrüßen.
Was ich schon immer fragen wollte:… | Das fände ich sehr | gut.
| | nett.
| Fein. Das freut mich.

Termin ausmachen

Hätten Sie morgen um zehn Uhr Zeit? | Das passt sehr gut.
Wie wäre es denn um vierzehn Uhr? | Dann bin ich also um vier bei Ihnen im Büro.
Kommen Sie doch bitte um | Da habe ich schon einen Termin.
neunzehn Uhr dreißig. | Das geht leider nicht.

Einladen

Darf ich	Sie	für morgen Abend	zum Essen	einladen?	Ja, gern.
	Sie und…	…	zu…		Danke, sehr gern.
Ich würde mich sehr darüber freuen.					

2

Teures „Du"

Nürnberg (dpa) *„Armes Deutschland", stöhnte die Nürnberger Marktfrau vor dem Einzelrichter, von dem sie wegen Beleidigung zu 2250 Mark Geldstrafe „verdonnert" worden war. „Frau Gunda" hatte einen Polizeihauptkommissar „hartnäckig geduzt, obwohl dieser es sich verbat".* Besagte Marktfrau gilt in Nürnberg als Original – nicht nur wegen ihrer marktbeherrschenden Figur. Sie stand schon einige Male vor den Schranken des Gerichts, wegen Beleidigung. In diesem speziellen Fall hatte die nahe Rathauswache verfügt, dass zwei Tische der Frau Gunda „wegmüssen". Sie will den Hauptkommis-

sar allerdings höflich per „Sie" gefragt haben, ob er diese Anordnungen getroffen habe. Als dieser das bejahte, habe sie erklärt: „Das hast du nicht zu bestimmen."

Der Wachleiter verbat sich zwar das „Du", die Marktfrau jedoch war nicht zu bremsen: „Das wird doch keine Beleidigung sein, zum Herrgott sagt man du, deshalb sage ich zu dir auch du."

Frau Gunda versicherte, das „Du" sei nicht böse gemeint. Sie stamme vom Land, da sage jeder zu jedem du.

Der Richter hatte für die Argumente der Marktfrau kein Verständnis: Für Mitteleuropäer sei ungewolltes Duzen ehrenrührig. Es beeinträchtige das Persönlichkeitsrecht. Da die Marktfrau Angaben über ihr Einkommen nicht machte, wurde sie geschätzt. Der Richter verhängte darauf fünfzehn Tagessätze mal 150 Mark, zusammen 2250 Mark.

3. Wie sind diese Sätze im Text ausgedrückt?

a) Die Marktfrau war angeklagt, weil sie zu einem Polizeihauptkommissar dauernd „Du" gesagt habe.

b) Der Polizeikommissar hatte befohlen, dass zwei Tische der Marktfrau wegmüssten.

c) Sie behauptet, sie habe den Polizeikommissar höflich gefragt: „Haben Sie diese Anordnungen getroffen?"

d) Sie hat erklärt, dass er das nicht zu bestimmen habe.

e) Sie versicherte: „Das ‚Du' ist nicht böse gemeint. Ich stamme vom Land, da sagt jeder zu jedem du."

f) Der Richter behauptete: „Für Mitteleuropäer ist ungewolltes Duzen eine Beleidigung. Es beeinträchtigt das Persönlichkeitsrecht."

§ 23

Indikativ	Konjunktiv I
er/sie hat	er/sie habe
er/sie ist	er/sie sei
er/sie sagt	er/sie sage

4. Wer hat was gesagt?

Die Marktfrau hat gesagt, auf dem Land sage jeder zu jedem „du".

Der Richter ...

Auf dem Land sagt jeder zu jedem „du".
Das ist keine Beleidigung.
Das macht zusammen 2250 Mark.
Diese Anordnung kommt von mir.
Das hast du nicht zu bestimmen
Ich habe für diese Argumente kein Verständnis.
Das ist nicht böse gemeint.
Sie müssen zwei Ihrer Tische wegräumen.
Ich verbitte mir das „Du".
Ich stamme vom Land.

Ich verurteile Sie zu einer Geldstrafe von fünfzehn Tagessätzen.
Zum Hergott sagt man auch "du".
Für Mitteleuropäer ist ungewolltes Duzen eine Beleidigung.
Ungewolltes Duzen beeinträchtigt das Persönlichkeitsrecht.
Ich habe diese Anordnung getroffen.
Ich will wissen, wer diese Anordnung getroffen hat.

Zehn Leitlinien für das Duzen

1. Wenn man befreundet oder gut miteinander bekannt ist, sagt man Du zueinander, d.h. man duzt sich.

2. Alle anderen sagen Sie zueinander, d.h. sie siezen sich.

3. Nicht jeder kann das Du anbieten. Der Ältere bietet dem Jüngeren und die Frau dem Mann das Du zuerst an: „Wollen wir nicht Du sagen?"

4. Wenn man das Du anbietet, muss man viel Taktgefühl haben, denn man kann das Du nicht ohne weiteres ablehnen.

5. Gewöhnlich stößt man mit einem Glas Wein an, sagt danach Du zueinander und benutzt den Vornamen des anderen.

6. Wenn man sich einmal duzt, kann man schwer zum Sie zurückkehren.

7. Wenn man das Du einmal vergessen hat, sollte man sich entschuldigen: „Entschuldige, dass ich wieder Sie gesagt habe. Ich muss mich erst an das Du gewöhnen!"

8. Wenn man einen Fremden duzt, wird das als Beleidigung empfunden.

9. Wenn Schüler 16 Jahre alt sind, werden sie von den Lehrern gesiezt. Oft bleibt es aber beim Du, wenn die Schüler es erlauben.

10. Unter Schülern, Studenten, Arbeitern und Angehörigen bestimmter Berufsgruppen gilt normalerweise das Du. Das Siezen kann hier missverstanden werden.

5. **Vergleichen Sie diese Leitlinien mit der Situation in Ihrem Land. Was ist gleich, was ist anders?**

> Bei uns gibt es keinen Unterschied zwischen „Du" und „Sie", aber man …

> Schüler werden bei uns in jedem Alter gesiezt, allerdings …

6. **Hören Sie fünf Dialoge und schätzen Sie die Beziehung der Gesprächspartner ein.**

Dialog	1	2	3	4	5
gut befreundet					
bekannt					
fremd					

Wie ist die Art der Beziehung zu erkennen?

> Er sagt: „…".

> Sie benutzt die Worte: „…".

3) 8-12

7. **Wie empfinden Sie die folgenden Äußerungen?**

☑ = höflich, ☐ = formlos/neutral, ☒ = unhöflich

☐ Mach das Radio leiser!
☐ Kannst du mal das Radio leiser drehen?
☐ Würde es dir etwas ausmachen, das Radio ein bisschen leiser zu stellen?

☐ Dürfte ich bitte mal das Salz haben?
☐ Das Salz!
☐ Ich brauche mal das Salz.

☐ Machen Sie mal eben die Tür zu?
☐ Wären Sie mal so freundlich, die Tür zu schließen?
☐ Tür zu!

3

Ilse und Walter Kuhn
Gabrielenstraße 2
80637 München
Tel. 089 / 18 62 64

München, den 23. 3. 94

Hotel Falkenhorst
Familie Eder
I-39020 Rabland / Meran

Anfrage
Ihre Anzeige in der „Frankfurter Allgemeinen" vom 20. 3. 94

Sehr geehrte Damen und Herren,

wir beziehen uns auf Ihr oben genanntes Angebot, das uns sehr interessiert, denn wir möchten unseren Urlaub diesmal gern in Südtirol verbringen.
Wir möchten Sie darum bitten, uns Ihren Prospekt zuzuschicken, damit wir uns noch näher informieren können.

Wir bedanken uns schon im Voraus.

Mit freundlichen Grüßen

Ilse Kuhn

Hotel Falkenhorst

Rabland, den 26. 3. 94

I-39020 Rabland bei Meran
Tel. 00 39 - 473 - 17 09 00

Herrn und Frau Kuhn
Gabrielenstraße 2
80637 München

Ihre Anfrage
Ihr Schreiben vom 23. 3. 1994

Sehr geehrte Frau Kuhn,
sehr geehrter Herr Kuhn,

wir bedanken uns sehr für Ihr Interesse an unserem Haus.

Anbei schicken wir Ihnen unseren ausführlichen Prospekt.
Wenn Sie sich für uns entscheiden sollten, bitten wir um eine frühzeitige Reservierung, da unser Haus im August meist ausgebucht ist.
Wir würden uns sehr freuen, Sie bei uns begrüßen zu können.

Wenn Sie noch Fragen haben sollten, stehen wir Ihnen jederzeit zur Verfügung.

Mit freundlichen Grüßen

Alois Eder
Alois Eder

Anlage: Prospekt

---

8. **Bringen Sie die Briefteile in die richtige Reihenfolge. Finden Sie dann in beiden Briefen die verschiedenen Briefteile.**

Unterschrift
Absender
Thema
Schluss
Einleitung
Datum
Gruß
Anlagevermerk
Haupttext
Anrede
Empfänger
Bezug
Ort

Die Sprache in Briefen

	an gute Freunde	an Bekannte	an Behörden / Firmen
einen Brief beginnen			
Betreffzeile			Ihre Mitteilung / Ihr Schreiben vom …
Anrede	Liebe Anna, Lieber Hans,	Lieber Herr Bauer, Liebe Frau Böhm,	Sehr geehrte Damen und Herren, Sehr geehrter Herr Ott, Sehr geehrte Frau Dr. Ohm,
Einleitung	ganz herzlichen Dank für deinen Brief. Ich habe mich darüber sehr gefreut.	vielen Dank für Ihren Brief vom … / nach unserem heutigen Telefongespräch möchte ich …	
Entschuldigung	Es tut mir leid, dass du so lange auf eine Antwort warten musstest, aber …	Bitte entschuldigen Sie, dass ich Ihnen nicht früher geantwortet habe, aber …	
einen Brief beenden			
Schluss	So, das wär's für heute. Jetzt muss ich Schluss machen.		Ich denke, dass damit alle Fragen geklärt sind.
Dank	Nochmals vielen Dank für …		Ich möchte mich für Ihre Mühe bedanken.
Wunsch	Hoffentlich sehen wir uns bald wieder. Lass mich nicht zu lange auf eine Antwort warten. Mach's gut!	Ich würde mich freuen,	bald wieder von Ihnen zu hören. …
Gruß an andere	Grüß Anna ganz herzlich von mir.	Herzliche Grüße an Ihre/Ihren …	
Gruß	Mit herzlichen Grüßen	Mit freundlichen Grüßen	
Unterschrift	dein Hans deine Anna	Ihr Hans Meier Ihre Anna Schulz	Hans Meier Anna Schulz

9. In welche Rubrik gehören die folgenden Sätze?

Anrede
Einleitung
Entschuldigung
Schluss
Dank
Wunsch
Gruß an andere
Gruß
Unterschrift

Bitte lassen Sie es mich wissen, wenn Sie noch Fragen haben sollten.

Lassen Sie mich noch einmal zusammenfassen, was wir heute vormittag besprochen haben

Einen dicken Kuss schickt dir…

Dein Brief ist gestern bei mir angekommen.

Hallo Nina!

Das ist alles, was ich dir zu sagen hatte.

Leider konnte ich Ihr Schreiben vom 23.1. nicht früher beantworten, weil…

Für deine Prüfung wünsche ich dir schon jetzt alles Gute!

§ 30 c

3 Ein Brief an eine Freundin

3 **13**

§ 12

> Ampuriabrava, den 29. Mai 1994
>
> Liebe Hanna,
>
> wie ich es dir versprochen habe: Hier eine Nachricht aus unserem Urlaub im sonnigen Süden.
> Du wolltest es ja nicht glauben, aber unser altes Auto hat es doch geschafft. Du weißt ja, es klappert an allen Ecken und Enden, aber es fährt! Ich hätte es auch nicht gedacht. Eines steht fest: Es ist sicher das letzte Mal, dass wir mit dem Auto in den Urlaub fahren.
> Ich bin es langsam leid, stundenlang auf der Autobahn zu stehen. Es ging buchstäblich nichts mehr: nicht hin und zurück. Diesmal regnete es auch noch in Strömen. Es war wirklich schlimm. Nächstes Mal fahren wir mit dem Zug. Erst mal ist es bequemer und dann ist es auch nicht viel teurer. Aber das weißt du ja auch.
> Nun sind wir schon seit einer Woche hier und es ist wirklich sehr schön. Wir gehen jeden Tag zum Baden, fahren mit dem Rad oder liegen faul am Strand herum. Eigentlich ist es noch Frühling, aber es ist schon so warm wie bei uns im Sommer. Es blüht überall und duftet wunderbar nach Blumen. Es ist wie im Paradies! Du kannst es dir sicher vorstellen: Ich bin sehr glücklich hier und Haus ist es auch. Nur, er sagt es nicht. Aber du kennst ihn ja. Ich weiß schon, was du jetzt denkst: Ihr habt es gut und ich muss hier jeden Tag mit dem Regenschirm ins Büro rennen. Aber tröste dich: Wenn wir wieder zu Hause sind, bist du es, die Ferien macht.
> So, nun wird es höchste Zeit. Wir sind nämlich bei unseren Nachbarn eingeladen. Es gibt Wein und Käse. Und es wird getanzt!
> Mach's gut!
>
> Herzliche Grüße auch von Haus
>
> deine Ute

10. Was schreibt Ute? – Ordnen Sie zu.

§ 23

Indikativ
sie gehen
sie fahren

Konjunktiv I
(sie gehen)
(sie fahren)

Konjunktiv II
→ sie würden gehen
→ sie würden fahren
sie führen

Ute schreibt, behauptet, teilt mit,

a)	dass ihr Auto		zum Baden gehen würden.
b)	dass es auf der Fahrt		was Hanna jetzt denke.
c)	nächstes Mal		werde getanzt.
d)	dass sie und Hans jeden Tag		in Strömen geregnet habe.
e)	dass sie oft mit dem Rad		am Strand herumlägen.
f)	dass sie faul		fahren würden.
g)	sie wisse schon,		sich trösten.
h)	Hanna solle	**a)**	es doch geschafft habe.
i)	bei ihren Nachbarn		führen sie mit dem Zug.

11. Überlegen Sie:

a) Welche Informationen hat Hanna vermutlich von Utes Brief erwartet?
b) Welche Sätze enthalten echte Neuigkeiten?
c) Mit welcher Absicht schreibt man solche Urlaubsbriefe?

12. Schreiben Sie selbst einen Brief.

Wählen Sie einen der folgenden Anlässe. Benutzen Sie das Schema auf Seite 131.
Adressieren Sie den Brief an einen anderen Kursteilnehmer und besprechen Sie ihn mit ihm.

Bitten Sie um Informationsmaterial über eine Stadt.	Fragen Sie nach dem Kursprogramm einer Sprachenschule.	Fragen Sie in einem Hotel nach. Sie haben dort etwas liegen lassen.
Reservieren Sie ein Hotelzimmer.	Reklamieren Sie etwas, was Sie neu gekauft haben.	Beschweren Sie sich bei Ihrem Nachbarn über…
Kündigen Sie Ihre Wohnung.	Mahnen Sie jemanden, Ihnen Ihr Geld zurückzugeben.	Laden Sie jemanden zu einer Party ein.
Laden Sie jemanden ein, Sie für ein paar Tage zu besuchen.	Schreiben Sie Ihrem Gast, wie er vom Bahnhof zu Ihnen kommt.	Schreiben Sie einen Brief aus dem Urlaub.
Bedanken Sie sich für eine Einladung und sagen Sie zu.	Sagen Sie eine Einladung ab.	Bedanken Sie sich für ein Geschenk.

Liebe Ulla,

viele Grüße vom Gardasee. Der Wind heult, die Möwen kreischen, der See tobt, und ich muss immer an dich denken.

Dein Robert

Ediz. Bertuzzi Ivana - Brenzone
323-017 da fotocolor

Fotoediz. RIVETTA SOUVENIRS - Via Vergnano, 97 - Brescia
Riproduzione vietata

SPEDISCI QUALITA

ITALIA 700

Frau Ulla Müller
Mauerkircherstr. 16
D-81679 München

Germania

Brunner & C., Como

133

4 Männersprache – Frauensprache?

13. Lesen Sie die beiden Geschichten.

■ *Ein Vater fuhr mit seinem Sohn zum Fußballspiel. Mitten auf einem Bahnübergang blieb ihr Wagen stehen. In der Ferne hörte man schon den Zug pfeifen. Der Vater versuchte, den Motor wieder anzulassen, aber vor Aufregung schaffte er es nicht. So wurde das Auto von dem heranfahrenden Zug erfasst.*
Ein Krankenwagen jagte zur Unfallstelle und holte die beiden ab. Auf dem Weg ins Krankenhaus starb der Vater. Der Sohn lebte noch, aber sein Zustand war sehr ernst; er musste sofort operiert werden. Kaum im Krankenhaus angekommen, wurde er in den Notfall-Operationssaal gefahren, wo schon die Chirurgen warteten. Als sie sich jedoch über den Jungen beugten, sagte jemand vom Chirurgenteam erschrocken: „Ich kann nicht mitoperieren – das ist mein Sohn."

Zwei Kinder mit ihren Müttern, ein Bub, ein Mädchen, gehen Steine sammeln. Der Bub gibt das Kommando: „Jeder, der einen Stein hat, legt ihn jetzt hierhin." Daraufhin sagt das Mädchen: „Ja, jede, die einen Stein hat, legt ihn hin." Da schaut der Bub verblüfft und sagt: „Jeder", darauf sagt sie „Nein, jede. Wir sind nämlich drei Frauen, und du bist bloß *ein* Bub." Jetzt schaut er total empört, schluckt einmal kurz und sagt: „Das ist ungerecht, dann redet ja niemand von mir."

a) Fanden Sie die erste Geschichte überraschend? Wenn ja: wodurch?
b) Was könnte das Mädchen in der zweiten Geschichte dem Jungen antworten?

14. Suchen Sie in Gruppen Beispiele für „Männersprache". Vielleicht finden Sie welche in „Themen" …

> Er und sie sind Studenten.
> Jeder, der falsch parkt, kann bestraft werden. Wer hat seinen Lippenstift hier liegen lassen?
> Machen Sie ein Rollenspiel mit Ihrem Nachbarn.   …

§ 23

Männer behaupten, …
– die Sprache habe zwar maskuline und feminine Formen, die Sprache benutze diese Formen aber anders.
– diese Tradition könne man nur sehr schwer verändern.
– die maskulinen Formen meinten die weiblichen Personen mit.
– die maskulinen Formen seien nicht frauenfeindlich.
– der Tisch sei ebensowenig männlich wie die Bank weiblich.
– die maskulinen Formen seien einfacher.
– alle Texte müssten sonst verändert werden.
– das Schreiben werde dann noch komplizierter.

Frauen behaupten, …
– dass die Sprache zwar feminine Formen habe, dass man sie aber nicht benutze
– dass der jetzige Sprachgebrauch frauenfeindlich sei.
– dass die deutsche Sprache eine Männersprache sei.
– dass man den Sprachgebrauch verändern müsse.
– dass alle Texte auch die Frauen ansprechen müssten.
– dass Frauen und Männer vor dem Gesetz gleich seien.
– dass dies aber im Alltag nicht zu bemerken sei.
– dass auch die Sprache reformiert werden müsse.

15. Gibt es das Problem in Ihrer Sprache auch? – Geben Sie Beispiele und diskutieren Sie.

> In der französischen Sprache ist es ähnlich: Es gibt Wörter, die …

> Im Englischen ist es anders: …

Redensarten

16. Welche „Übersetzung" passt zu welcher Redensart?

Das bringt mich auf die Palme.	Man hat ihn betrogen.
Das lässt mich völlig kalt.	Sie beachtet die Regeln nicht.
Das sind nur kleine Fische.	Er hat mir endlich die Wahrheit gesagt.
Er hat ein Brett vor dem Kopf.	Er muss sich beeilen.
Er hat eine lange Leitung.	Das regt mich auf.
Er hat mir endlich reinen Wein eingeschenkt.	Er gibt an.
Er muss die Beine unter den Arm nehmen.	Er versteht nichts.
Er spuckt große Töne.	Das interessiert mich nicht.
Er will immer mit dem Kopf durch die Wand.	Ich langweile mich.
Ich bin aus allen Wolken gefallen.	Das sind keine großen Probleme.
Ich bin ihm auf den Schlips getreten.	Er braucht lange, um etwas zu verstehen.
Ich habe mir den Mund verbrannt.	Ich verstehe.
Er hat sich übers Ohr hauen lassen.	Ich war sehr überrascht.
Mir fällt die Decke auf den Kopf.	Er will immer alles mit Gewalt erreichen.
Mir geht ein Licht auf.	Ich habe etwas gesagt, was ich lieber
Sie lässt die Flügel hängen.	nicht sagen sollte.
Sie tanzt immer aus der Reihe.	Ich habe ihn beleidigt.
	Sie hat keinen Mut mehr.

a) Versuchen Sie, die „Übersetzungen" zu finden. Arbeiten Sie zu zweit oder zu dritt.

b) Ordnen Sie die Redensarten.

Reaktion	Gemütszustand	Beurteilung	Bericht
Mir geht ein Licht auf. Das...	Sie lässt die Flügel hängen.	Das sind nur kleine Fische.	Ich bin ihm auf den Schlips getreten.

17. „Übersetzen" Sie den Dialog in normale Sprache und spielen Sie ihn.

○ Hallo Gaby, wie guckst du denn aus der Wäsche?
□ Ach, mir fällt die Decke auf den Kopf.
○ Wieso das denn? Ist Helmut nicht da?
□ Ach der – der hat doch ein Brett vor dem Kopf!
  Von dem habe ich die Nase voll!
○ Aha – mir geht ein Licht auf: Du hast ihn in die Wüste
  geschickt?!
□ Ja, das habe ich! Er wollte immer mit dem Kopf durch
  die Wand. Das hat mich auf die Palme gebracht.
○ Ja, ich weiß; er hat immer ziemlich große Töne gespuckt...
□ Na egal, das ist jetzt Schnee von gestern.
○ So gefällst du mir schon besser. Lass die Flügel nicht
  hängen!

3 **14**

6 Verständnis füreinander zeigen

Franziska Polanski

3 15

○ Darf ich mich zu Ihnen setzen?

□ Bitte.

○ Ich meine, vielleicht möchten Sie lieber ungestört die Zeitung lesen.

□ Es geht schon.

○ Ich habe dafür vollstes Verständnis. Vor einem Jahr saß ich einmal dort drüben an dem kleinen Tisch und las die Zeitung. Dann setzte sich einer dazu, und es war aus. Er redete die ganze Zeit. Können Sie sich das vorstellen?

□ Ja, ja.

○ Dabei finde ich, es gibt nichts Schöneres, als in einem Café zu sitzen und ungestört die Zeitung zu lesen. Finden Sie nicht?

□ Doch.

○ Was lesen Sie denn für eine Zeitung?

□ Die „New York Times".

○ Sind Sie Amerikaner?

□ Nein.

○ Ich lese immer den „Odenwälder Boten", auch eine sehr gute Zeitung. Ist eigentlich die „New York Times" besser als die „London Times"? Wie? Ich meine, irgendeinen Unterschied muß es doch geben?

□ Was ist?

○ Ich sagte, irgendeinen Unterschied muß es doch geben.

□ Keine Ahnung.

○ Das ist merkwürdig. Man würde doch denken, daß ein Mann wie Sie das weiß. Schließlich lesen Sie doch die „Times".

□ Was wollen Sie eigentlich?

○ Ich? Wieso?

□ Sie setzen sich hierher und reden pausenlos. Merken Sie nicht, daß Sie mich stören?

○ Ich!?

□ Ja. Ich möchte hier ungestört sitzen und die Zeitung lesen.

○ Wissen Sie was!?

□ Nein.

○ Ich glaube, Sie haben mir gar nicht richtig zugehört.

□ ?

○ Wenn Sie mir nämlich richtig zugehört hätten, dann wüßten Sie, daß ich gesagt habe, daß ich dafür vollstes Verständnis habe. Vor einem Jahr saß ich nämlich einmal dort drüben an dem kleinen Tisch links und las die Zeitung. Dann setzte sich einer dazu und…

□ Herr Ober! Zahlen!

○ Warum wollen Sie denn schon gehen? Was haben Sie denn auf einmal?

□ Guten Tag!! (*geht ab*)

○ Typisch! Man kommt den Menschen voller Verständnis entgegen, und was erntet man!? Böse Blicke!

§ 33, 35

Feste und Bräuche

Advent

Vier Sonntage vor dem Weihnachtsfest beginnt die Adventszeit. In den Wohnungen und Kirchen, manchmal auch in Büros und Fabriken hängen Adventskränze mit vier Kerzen. Am ersten Sonntag wird die erste Kerze angezündet, am zweiten eine zweite Kerze dazu, usw., am letzten Sonntag vor Weihnachten brennen alle vier Kerzen.

Kinder bekommen einen besonderen Kalender mit kleinen Fächern, in denen Schokoladenstücke stecken – eins für jeden Tag vom 1. Dezember bis Weihnachten.

Nikolaustag

Am 6. Dezember ist der Nikolaustag. Am Abend vorher stellen die kleinen Kinder ihre Schuhe auf eine Fensterbank oder vor die Tür. In der Nacht, so glauben sie, kommt der Nikolaus und steckt Süßigkeiten und kleine Geschenke hinein. In vielen Familien erscheint der Nikolaus (ein verkleideter Freund oder Verwandter) auch persönlich. Früher hatten die Kinder oft Angst vor ihm, weil er sie nicht nur für ihre guten Taten belohnte, sondern sie auch mit seiner Rute dafür bestrafte, dass sie unartig gewesen waren.

Weihnachten

Weihnachten ist das Fest von Christi Geburt. In den deutschsprachigen Ländern wird es schon am Abend des 24. Dezember, dem Heiligen Abend, gefeiert. Man schmückt den Weihnachtsbaum und zündet die Kerzen an, man singt Weihnachtslieder (oder hört sich wenigstens eine Weihnachtsplatte an), man verteilt Geschenke. In den meisten Familien ist es eine feste Tradition, an diesem Tag zum Gottesdienst in die Kirche zu gehen.

Ein Weihnachtsbaum stand schon im 16. Jahrhundert in den Wohnzimmern, vielleicht sogar noch früher. Damals war er mit feinem Gebäck geschmückt; im 17. Jahrhundert kamen Wachskerzen und glitzernder Schmuck dazu. Inzwischen ist der Weihnachtsbaum in aller Welt bekannt und steht auch auf Marktplätzen oder in den Gärten von Wohnhäusern.

Für die Kinder ist Weihnachten das wichtigste Fest des Jahres – schon wegen der Geschenke. Im Norden Deutschlands bringt sie der Weihnachtsmann, angetan mit weißem Bart und rotem Kapuzenmantel, in einem Sack auf dem Rücken. In manchen Familien, vor allem in Süddeutschland, kommt statt des Weihnachtsmanns das Christkind. Es steigt, so wird den Kindern erzählt, direkt aus dem Himmel hinunter zur Erde. Aber es bleibt dabei unsichtbar – nur die Geschenke findet man unter dem Weihnachtsbaum.

1. Zu welchen Texten passen die Bilder?

2. Schreiben Sie zu zweit eine kurze Zusammenfassung von je einem Text und vergleichen Sie im Kurs.

Silvester und Neujahr

Der Jahreswechsel wird in Deutschland laut und lustig gefeiert. Gäste werden eingeladen oder man besucht gemeinsam einen Silvesterball. Man isst und trinkt, tanzt und singt. Um Mitternacht, wenn das alte Jahr zu Ende geht und das kommende Jahr beginnt, füllt man die Gläser mit Sekt oder Wein, prostet sich zu und wünscht sich »ein gutes Neues Jahr«. Dann geht man hinaus auf die Straße, wo viele ein privates Feuerwerk veranstalten.

Die Heiligen Drei Könige

Am 6. Januar ist der Tag der Heiligen Drei Könige: Kaspar, Melchior und Balthasar. Nach einer alten Legende, die auf eine Erzählung der Bibel zurückgeht, sahen diese drei Könige in der Nacht, in der Christus geboren wurde, einen hellen Stern, folgten ihm nach Bethlehem, fanden dort das Christkind und beschenkten es. Heute verkleiden sich an diesem Tag in katholischen Gegenden viele Kinder als die drei Könige, gehen mit einem Stab, auf dem ein großer Stern steckt, von Tür zu Tür und singen ein Dreikönigslied. Dafür bekommen sie dann etwas Geld oder Süßigkeiten.

Fasching und Karneval

Fasching, Karneval, Fastnacht: Diese Namen bezeichnen Gebräuche am Winterende, die schon vor dem Christentum entstanden sind. Die Menschen wollten die Kälte und die Geister des Winters vertreiben.

Die Bräuche sind unterschiedlich, aber zwei Dinge sind immer dabei: Lärm und Masken. Besonders schön und intensiv feiert man am Rhein, von der Basler Fasnacht bis hinunter nach Mainz, Köln und Düsseldorf. Aber auch an vielen anderen Orten sind teilweise sehr alte Karnevalsbräuche lebendig geblieben. Heute ist der Karneval ein Teil des christlichen Jahresablaufs. Da soll noch einmal gefeiert werden, ehe dann am Aschermittwoch die Fastenzeit beginnt.

Ostern

Zu Ostern feiern die Christen die Auferstehung von Jesus Christus aus seinem Grab. Aber auch die Osterbräuche sind wohl schon vor dem Christentum entstanden. Eine besondere Rolle spielen die Ostereier: gekochte Eier, die von den Kindern oder auch von den Erwachsenen bunt bemalt werden. Diese Ostereier werden zusammen mit eingepackten Schokoladeneiern, kleinen Osterhasen aus Schokolade und allerlei anderen Süßigkeiten im Garten versteckt, wo die Kinder sie dann suchen. Kleine Kinder glauben, dass der Osterhase die leckeren Sachen für sie im Garten versteckt hat.

---

3. Wann werden die Feste gefeiert, und warum?

Was ist dabei das Wichtigste? Welche Personen und Gegenstände spielen eine Rolle?

4. Welche dieser Feste werden auch bei Ihnen gefeiert? Wie werden sie gefeiert?

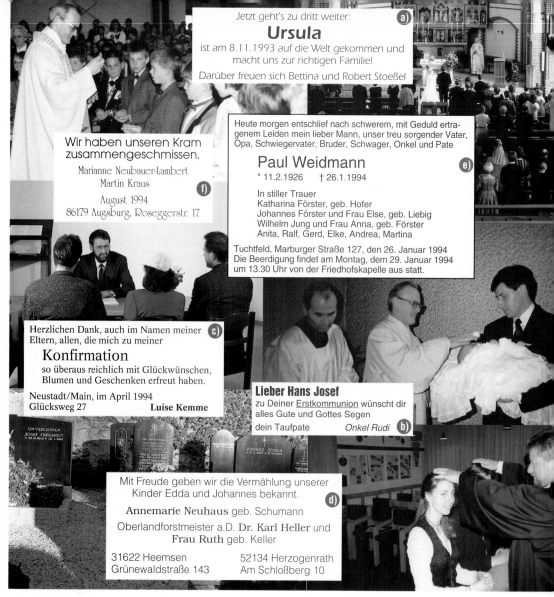

Jetzt geht's zu dritt weiter:

Ursula

ist am 8.11.1993 auf die Welt gekommen und macht uns zur richtigen Familie!

Darüber freuen sich Bettina und Robert Stoeßel

a)

Wir haben unseren Kram zusammengeschmissen.

Marianne Neubauer-Lambert
Martin Kraus

August 1994

86179 Augsburg, Roseggerstr. 17

f)

Heute morgen entschlief nach schwerem, mit Geduld ertragenem Leiden mein lieber Mann, unser treu sorgender Vater, Opa, Schwiegervater, Bruder, Schwager, Onkel und Pate

Paul Weidmann

* 11.2.1926   † 26.1.1994

e)

In stiller Trauer
Katharina Förster, geb. Hofer
Johannes Förster und Frau Else, geb. Liebig
Wilhelm Jung und Frau Anna, geb. Förster
Anita, Ralf, Gerd, Elke, Andrea, Martina

Tuchtfeld, Marburger Straße 127, den 26. Januar 1994
Die Beerdigung findet am Montag, dem 29. Januar 1994
um 13.30 Uhr von der Friedhofskapelle aus statt.

Herzlichen Dank, auch im Namen meiner Eltern, allen, die mich zu meiner

c)

Konfirmation

so überaus reichlich mit Glückwünschen, Blumen und Geschenken erfreut haben.

Neustadt/Main, im April 1994
Glücksweg 27   **Luise Kemme**

Lieber Hans Josef

zu Deiner Erstkommunion wünscht dir alles Gute und Gottes Segen

dein Taufpate   *Onkel Rudi*   **b)**

Mit Freude geben wir die Vermählung unserer Kinder Edda und Johannes bekannt.

d)

Annemarie Neuhaus geb. Schumann

Oberlandforstmeister a.D. **Dr. Karl Heller** und **Frau Ruth** geb. Keller

31622 Heemsen   52134 Herzogenrath
Grünewaldstraße 143   Am Schloßberg 10

5. Welches Bild gehört zu welcher Anzeige?

6. In welchem Text wird...

ein Glückwunsch ausgesprochen? – eine Heirat bekannt gegeben? – eine Geburt angezeigt – ein Dank ausgesprochen? – der Tod eines Menschen bekannt gegeben?

7. Wie heißen die Leute, die geheiratet haben?

8. Welche Einstellungen zum Thema „Familie" lassen besonders die Anzeigen a), d), e) und f) erkennen?

9. Überlegen Sie:

a) Welche Karten passen zu den Anzeigen auf Seite 140 beziehungsweise zu den Festtagen auf Seite 138 / 139?

b) Schreiben Sie in Gruppen selbst Karten für diese Anlässe. Besprechen Sie sie im Kurs.

c) Zu welchen weiteren Anlässen schreibt man in Ihrem Land eine Karte?

d) Zu welchen Anlässen würden Sie ein Geschenk mitbringen? Was für eins?

10. Was sagt man da?

a) Was sagt man in den Situationen A bis N?

Herzlichen Glückwunsch! Guten Flug!	A Jemand geht zu einer Party.
Gute Fahrt! Schönes Wochenende!	B Jemand fährt morgen nach Berlin.
Herzliches Beileid! Gute Besserung!	C Jemand fliegt heute nach Rom.
Auf Wiedersehen! Gesundheit!	D Jemand hat eine Prüfung bestanden.
Viel Erfolg! Gute Nacht! Schlaf gut!	E Jemand macht morgen eine Prüfung.
Gut, abgemacht! Viel Spaß!	F Jemand ist krank und bleibt zu Hause.
Guten Appetit! Hals- und Beinbruch!	G Jemand beendet seine Arbeit am Freitag.

A Jemand geht zu einer Party.
B Jemand fährt morgen nach Berlin.
C Jemand fliegt heute nach Rom.
D Jemand hat eine Prüfung bestanden.
E Jemand macht morgen eine Prüfung.
F Jemand ist krank und bleibt zu Hause.
G Jemand beendet seine Arbeit am Freitag.
H Jemand fährt zum Ski fahren.
I Ein naher Verwandter ist gestorben.
J Jemand hat geniest.
K Es kann gegessen werden.
L Jemand geht zu Bett.
M Jemand verabschiedet sich.
N Jemand trifft eine Verabredung für 8 Uhr.

b) Hören Sie fünf Dialoge. Welche der Situationen A bis N gehören zu den Dialogen?

Zu Dialog 1: ___ Zu Dialog 2: ___ Zu Dialog 3: ___ Zu Dialog 4: ___ Zu Dialog 5: ___

3 16-20

3

11. Eine Küche vor etwa 120 Jahren …

Welche Gegenstände können Sie erkennen und benennen? Wozu brauchte man wohl die Geräte, die Sie *nicht* kennen? Welche modernen Geräte gab es damals noch nicht?

§ 29, 37 a

Gänsebraten

In vielen Familien gehört ein knuspriger Gänsebraten zum Weihnachtsfest. Aus gutem Grund, denn in den Wintermonaten schmecken Gänse am besten.

1 bratfertige Gans, Salz, Pfeffer, gerebelter Majoran, 750 g kleine Äpfel, 3 EL Semmelbrösel, 1 Fleischbrühwürfel, 1 Zwiebel, 8 mittelgroße Äpfel, Öl, Mehl.

Die Gans waschen und mit einem sauberen Tuch abtrocknen. Von innen mit Salz, Pfeffer und Majoran einreiben, außen salzen und pfeffern. Die kleinen Äpfel waschen, das Kerngehäuse ausstechen, in einer Schüssel mit Semmelbröseln mischen und die Gans damit füllen. Die Öffnung mit Holzstäbchen zustecken und mit einem Baumwollfaden zusammenbinden.

Die Gans mit der Brustseite nach unten auf dem Bratenrost in den vorgeheizten Backofen schieben. Die Bratenpfanne mit etwas kochendem Wasser unter den Bratenrost schieben. Bei Mittelhitze eine Stunde braten, zwischendurch immer mit Bratensatz begießen. Dann den zerdrückten Fleischbrühwürfel und die Zwiebelscheiben in den Bratensaft geben. Wenn der Rücken braun ist, die Gans umdrehen und noch etwa 1 1/2 Stunden weiterbraten lassen. Die 8 mittelgroßen Äpfel waschen, abtrocknen, mit Öl bepinseln, neben die Gans auf den Bratenrost setzen und in der letzten halben Stunde mitbraten. Während des

Bratens die Haut mit einem Holzspießchen einstechen, damit Fett abfließen kann. Den Bratensaft durch ein Sieb gießen, das Fett abschöpfen, mit 1/4 l kochendem Wasser auffüllen und mit dem angerührten Mehl binden. Die Soße würzen. Zum Schluss die Gans mit kaltem Salzwasser bestreichen und bei starker Oberhitze noch etwa zehn Minuten braten, damit die Haut knusprig wird. Holzspießchen aus der Gans ziehen, den Faden entfernen und die Gans mit den Äpfeln auf einer vorgewärmten Platte anrichten. Dazu gibt es Kartoffelklöße mit Zwiebelringen, Rotkohl, Kopf- und Selleriesalat.

§ 33, 35

12. Beschreiben Sie dieses oder ein anderes Rezept mit eigenen Worten.

Zuerst wird die Gans gewaschen und innen und … Die Äpfel werden …

Ein Abendessen mit Gästen

13. Hören Sie fünf Dialoge. Welches Bild passt zu welchem Dialog?

3 21-25

Dialog Nr.___

Dialog Nr.____

Dialog Nr.___

Dialog Nr.____

Dialog Nr.____

14. Wer sagt das?

die Gastgeber:_____   die Gäste:_____   Das können alle sagen:_____

A Das macht gar nichts!
B Es schmeckt alles wirklich köstlich.
C Trinken Sie zum Essen lieber Wein
   oder Bier?
D So, ich glaube, für uns wird es Zeit.
E Legen Sie doch bitte ab.
F Es war wirklich sehr nett bei Ihnen.
G Kommen Sie doch bitte herein.

H Darf ich Ihnen die Knödel reichen?
I Dürfte ich noch ein Stück haben?
J Und wenn Sie mal nach…kommen, sind
   Sie schon jetzt herzlich bei uns eingeladen.
K Sie haben aber wirklich eine schöne
   Wohnung.
L Wie wär's mit noch einem Glas Wein?
M Würden Sie mir bitte das Kraut reichen?

15. Hören Sie die Dialoge noch einmal und spielen Sie eigene Varianten zu den Situationen.

Überlegen Sie, was sich ändert, wenn die Personen sich duzen.

§ 43

16. Formulieren Sie „12 goldene Regeln" für Einladungen bei Deutschen.

Man sollte...
Man kann...
Man sollte darauf achten, | ...zu...
Es ist | üblich, | dass...
| normal,
In der Regel...
Normalerweise...
Gewöhnlich...

Kleine Geschenke erhalten die Freundschaft...

bei mitgebrachten Blumen vorher das Papier entfernen   keine roten Rosen schenken

immer zehn Minuten später als verabredet kommen   ohne besondere Einladung keine Kinder mitbringen

am Nachmittag nicht bis zum Abendessen bleiben   den Kindern der Gastgeber etwas mitbringen

sich entschuldigen, wenn man zu spät kommt   ohne besondere Erlaubnis keine Freunde mitbringen   bei Abendeinladungen vor Mitternacht gehen

statt Blumen auch eine Flasche Wein mitbringen

auf korrekte und passende Kleidung achten   als Mann der Dame die Blumen überreichen

§ 11

17. In welcher Reihenfolge steht das im Text auf Seite 145?

A Es macht Spaß, allmählich einen eigenen Stil für Einladungen zu finden.

B Es ist ein gutes Gefühl, wenn man einen Ort weiß, wo man immer willkommen ist.

C Man kann zu sich einladen, wen man will.

D Man muss sich für spontane Gäste Zeit nehmen und auf andere Dinge verzichten oder sie verschieben.

E Manche Leute wird man nicht spontan einladen wollen.

F Wer gern Gäste hat, wird auch dafür sorgen, dass immer etwas zu essen und zu trinken im Haus ist – es muss aber nicht etwas ganz Besonderes sein.

G Wer Leute einlädt, sollte sich nicht fragen, was er oder sie tun muss, sondern was er oder sie tun will und tun kann.

H Zu spontanen Einladungen muss man nicht unbedingt etwas mitbringen.

I Es gibt drei Voraussetzungen für das Gelingen von spontaner Gastlichkeit.

J Schon immer haben die Menschen ihren Gästen etwas zu essen und zu trinken gegeben.

K In den Büchern über gutes Benehmen steht nichts über spontane Einladungen.

L Gäste, die sich spontan zu Besuch melden, erwarten keine besonders aufgeräumte Wohnung.

M Wer Einladungen immer wieder verschiebt, verliert Freunde.

N Früher gab es spezielles Gebäck für unerwartete Gäste.

[...] Irgendwann die ersten Leute, die man einlädt. Zum ersten Mal bei sich, in der Bude, in der WG oder in der eigenen Wohnung. Geschlecht, Alter und Rasse spielen keine Rolle, auch in der Gastlichkeit gilt heute gleiches Recht für alle, jeder kann jeden einladen. Und wer einlädt, kann das ganze Vergnügen auskosten, seinen eigenen Stil und die eigenen Regeln zu entwerfen. [...]

So beginnt es. Nicht mit der Frage: Wie muß ich es machen?, sondern: Wie will ich es machen? Daraus ergibt sich rasch die Frage: Was kann ich denn machen?

Die erste Gastlichkeit ergibt sich vielleicht wie von selbst. Ganz spontan spricht man die freundlichste Einladung zum Inoffiziellen aus und sagt: »Kommt vorbei!« Kommt herauf, nach dem Büro, vor dem Kino, zwischen Sonntagsspaziergang und Familienbesuch. Das ist eine Einladungsform, die in keinem Benimmbuch steht, weil sie keine Regeln hat, sondern eine Selbstverständlichkeit sein sollte. [...]

Wie schön, wenn der Mensch weiß: Ich kann zu jemandem raufkommen, reinschauen. Wenn er ganz allgemein weiß: Ich bin willkommen, wann immer mir der Sinn nach Geselligkeit steht. Ich brauche mich nicht umzuziehen. Ich brauche keine Blumen zu kaufen. Ich brauche auch nicht lange zu bleiben. Oder noch besser: Ich kann bleiben, so lange es meinem Gastgeber und mir behagt. Und wenn ich es selber bin, an dessen Tür jemand läutet und fragt: »Darf ich raufkommen?«, so kann alles bleiben, wie es ist. Kein Vorbereiten, kein Aufräumen und kein Überlegen: Habe ich auch ...? Ist auch ...? Nichts als schiere Zwischenmenschlichkeit.

Nichts? Nun, ohne Ordnung funktioniert auch die Freiheit nicht, und diese inoffizielle Gastlichkeit klappt nur, wenn mindestens drei Dinge stimmen oder vorhanden sind:

Das Wichtigste sind natürlich die Gäste. Mag man jeden Menschen so locker und ungezwungen bei sich haben? Ich glaube, nein. [...] »Komm doch mal rauf!« sagt man also nur zu solchen, denen man die Wohnung und das eigene Ich auch im Alltagsgewand präsentieren möchte. Und denen man zurufen kann: »Wartet mal einen Augenblick, ich räume gerade die Waschmaschine ein / oder aus / bade mein Kind / telefoniere mit meinem Vater, da liegen Zeitschriften, da steht der Schnaps, bedient euch, gleich bin ich da!«

Das Zweitwichtigste ist die Zeit. Wenn schon jemand in unseren Tagen sich die Muße nehmen will, »mal reinzuschauen«, so sollte man selber nicht passen. Und den Fernseher abschalten. Oder den Brief morgen fertigschreiben. Wenn jemand, der mein Gast werden will, einmal gehört hat: »Ja, ja, du solltest wirklich vorbeikommen. Nur nicht heute, nicht in dieser Woche. Da hab ich nämlich ... Aber nächste Woche, halt: nein! Das ist ja schrecklich. Da ist ja gleich Weihnachten. Also bis Mitte Jänner ist eigentlich gar nichts drin!« Wenn das also jemand gehört hat, dann weiß er, es ist nie was drin, und meldet sich nie wieder mit der freundschaftlichsten aller Fragen: »Hast du Zeit für mich?« Sie bietet ja gerade die Chance, dem Terminkalender ein Schnippchen zu schlagen.

»Kommt zu mir!« Wieviel besser ist das, als sich – sagen wir nach dem Theater oder Konzert – die Hand zu schütteln und zu sagen: »Wir müssen uns aber wirklich mal richtig sehen!« Also: »Wir telefonieren mal und verabreden was!«

Nun kommt der letzte und dritte Punkt: [...] Es scheint eins unserer Urbedürfnisse zu sein, dem, der bei uns einkehrt, auch etwas zu essen oder zu trinken anzubieten. Die Familien des vorigen, des bürgerlichen Jahrhunderts waren auf die mannigfachste Weise auf solche hochgeschätzten Überfälle gerüstet. [...] Jede Landschaft hatte ihre Dauer- oder Anhalterkuchen, meist Sandtorten in Steintöpfen für Leute, die anhielten, um Guten Tag zu sagen. Und in der Speisekammer stand die große Blechdose, in der Spritzgebäck und Butterkekse »für plötzlichen Besuch« aufbewahrt wurden.

So soll es sein: Man gibt, wenn man etwas geben will, was man hat. Und wenn man gern gibt, hat man gewisse Dinge stets in Vorrat, den man dann nur zurechtmachen und auf den Tisch stellen muß. War's gut? »Dann schaut doch mal wieder rein!«

5

§ 3

Kleine Gäste-Typenlehre

Gäste können sehr verschieden sein. Das ist für den Gastgeber nicht immer einfach, denn er möchte alle am Gespräch beteiligen, damit niemand sich langweilt.

Die Stimmungskanone: Sie kann dazu beitragen, eine lahme Gesellschaft anzuregen, reißt aber als „Alleinunterhalter" leicht das ganze Gespräch an sich.

Der Fanatiker: Nur seine Meinung, sein Beruf und seine politische Richtung gelten etwas. Die Gefahr: hartes Zusammenstoßen mit den anderen Gästen.

Der Schüchterne: Er fühlt sich in Gesellschaft nicht besonders wohl. Ihm fällt nichts ein.Er steht mutlos im Hintergrund und wagt nichts zu sagen.

Der Eingebildete: Er spielt den ganzen Abend den Snob. Ihm ist nichts gut genug und er verärgert die anderen Gäste. Er weiß alles besser und lässt sich nichts sagen.

Der Ungeschickte: Er ist gehemmt, fühlt sich dauernd beobachtet, wirft sein Weinglas um und macht Komplimente, die missverständlich und ungeschickt formuliert sind.

Der Zuvieltrinker: Wenn man ihn als solchen erkennt, ist es meist schon zu spät.

Der Spezialist: Er möchte nur über sein Fachgebiet sprechen. Was darüber hinausgeht, reizt ihn zum Gähnen. Er langweilt sich.

Der Positive: Er ist der ideale Gast. Er kann sich benehmen, geistreich erzählen und lustig sein, ohne zu übertreiben. Für die anderen Gäste ist es ein Vergnügen, ihm zu begegnen.

§ 30 c

18. Formulieren Sie Ratschläge, wie man als Gastgeber die verschiedenen Gästetypen behandeln sollte.

Beim…	sollte man…
Den…	könnte man…
Dem…	
Wenn der…, dann	

– Vermitteln und Themen wechseln.
– In Ruhe lassen und hoffen, dass nicht mehr passiert.
– Höflich zurechtweisen. Wenn nötig, hart tadeln.
– Nichts mehr einschenken. Mit dem Taxi nach Hause bringen lassen oder im Gästezimmer aufs Bett legen.
– Erzählen lassen und nicht unterbrechen.
– Auf ein Thema ablenken, das ihm nicht gefällt.
– Immer wieder ermutigen. Themen auswählen, die ihm liegen, und auf seine wenigen Äußerungen eingehen.
– Sein Hobby herausfinden und darüber sprechen.

Das Verbots-Spiel

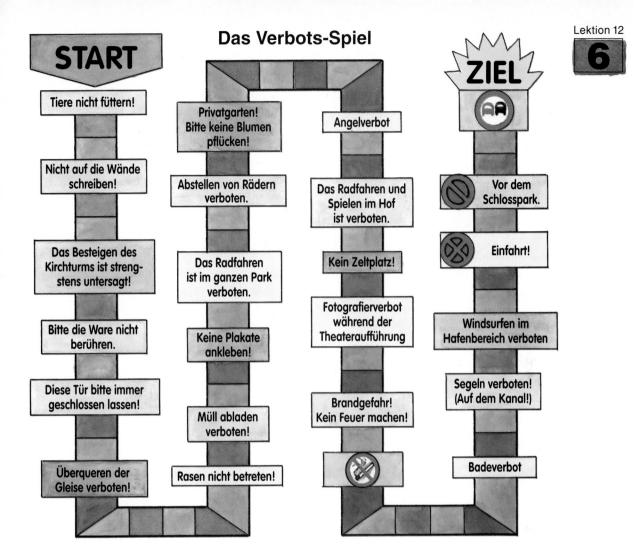

START

Tiere nicht füttern!

Nicht auf die Wände schreiben!

Das Besteigen des Kirchturms ist strengstens untersagt!

Bitte die Ware nicht berühren.

Diese Tür bitte immer geschlossen lassen!

Überqueren der Gleise verboten!

Privatgarten! Bitte keine Blumen pflücken!

Abstellen von Rädern verboten.

Das Radfahren ist im ganzen Park verboten.

Keine Plakate ankleben!

Müll abladen verboten!

Rasen nicht betreten!

Angelverbot

Das Radfahren und Spielen im Hof ist verboten.

Kein Zeltplatz!

Fotografierverbot während der Theateraufführung

Brandgefahr! Kein Feuer machen!

ZIEL

Vor dem Schlosspark.

Einfahrt!

Windsurfen im Hafenbereich verboten

Segeln verboten! (Auf dem Kanal!)

Badeverbot

19. Spielen Sie zu dritt oder zu viert!

Wenn ein Spieler auf ein Feld mit einem Verbot trifft, muss der Mitspieler, der am weitesten zurückliegt (oder der, der als letzter vor ihm gewürfelt hat), ihn darauf aufmerksam machen. Wenn er das gut macht, darf er ein Feld vorrücken. Der Mitspieler auf dem Verbotsfeld muss seine verbotene Handlung begründen oder verteidigen. Wenn er das gut macht, darf er ebenfalls ein Feld vorrücken. (Der Spielleiter entscheidet.)

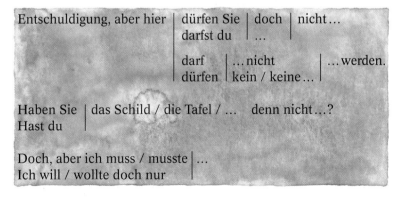

Entschuldigung, aber hier | dürfen Sie | doch | nicht...
| darfst du | ...

darf | ...nicht | ...werden.
dürfen | kein / keine... |

Haben Sie | das Schild / die Tafel / ... denn nicht...?
Hast du |

Doch, aber ich muss / musste | ...
Ich will / wollte doch nur

§ 2, 27 d

7 Die Geschichte vom Zappel-Philipp

Seht, ihr lieben Kinder, seht,
wie's dem Philipp weiter geht!
Oben steht es auf dem Bild.
Seht! er schaukelt gar zu wild,
bis der Stuhl nach hinten fällt.
Da ist nichts mehr, was ihn hält.
Nach dem Tischtuch greift er, schreit.
Doch was hilft's? Zu gleicher Zeit
fallen Teller, Flasch und Brot.
Vater ist in großer Not,
und die Mutter blicket stumm
auf dem ganzen Tisch herum.

Ob der Philipp heute still
wohl bei Tische sitzen will?"
Also sprach in ernstem Ton
der Papa zu seinem Sohn,
und die Mutter blickte stumm
auf dem ganzen Tisch herum.
Doch der Philipp hörte nicht,
was zu ihm der Vater spricht.
Er gaukelt
und schaukelt,
er trappelt
und zappelt
auf dem Stuhle hin und her.
„Philipp, das mißfällt mir sehr!"

Nun ist Philipp ganz versteckt,
und der Tisch ist abgedeckt.
Was der Vater essen wollt,
unten auf der Erde rollt.
Suppe, Brot und alle Bissen,
alles ist herabgerissen.
Suppenschüssel ist entzwei,
und die Eltern stehn dabei.
Beide sind gar zornig sehr,
haben nichts zu essen mehr.

der Deckel

der Auspuff

das Gehäuse

die Taste

der Regler

der Schalter

das Zahnrad

die Klappe

18.15

der Stecker

die Buchse

das Kabel

1

1. Beschreiben Sie einen Tagesablauf.

Benutzen Sie dabei die Bilder und die Wörter.

Der Wecker klingelte um sieben Uhr. Ich stand auf und duschte mich. Dann ging ich in die Küche und…

Bus   Radio

Kaffeemaschine

Fernseher

Computer   Lift

Herd

Telefon

Waschmaschine

Wecker

Buch   Dusche

waschen   lesen

telefonieren

hören   kochen

duschen

klingeln

arbeiten   fahren

nehmen   kochen

fernsehen

Um	sieben	Uhr	klingelte		… und …
	acht		ging	ich	
	halb acht		duschte		
Von … bis …			kochte		
Dann			fuhr		
Danach			arbeitete		
Den ganzen Tag			…		
Abends					
…					

Um Mitternacht flog ich zur Arbeit …

Heute ging alles schief

Als ich heute morgen aufwachte, war es schon neun Uhr. Mein Wecker war stehen geblieben. Dabei hätte ich schon um acht im Büro sein müssen. Jetzt musste ich mich sehr beeilen.

Aber einen Kaffee wollte ich doch noch kochen. Da stellte ich fest, dass die Kaffeemaschine nicht in Ordnung war, und so musste ich ohne Kaffee los. Es kam aber noch schlimmer. Mein Fahrrad war nicht mehr da: gestohlen! Ich musste also zu Fuß zum Bahnhof laufen. Und als ich am Bahnhof ankam, war der Zug gerade abgefahren und ich musste fast eine halbe Stunde warten.

Und dann war in der Firma noch der Lift kaputt und ich musste zu Fuß gehen. Mein Büro ist im achten Stock! Als ich endlich in meiner Abteilung ankam, war es halb elf. Mein Chef war ziemlich sauer und fragte, was mit mir los sei. Da musste ich ihm alles erklären. Geglaubt hat er aber nichts.

§ 21, 22

2. Sehen Sie sich die Bilder genau an.

Was ist da wohl passiert? Überlegen Sie zu zweit. Hören Sie dann die Entschuldigungen. Welche Bilder passen zu den einzelnen Texten? Welche passen nicht ganz? (In der Lösungstabelle markieren!) Begründen Sie Ihre Entscheidungen!

Zu Text	1	2	3	4	5	6
passt Bild	C					

2

3 34

§ 27 d

3. Reklamieren Sie.

○ Ich habe bei Ihnen dieses Radio gekauft. Und jetzt ist die Antenne abgebrochen. Kann das repariert werden?

□ Nein, das geht leider nicht. Die Antenne muss ersetzt werden.

○ Gut, wenn es nicht anders geht! Wann wird das fertig?

□ Am Donnerstag können Sie Ihr Radio abholen.

○ Und wieviel wird das ungefähr kosten?

□ So um 80 Mark.

4. Spielen Sie verschiedene Dialoge durch.

Benutzen Sie dafür die Angaben in der Tabelle. Sie können die Geräte, die Termine und die Preise selbst auswählen.

Gerät	Schaden	Termin	Preis
Kaffeemaschine	die Tinte: kleckst das Glas: zerbrochen	heute Abend morgen früh	80,– 8,–
Auto	das Zündrad: herausgefallen	eine Viertelstunde	90,–
Plattenspieler	die Batterie: ist schon leer		20,–
Radio Uhr	die Endabschaltung: funktioniert nicht	zwei Wochen drei Tage	20,– bis 150,–
Staubsauger	läuft nicht mehr der Auspuff: durchgerostet	Donnerstag Freitag	240,–
Füller Feuerzeug	das Kabel: verletzt die Antenne: abgebrochen	nächsten Montag	45,– 80,–
Fahrrad Brille	die Bremse: funktioniert nicht mehr	etwa zehn Tage 70,–	
		Anfang nächster Woche	150,–

○ Ich habe bei Ihnen … gekauft. Und jetzt ist … Kann das repariert werden?

□ Nein, das | geht leider nicht. | … muss | ersetzt | werden.
          | ist leider nicht möglich. | | ausgetauscht |
Ja, das kann man machen. / Ja, das geht schon.

○ Gut, dann | tauschen Sie das aus. | Wann | wird das fertig?
          | ersetzen / machen Sie das. | | kann ich das abholen?

□ Am …
Anfang nächster Woche   können Sie … abholen.
In … Stunden / Tagen
Heute Abend / Morgen / Übermorgen

○ Und | wie viel wird das ungefähr kosten? | □ So um / Nicht mehr als | … Mark.
     | wie teuer wird das ungefähr? | Mindestens / Höchstens |

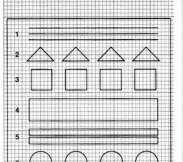

5. Das Maschinenspiel

Hier ist Ihr Baukasten:

3 gerade Linien (1)
4 Dreiecke (2)
4 Quadrate (3)
1 breites Rechteck (4)
2 schmale Rechtecke (5)
4 Kreise (6)

a) Zeichnen Sie mit den Figuren des Baukastens auf ein Blatt Papier eine eigene „Maschine", mit der etwas hergestellt, bearbeitet oder untersucht werden kann. Sie darf ruhig sehr fantasievoll sein. Geben Sie ihr einen Namen und sagen Sie, wozu sie dient. (Die „Maschine" neben dem Baukasten ist ein Beispiel. Es handelt sich um eine „Obstmaschine"; sie dient zur Herstellung übergroßer Apfelsinen.)

b) Ihre Nachbarin oder Ihr Nachbar soll nun Ihre Maschine aufgrund Ihrer Beschreibung nachzeichnen. Ihre Zeichnung dürfen Sie ihr oder ihm aber auf gar keinen Fall zeigen! Dafür dürfen Sie über alles, was unklar ist, miteinander sprechen, so lange Sie wollen.

§ 32

Die vier Dreiecke	stehen / steht	links	oben	einen Zentimeter	neben	...
Eines der Quadrate	liegen / liegt	rechts	unten	etwa 2 Millimeter	über / unter
Die schmalen Rechtecke	sind / ist	in der Mitte	direkt	über / unter	vor / hinter
Zwei gerade Linien	...	ganz außen		...	links von
...		...			...

c) Vergleichen Sie dann das Original mit der Kopie. Beschreiben Sie jeden Fehler.

Die Kreise	ist / sind	falsch.
Das breite Rechteck	steht / stehen	zu weit oben. / unten. / links. / rechts.
...	...	zu nahe beisammen.
		bei ...
		zu weit weg von
		voneinander.
		...

Er / Sie / Es / Sie	sollte / sollten	viel	näher bei	... stehen.
Der / Die / Das / Die	müsste / müssten	etwas	weiter entfernt von	liegen.
...	...	...	weiter oben / unten /...	sein.
		nicht horizontal, sondern vertikal		
		nicht so schräg		
		...		

d) Spielen Sie jetzt das Spiel noch einmal mit vertauschten Rollen.

Behalten Sie die Zeichnung Ihrer Maschine. Sie werden sie für Übung 9 wieder brauchen.

§ 1

Blitzen mit Computer-Blendenrechner

Weiße Markierung des Blendenrechners (4) auf Filmempfindlichkeit einstellen. Blendenwert gegenüber rotem Punkt auf Kamera übertragen. Die rote Linie auf der Meter/feet-Skala zeigt den Arbeitsbereich des Computers. Die Computertaste (5) auf den roten Punkt einstellen.

Beispiel: Filmempfindlichkeit 21 DIN / 100 ASA Arbeitsblende 5,6. Blitzbereich 1,0–4,5 m. **1**

Wahlwiederholung

Durch Drücken der Wahlwiederholtaste können Sie die zuletzt gewählte Rufnummer erneut wählen.
- Mobilteil eingeschaltet (6), Klappe des Mobilteils geöffnet (16).
- Wahlwiederholtaste (11) drücken. Die gespeicherte Rufnummer wird gesendet.
- Nach Gespräch, Mobilteilklappe schließen.

Hinweis: Bei mehr als 30 Ziffern werden nur die ersten 30 Ziffern gewählt.
Die Rufnummer im Wahlwiederholspeicher bleibt erhalten, bis Sie eine neue Rufnummer wählen. **2**

Bandwiedergabe (☞ D)

1. Den Cassettenfachdeckel durch Drücken der Stopp-/Auswurftaste öffnen. Die Cassette gemäß Abbildung in das Cassettenfach einsetzen, dann den Cassettenfachdeckel schließen.
2. Die Wiedergabetaste drücken, um mit der Wiedergabe zu beginnen.
3. Den Lautstärkeregler wunschgemäß einstellen.
4. Um die Wiedergabe zu beenden, die Stopp-/Auswurftaste drücken. **3**

Sicherheitshinweise

Betriebsspannung, Netzspannung und Stromart müssen übereinstimmen! (Siehe Typschild auf dem Gehäusegriff)
Vorsicht, dieses Gerät nicht in der Badewanne, Dusche oder über mit Wasser gefülltem Waschbecken benutzen.

Sollte das Gerät dennoch einmal ins Wasser fallen, dann sofort den Netzstecker aus der Steckdose ziehen! *Keinesfalls ins Wasser greifen!*

Das Gerät anschließend von einem Fachmann überprüfen lassen! *Das Gerät darf nicht nass werden (Spritzwasser usw.) bzw. mit nassen Händen benutzt werden!*

Sollte das Gerät während des Trockenvorganges aus der Hand gelegt werden, so ist es aus Gründen der Sicherheit immer auszuschalten. Nicht mit Sprays oder Wasserzerstäuber in das Gerät sprühen! *Die Luftein- und Luftaustrittsöffnungen dürfen nie abgedeckt werden!* **4**

Oberleitungsbetrieb: Das Umschalten auf Oberleitungsbetrieb erfolgt an der Schaltplatine der Lokomotive. Dazu das Gehäuse abnehmen und den Oberleitungs-Umschalter etwa 90° verdrehen (siehe Abb. 2). Auf richtige Schienen-Polarität achten! Werkseitig ist das Modell auf Schienenbetrieb eingestellt. **5**

6. Welche Anleitung passt zu welchem Bild? Was für Gegenstände sind das?

Text	Bild	Gegenstand		Text	Bild	Gegenstand
1	G	Blitzgerät		6		
2				7		
3				8		
4				9		
5	I	Modellbahn-Lokomotive		10		

7. Wie werden die Anweisungen gegeben?

Aussagesatz:	Die ARI-Funktion schalten Sie durch Drücken der ARI-Taste aus.
Aussagesatz mit Modalverb:	Durch Drücken der Wahlwiederholtaste können Sie erneut wählen.
Aussagesatz im Passiv:	Das andere Ende des Kabels wird in die Ladebuchse am Auto gesteckt.
Infinitiv:	Dazu das Gehäuse abnehmen und den Oberleitungs-Umschalter verdrehen.
Partizip Perfekt:	Mobilteil eingeschaltet, Klappe des Mobilteils geöffnet.
„sein" + Inf. mit „zu":	…so ist es aus Gründen der Sicherheit immer auszuschalten.
Imperativ:	Drücken Sie in diesem Fall die Suchlaufwippe.

Welche Möglichkeiten werden in den Texten am häufigsten benutzt? Welche am seltensten?

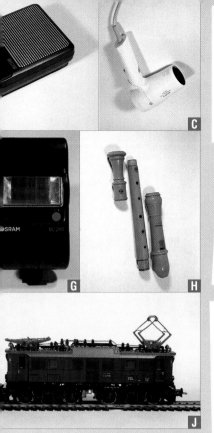

Beenden des Putzvorganges:
Das Gerät ausschalten und den Bürstenkopf aus dem Mund herausnehmen.
Den Bürstenaufsatz abspülen, von der Antriebswelle abziehen und ins Aufbewahrungsfach zurücksetzen. Das Gerät ins Ladefach stellen (rote Kontrolllampe muss aufleuchten).
Sollte das Gerät einmal nicht zufrieden stellend arbeiten, prüfen Sie bitte, ob die Kontakte belagfrei sind. **6**

Bei kaltem Instrument empfiehlt es sich, vor dem Spiel den Kopf mit der Hand vorzuwärmen, um starke Kondenswasserbildung zu vermeiden.
Nach jedem Spiel das Instrument auseinander nehmen und die Teile sorgfältig trockenwischen. Niemals den feuchten Wischer im Instrument stecken lassen. Die mit Naturkork belegten Zapfen öfters mit Zapfenfett einreiben, damit sich die Flötenteile immer leicht zusammen stecken lassen. **7**

Ladevorgang: Steckerlader in normale 220 V Steckdose stecken. Das andere Ende des Kabels wird in die dafür vorgesehene Ladebuchse am Auto gesteckt.
Wichtig: Bitte darauf achten, dass der Schalter des Fahrzeugs auf OFF (AUS) steht. Prüfen, ob alle NC-Akkus gem. Richtungsanweisung im Batteriekasten (+) (–) eingelegt sind. Steckerlader in die Steckdose stecken und das andere Ende in die Ladebuchse am Auto. **8**

ARI bei Radiobetrieb
Die aktivierte ARI-Funktion bewirkt, dass alle Nicht-Verkehrsfunksender stummgeschaltet werden. Möchten Sie nur Verkehrsfunksender hören,
○ drücken Sie die ARI-Taste (16). Im Anzeigefeld leuchtet ARI (4), wenn die ARI-Funktion eingeschaltet ist.
Zum Ein-/Ausschalten
○ drücken Sie die ARI-Taste (16). Empfangen Sie bei aktivierter ARI-Funktion noch keinen Verkehrsfunksender, ertönt nach ca. 2 Sekunden der Warnton.
○ Drücken Sie in diesem Fall die Suchlaufwippe (21). Der nächste Verkehrsfunksender wird empfangen. Der Schriftzug „SK" (5) erscheint im Anzeigefeld.
Die ARI-Funktion schalten Sie durch nochmaliges Drücken der ARI-Taste (16) aus. **9**

Einsetzen der Lampe:
Abdeckschieber über dem Lampengehäuse in Richtung Magazin abziehen. Klappe an dem kleinen Griffsteg hochklappen.
Die Stifte der Halogenlampe 24 V/150 W – ohne Berührung des Glaskolbens mit den bloßen Fingern – vorsichtig in die Lampenfassung einstecken. Klappe schließen und Schieber wieder einsetzen. Die Lampe kann jetzt mit dem Lampenschalter an der Rückseite des Gerätes eingeschaltet werden. **10**

---

8. Was kann man tun? Was muss wie sein?

§ 30 c

abnehmen	stecken
achten	stecken lassen
ausschalten	stehen
drücken	auseinander nehmen
einschalten	übereinstimmen
einsetzen	schließen
einstellen	vermeiden
öffnen	ziehen
prüfen	zusammenstecken

darauf, dass… das Instrument das Gehäuse
die Betriebsspannung und die Stromart ob…
die Teile das Gerät den Lautstärkeregler
den Stecker aus der Steckdose die Lampe
die Taste das Ende des Kabels in die Buchse
der Schalter auf OFF auf die richtige Polarität
die Bildung von Kondenswasser den Deckel
den Wischer im Instrument den Schieber
die Klappe die Taste auf den roten Punkt

Der Schalter muss …

Man kann das Gehäuse abnehmen.

Stimmt, das Gehäuse lässt sich abnehmen.

---

9. Schreiben Sie eine Gebrauchsanweisung zu Ihrer Maschine aus Übung 5.

Arbeiten Sie zu zweit. Benutzen Sie für jede der beiden Zeichnungen eine andere Möglichkeit, Anweisungen auszudrücken (siehe Übung 7 auf Seite 154).

§ 2

Deutsches Museum
von Meisterwerken der Naturwissenschaft und Technik

Das Thema des Deutschen Museums in München ist die Entwicklung der Technik und der Naturwissenschaften von den Anfängen bis heute. Es wird versucht, Höchstleistungen der Forschung, der Erfindung und der Gestaltung darzustellen und deren Bedeutung und Wirkung zu erklären. Das Deutsche Museum wirkt durch Ausstellungen, Veröffentlichungen und Vorträge. Daher umfasst das Museum drei Bauteile: den Sammlungsbau, den Bibliotheksbau und den Kongressbau.

Das Deutsche Museum wurde 1903 von Oskar von Miller gegründet und 1906 mit ersten Ausstellungen eröffnet. Wegen des ersten Weltkriegs und der Inflation wurde der Museumsbau erst 1925 fertig. Die Bibliothek wurde 1932 eröffnet, der Kongressbau im Jahre 1935. Nach der Zerstörung im zweiten Weltkrieg wurden die Sammlungen durch Um- und Ausbau vergrößert. Das Deutsche Museum hat jährlich ca. 1,5 Millionen Besucher. Mit ca. 55 000 Quadratmeter Ausstellungsfläche ist es vermutlich das größte technisch-naturwissenschaftliche Museum der Welt. Seine systematischen Dauerausstellungen umfassen die meisten Gebiete der Naturwissenschaften, vom Bergbau bis zur Astrophysik. Neben historischen Originalen, darunter wertvollen Unikaten wie dem ersten Automobil oder dem ersten Dieselmotor, bietet das Museum Modelle, Experimente und Demonstrationen zum Selbstbetätigen von Hand oder durch Knopfdruck. So liefert ein Besuch des Museums sowohl Informationen als auch Unterhaltung und Erlebnis. Besondere Ausstellungen behandeln aktuelle Themen. Regelmäßig finden Führungen und Vorführungen statt. Für Schüler- und Studentengruppen stehen Hörsäle für die Vor- und Nachbereitung zur Verfügung.

Öffnungszeiten:
Museum und Bibliothek sind täglich von 9 bis 17 Uhr geöffnet. Geschlossen sind Museum und Bibliothek am 1. Januar, am Faschingsdienstag, Karfreitag, Ostersonntag, 1. Mai, Fronleichnam, 1. November, 24., 25. und 31. Dezember.

Eintrittspreise:
Tageskarte DM 8,– (Kinder unter 6 Jahren frei), Schüler und Studenten (mit Ausweis) DM 2,50. Ermäßigte Tageskarte DM 4,–
Gruppen bekommen eine Ermäßigung.

ÜBERSICHTSPLAN

4./5./6. Stock:	Amateurfunk • Astronomie • Planetarium • Sternwarte
3. Stock:	Informatik und Automation • Mikroelektronik • Telekommunikation • Landtechnik • Zeitmessung • Maß und Gewicht
2. Stock:	Keramik • Glastechnik • Technisches Spielzeug • Papier • Schreiben und Drucken • Fotografie • Textiltechnik
1. Stock:	Neue Energietechniken • Physik • Chemie • Musikinstrumente • Luftfahrt • Raumfahrt
Erdgeschoß:	Erdöl und Erdgas • Bergbau • Werkzeugmaschinen • Kraftmaschinen • Elektrizität • Wasserbau • Kutschen und Fahrräder • Automobile • Motorräder • Eisenbahn • Straßen und Brücken • Tunnelbau • Schifffahrt

10. Lesen Sie den Text zuerst ganz durch. Suchen Sie dann nach Informationen über das Museum.

Öffnungszeiten Bauteile Besucherzahl Thema
Programme
Größe Ausstellungen Eintrittspreise Entwicklung

11. Spielen Sie Dialoge.

Wann wurde das Museum gegründet?

Im Jahre 1903.

12. Was würden Sie in den einzelnen Abteilungen gern sehen?

Schreiben Sie Beispiele auf. Arbeiten Sie zu zweit. Sie können ein Lexikon benutzen.

Dieses Flugzeug mit drei Motoren – wie hieß das doch gleich?

Vielleicht gibt es da ein echtes Wikingerschiff? Das würde mich schon interessieren.

Die Lokomotive vom Orient-Express, wurde die nicht in Deutschland gebaut?

13. Diskutieren Sie: Welches ist die wichtigste Erfindung, die je gemacht wurde?

Der	...,	weil...		
Die		denn...		
Das				
Ohne...	wäre / hätte	...	nicht	...
	könnte / würde		immer noch	
	müsste / ...		nicht mehr	

6

Im Wohnzimmer sang die Stimm-Uhr: *Tick-tack, sieben Uhr, zackzack, aufstehn nur, aufstehn nur, aufstehn nur, sieben Uhr!,* als ob sie Angst hätte, daß es keiner täte. Das Morgenhaus war leer. Die Uhr tickte weiter und wiederholte ihre Ansagen viele Male in die Leere. *Sieben Uhr neun, zum Frühstück hinein, sieben Uhr neun!*

In der Küche stieß der Frühstücksherd einen zischenden Seufzer aus und entließ aus seinem warmen Innern acht herrlich gebräunte Scheiben Toast, acht perfekte Spiegeleier, sechzehn Scheiben Speck, zwei Tassen Kaffee und zwei Gläser kühle Milch.

»Heute ist der 4. August 2026«, sagte eine zweite Stimme von der Küchendecke, »in der Stadt Allendale, Kalifornien.« Sie wiederholte das Datum dreimal, damit es sich auch richtig einprägte. »Heute hat Mr. Featherstone Geburtstag. Heute hat Tilitia Hochzeitstag. Die Versicherungsbeiträge sind fällig, außerdem das Wassergeld, die Gas- und Elektrizitätsrechnung.«

Irgendwo in den Wänden klickten Relais, und Informationsbänder glitten unter elektrischen Augen dahin.

Acht Uhr vier, tick-tack, acht Uhr vier, zur Schule mit dir, zur Arbeit mit dir, acht Uhr vier! Aber keine Türen wurden zugeschlagen, keine Gummiabsätze gingen sanft über die Teppiche. Es regnete draußen. Der Wetterkasten neben der Haustür sang leise: »Regen, Regen, geh vorbei, Stiefel, Mäntel holt herbei ...« Und der Regen klopfte mit hohlem Geräusch auf das leere Haus.

Draußen läutete die Garage, hob ihre Tür an und gab den Blick frei auf den wartenden Wagen. Nach langem Warten schwang die Tür wieder herab.

Um halb neun waren die Eier unansehnlich und der Toast steinhart geworden. Ein Aluminiumschaber kratzte alles in den Abwasch, wo die Reste von heißem Wasser erfaßt und durch einen metallenen Schlund hinabgesogen wurden, der sie verdaute und ins ferne Meer spülte. Das schmutzige Geschirr wurde in einen Heißwascher getaucht und kam schimmernd trocken wieder zum Vorschein.

Neun Uhr acht, sang die Uhr, *saubergemacht.*

Winzige Robotmäuse kamen aus ihren Wandhöhlen gehuscht. Überall in den Räumen wimmelte es von kleinen Reinigungstieren aus Gummi und Metall. Sie prallten dumpf gegen Stuhlbeine, schwenkten ihre haarigen Läuferchen, klopften den Teppich ab, saugten sanft den verborgenen Staub heraus. Wie geheimnisvolle Eindringlinge verschwanden sie wieder in ihren Nestern. Ihre elektrischen Augen erloschen. Das Haus war sauber.

14. Lesen Sie den Text.

a) Welche Aufgaben werden in diesem Haus automatisch erledigt?

wecken
Brot toasten

§ 2 a

b) Welche Geräte benötigen Sie für diese Aufgaben?

Zum Kaffeekochen die Kaffeemaschine.

Den Kühlschrank brauche ich ...

Den Terminkalender, um zu sehen, ob ...

Abfalleimer   Herd   Wecker   Pfanne
Kaffeemaschine   Toaster   Kühlschrank
Staubsauger   Terminkalender   Spüle

15. Was glauben Sie: Was kann dieses Haus sonst noch automatisch erledigen?

Ich	vermute, denke, glaube,	es	kann macht	...
Vielleicht Wahrscheinlich ...		kann macht	es ...	

Sonne   Fensterläden   Musik   Vertreter   Zigarre
Lebensmittel   Badewanne   Haustür   Farbe   Dieb
Klapptisch   Betten   Garten   Fenster   Fernseher
Feuer   Heizung   Bücher   Blumen   Kamin   Licht

16. Schreiben Sie die Geschichte weiter.

Arbeiten Sie zu zweit oder zu dritt.
Erzählen Sie in Ihrer Fortsetzung etwas über die Bewohner dieses Hauses. Warum sind sie nicht zum Frühstück gekommen und nicht zur Schule oder zur Arbeit gegangen? Was tun sie in ihrer Freizeit?

17. Diskutieren Sie.

Glauben Sie, dass es in der Zukunft solche Häuser geben wird? Würden Sie das gut finden? Sollte man Ihrer Meinung nach lieber andere Dinge verbessern? Welche? Diskutieren Sie zu dritt oder zu viert. Machen Sie Notizen. Berichten Sie dann über Ihre Diskussion.

§ 23

Herr …	meint,	man werde…
Frau …	findet,	man könne / müsse / dürfe…
…	hat gesagt,	es gebe / würde / sei…
Ich	habe gesagt,	wir hätten / seien / sollten…
	bin der Meinung,	dass…

18. Hören Sie das Gespräch und ordnen Sie zu.

Die Frau	fällt auf das Haus.
Der Mann	findet Bradbury gut.
Die Geschichte	haben Ball gespielt.
Der Autor der Geschichte	ist Amerikaner.
Das Haus	ist von Ray Bradbury.
Die beiden Kinder	liest keine Romane.
Die Schatten an der Wand	macht alles automatisch.
Die Stimmen	sind weiß.
Der Baum	sprechen zu den Hausbewohnern.

3 **35**

19. Welche Vorteile und welche Nachteile hat die Entwicklung der Technik?

> Zuerst findet man neue Erfindungen meistens gut, aber später merkt man zum Beispiel, dass dadurch die Natur zerstört wird.

> Das Auto verschmutzt die Luft, aber ich glaube, wir können trotzdem nicht darauf verzichten.

> Die Sprays mit FCKW waren sehr praktisch, aber wir haben damit die Ozonschicht kaputtgemacht.

Arbeitsplätze   Gift   Wald
Wasser   Produkte
Information   Wetter
Rohstoffe   Lärm   Reisen
Arbeit   Sicherheit
Gesundheit   Wissen   Müll
Gestank
Energie   Kommunikation

7 Fernsehabend

Ein Ehepaar sitzt vor dem Fernsehgerät. Obwohl die Bildröhre ausgefallen ist und die Mattscheibe dunkel bleibt, starrt das Ehepaar zur gewohnten Stunde in die gewohnte Richtung.

3 36

SIE: Wieso geht der Fernseher denn grade heute kaputt?

ER: Die bauen die Geräte absichtlich so, daß sie schnell kaputtgehen ...

(Pause)

SIE: Ich muß nicht unbedingt fernsehen...

ER: Ich auch nicht... nicht nur, weil heute der Apparat kaputt ist...ich meine sowieso... ich sehe sowieso nicht gern Fernsehen...

SIE: Es ist ja auch wirklich nichts im Fernsehen, was man gern sehen möchte...

(Pause)

ER: Heute brauchen wir Gott sei Dank überhaupt nicht erst in den blöden Kasten zu gucken ...

SIE: Nee...*(Pause)*...Es sieht aber so aus, als ob du hinguckst...

ER: Ich?

SIE: Ja ...

ER: Nein...ich sehe nur ganz allgemein in diese Richtung...aber du guckst hin...du guckst da immer hin!

SIE: Ich? Ich gucke da hin? Wie kommst du denn darauf?

ER: Es sieht so aus...

SIE: Das *kann* gar nicht so aussehen...ich gucke nämlich vorbei...ich gucke *absichtlich* vorbei...und wenn du ein kleines bißchen mehr auf mich achten würdest, hättest du bemerken können, daß ich absichtlich vorbeigucke, aber du interessierst dich ja überhaupt nicht für mich...

ER: *(fällt ihr ins Wort)*

Jaaa...jaaa...jaaa...jaaa...

SIE: Wir können doch einfach mal ganz woanders hingucken...

ER: Woanders?...Wohin denn?

SIE: Zur Seite...oder nach hinten...

ER: Nach hinten? Ich soll nach hinten sehen?...Nur weil der Fernseher kaputt ist, soll ich nach hinten sehen? Ich laß mir doch von einem Fernsehgerät nicht vorschreiben, wo ich hinsehen soll!

(Pause)

SIE: Was wäre denn heute für ein Programm gewesen?

ER: Eine Unterhaltungssendung...

SIE: Ach...

ER: Es ist schon eine Un-ver-schämt-heit, was einem so Abend für Abend im Fernsehen geboten wird! Ich weiß gar nicht, warum man sich das überhaupt noch ansieht!...Lesen könnte man statt dessen, Kartenspielen oder ins Kino gehen...oder ins Theater...statt dessen sitzt man da und glotzt auf dieses blöde Fernsehprogramm!

SIE: Heute ist der Apparat ja nu kaputt...

ER: Gott sei Dank!

SIE: Ja...

ER: Da kann man sich wenigstens mal unterhalten...

SIE: Oder früh ins Bett gehen...

ER: Ich gehe nach den Spätnachrichten der Tagesschau ins Bett...

SIE: Aber der Fernseher ist doch kaputt!

ER: *(energisch)* Ich lasse mir von einem kaputten Fernseher nicht vorschreiben, wann ich ins Bett zu gehen habe!

1

Zeitgeschichte

1. Sehen Sie sich die alten Fotos genau an.

Was zeigen sie? Die Titel der Texte auf Seite 163 eignen sich als Bildunterschriften.

Die Trümmerfrauen

§ 21, 22, 40

Präteritum

Der 2. Weltkrieg <u>dauerte</u> von 1939 bis 1945.
In diesem Krieg <u>starben</u> über 50 Millionen Menschen.

Plusquamperfekt

1945 war der 2. Weltkrieg zu Ende. Er <u>hatte</u> sechs Jahre <u>gedauert.</u>
In diesem Krieg <u>waren</u> über 50 Millionen Menschen <u>gestorben.</u>

2. Lesen Sie die kleinen Texte auf Seite 163.

Welche Bilder und Texte passen zusammen?

3. Schreiben Sie eine Zusammenfassung.

Arbeiten Sie zu zweit. Schreiben Sie jeweils einen kleinen Abschnitt zu den Texten 1–3, 4, 5, 6–8.

Die Stunde Null

1945 war die „Stunde Null": das Ende des Nazi-terrors und der Anfang eines neuen Deutschland. Sechs Jahre hatte der Weltkrieg gedauert; über 50 Millionen Menschen waren gestorben. Die Städte in Deutschland waren zerstört. Mehr als 17 Millionen Deutsche waren aus dem Osten ge-flüchtet. Die Deutschen wollten neu beginnen und die Vergangenheit möglichst schnell vergessen.

Die Trümmerfrauen

Sie wurden zum Symbol der Nachkriegszeit. Im Krieg waren viele Männer gefallen und viele waren noch nicht aus der Kriegsgefangenschaft zurück-gekehrt. Deshalb mussten die Frauen allein für sich und ihre Kinder sorgen. Aus den Trümmern der ka-putten Häuser bauten sie Wohnungen. Das, was sie zum Leben brauchten, kauften sie auf dem schwarzen Markt. Als die Männer später aus dem Krieg oder aus der Gefangenschaft zurückkamen, gab es Probleme, denn die Frauen hatten inzwi-schen gelernt, selbständig zu sein. Das dauerte aber nicht lange – bald spielten die Männer wieder die alte Rolle.

Der Persilschein

Persil ist ein Waschmittel. Aber hier geht es nicht um Wäsche, sondern um Menschen. Jeder Deut-sche brauchte damals ein Dokument, das be-stätigte, dass er kein Nazi gewesen war. Diese Erklärung nannte man Persilschein. Man bekam den Persilschein zum Beispiel dann, wenn jemand, der von den Nazis verfolgt worden war, bestätigte, dass man nicht zu den Nazis gehört hatte. Wer kei-nen echten Schein bekommen konnte, bekam viel-leicht einen auf dem schwarzen Markt.

Das Wirtschaftswunder

Nach dem Krieg waren die meisten Fabriken zer-stört. Die Menschen in Deutschland hungerten, und viele hatten keine Wohnung. Aber schon zehn Jahre später hatte sich alles verändert: 1960 gab es nur noch 100 000 Arbeitslose. Der Wohlstand für alle war erreicht; man sprach von einem Wirt-schaftswunder. Dieses Wunder war möglich ge-worden, weil die Industrie neu aufgebaut worden war, weil die USA mit ihrem Marschallplan gehol-fen hatten, weil eine neue Währung eingeführt worden war und weil jeder Deutsche arbeiten wollte.

Die Mauer

Nachdem 1949 die Bundesrepublik Deutschland und die Deutsche Demokratische Republik ent-standen waren, flüchteten immer mehr Menschen aus der kommunistischen DDR in die demokrati-sche Bundesrepublik. Schließlich waren es mehr als 3 Millionen und darunter vor allem Akademiker und andere gut ausgebildete Fachkräfte. Da schloss die DDR 1961 mit der Mauer in Berlin die letzte Möglichkeit, die zur Flucht noch geblieben war. Freunde, Bekannte und Familien wurden von-einander getrennt. Viele, die danach über die Mau-er flüchten wollten, bezahlten diesen Versuch mit ihrem Leben.

Die Achtundsechziger

In den 60er Jahren gab es junge Leute, meist Stu-dentinnen und Studenten, die nicht verstehen konnten, warum sich nach dem zweiten Weltkrieg so wenig geändert hatte. Besonders der Krieg in Vietnam trieb viele zum Protest auf die Straße. Es war eine Bewegung in ganz Europa, die 1968 ihren Höhepunkt erreichte. Die „68er" wollten eine Re-volution der Gesellschaft, aber sie konnten ihre Ziele nicht erreichen.

Die Grünen

Mehr als die Hälfte der Wälder in Deutschland sind krank. Die Flüsse, Seen und Meere werden immer schmutziger. Giftige Stoffe sind in der Luft, in unse-ren Nahrungsmitteln, in unserem Trinkwasser. In den 60er Jahren wurde immer mehr Leuten bewusst, dass der Wohlstand, die Industrie und der zunehmende Autoverkehr die Umwelt vergiftet hat-ten. Es entstand eine neue Partei: die Grünen. Diese Partei setzt sich seither für eine umwelt-freundliche Politik ein; sie hat vielen Menschen und auch Politikern anderer Parteien klargemacht, dass wir die Umwelt nicht mehr so sorglos behan-deln dürfen.

Die Friedensbewegung

In den 70er Jahren sahen mehr und mehr Men-schen ihre Zukunft durch Atomwaffen, Rüstungs-industrie und Kriege bedroht. Sie gingen auf die Straße, bildeten Menschenschlangen und demon-strierten; sie besetzten Atomkraftwerke und blok-kierten militärische Einrichtungen. Viele Profes-soren, Journalisten, Schriftsteller und Künstler machten bei dieser Massenbewegung mit, die schließlich zu einer öffentlichen Opposition gegen die Regierung wurde.

2

Was Hedwig M. vom Leben nach dem Krieg erzählt

Hedwig erlebte das Kriegsende in Magdeburg.

Am 8. Mai 1945 lagen 80% von Magdeburg in Schutt und Asche. Meine Kinder und ich, meine Jüngste wurde am 9. Mai geboren, wurden auf dem Land untergebracht. [...] Wir wohnten nun mit mehreren Personen in einem sehr
5 kleinen Raum, mein eineinhalbjähriger Sohn schlief auf dem Tisch, für das Neugeborene war nur noch Platz unter einer Plane vor der Tür. Dort stand dann der Kinderwagen, und nur zum Füttern holte ich sie herein. Unter der Plane war allerdings der wärmste und geschützteste Platz. Mein
10 Vater schlief auf einem viel zu kurzen Sofa, so daß ich heute noch nicht weiß, wo er seine Beine gelassen hat.
Heute bin ich froh, daß meine Kinder noch so klein waren. Sie haben deswegen nicht so viel von dem ganzen Elend mitbekommen. Ich arbeitete auch als Trümmerfrau, um ein
15 paar Pfennige zu verdienen. Die Kinder mußte ich mitnehmen. Den Kinderwagen stopfte ich mit einem Schaffell aus, setzte meine Kinder hinein, und los ging's. Für die Kinder hatte ich zu trinken dabei, auch schön gewärmt unter dem Schaffell, und einen Kanten Brot. Das war alles.

Wann immer ich konnte, schob ich dann auch noch mit dem 20 Kinderwagen los, um Brennmaterial zu suchen. Eine Kinderwagenladung von Tannenzapfen reichte dann gerade, um am Abend das Breichen aufzuwärmen. So blieb es auch nicht aus, daß ich Holz und Briketts klaute, wenn sich eine Möglichkeit bot. 25
Viele Stunden lang stand ich vor den Lebensmittelgeschäften in der Schlange, um irgend etwas Eßbares zu ergattern. Es gab zwar die Lebensmittelkarten, aber noch lange nicht die dazugehörigen Lebensmittel. Die Frauen in der Schlange waren schon recht abgestumpft, kaum jemand 30 unterhielt sich. Manche hatten einen Hocker dabei und stierten vor sich hin.
[...]
Alles wurde damals per Hand gemacht; z. B. die Kleidung fertigte ich aus alten Zuckersäcken an, die ich aufgeribbelt, 35 gekocht und gebleicht hatte. Von all dieser schweren Arbeit spüre ich auch heute noch die Auswirkungen. Meine Gelenke, vor allem die Kniegelenke, sind nicht mehr in Ordnung. Die harte Knochenarbeit, das viele Stehen ist nicht ohne Folgen geblieben. 40

---

4. In welcher Reihenfolge berichtet Hedwig M. über die folgenden Themen?

das Einkaufen	die Arbeit	die Kleidung
das Heizmaterial	die Folgen der Arbeit	die Wohnung
die Ankunft auf dem Land	die Kinder während der Arbeit	die Heimatstadt

5. Was bedeuten wohl die folgenden Wörter und Ausdrücke?

Versuchen Sie, ohne Wörterbuch die Bedeutung zu erraten. Arbeiten Sie zu zweit.

in Zeile 3:   untergebracht   =   *in ein Zimmer / eine Wohnung gebracht*

in Zeile 11:   gelassen   =   _____

in Zeile 13/14:   mitbekommen   =   _____

in Zeile 20/21:   schob...los   =   _____

in Zeile 24:   klaute   =   _____

in Zeile 28:   ergattern   =   _____

in Zeile 32:   stierten   =   _____

in Zeile 35:   fertigte...an   =   _____

6. Schreiben Sie den Text kürzer und in Ihren eigenen Worten.

Benutzen Sie dafür die von Ihnen geordnete Themenliste aus Aufgabe 4.

Meinungen über Geschichte

7. Wer hat was gemeint?

a) Lesen Sie die Äußerungen 1 bis 9 und sehen Sie sich das Foto an. Was glauben Sie: Wer könnte was gesagt haben? Notieren Sie mit Bleistift den Namen bei der entsprechenden Äußerung.

b) Hören Sie, was die jungen Leute über Geschichte denken, und korrigieren Sie, wenn nötig, die Namen, die Sie bei den einzelnen Äußerungen notiert haben.

1. Man muss viel wissen, damit man die Gegenwart besser verstehen kann. _____
2. Geschichte handelt fast nur von Mord und Betrug. _____
3. Ich finde Geschichte interessant, weil man nie weiß, wie's weitergeht. _____
4. Alles längst vergangene Sachen! Gar nicht interessant! _____
5. Ich bin neugierig. Ich möchte wissen, wie die Menschen früher gelebt haben. _____
6. Geschichte gehört zu uns selbst. Man muss damit leben. _____
7. Geschichtliches Wissen kann helfen, eine bessere Zukunft zu bauen. _____
8. Niemand hat aus der Geschichte gelernt. Das kann man jeden Tag in den Nachrichten hören. _____
9. Vergangenes kann man nicht mehr verbessern. Ich kümmere mich lieber um die Gegenwart. _____

8. Wie ist die Meinung in Ihrem Kurs?

Schreiben Sie Fragen zum Thema „Geschichte" auf. Arbeiten Sie zuerst zu zweit oder zu dritt. Machen Sie dann aus den Fragen der einzelnen Gruppen einen Fragebogen, den alle ausfüllen.
Werten Sie die Antworten gemeinsam aus und schreiben Sie zum Schluss einen Bericht. § 23

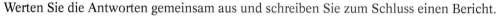

Eine	Kursteilnehmerin		, dass …
	Schülerin	glauben	
		denken	
Ein	Kursteilnehmer	sagen	
	Schüler	behaupten	
Ein paar	Kursteilnehmer	der Meinung sein	
Einige	Kursteilnehmerinnen		
Viele	Schüler	meinen finden	
Fast alle	Schülerinnen	der Ansicht sein	
Die meisten			

Ich finde, dass man mehr über die Geschichte der Hexen wissen sollte.

Theater

Im 17. und 18. Jahrhundert gab es im Gebiet des heutigen Deutschland über hundert Königreiche und Herzogtümer und jedes hatte sein eigenes Hoftheater. Im 19. Jahrhundert begannen auch die Bürger in den Städten, Theater zu gründen. Heute gibt es deshalb in Deutschland sehr viele Theater und fast alle bekommen Geld von den Gemeinden und den Bundesländern – insgesamt über zwei Milliarden Mark. Im Durchschnitt sind die Ausgaben eines Theaters fünfmal so groß wie die Einnahmen aus dem Verkauf von Eintrittskarten.

Die meistgespielten Theaterautoren sind Shakespeare, Schiller, Goethe, Shaw, Brecht und Molière. Avantgardistische Stücke werden vor allem von kleinen Studiobühnen gebracht. Von den heutigen deutschsprachigen Autoren sind Rolf Hochhuth, Tankred Dorst, Botho Strauß und Franz Xaver Kroetz am bekanntesten.

Museen

In Deutschland gibt es über 3000 Museen verschiedenster Art. Es sind Staatsgalerien oder Privatsammlungen, Schatzkammern oder Schlossmuseen – oder Freilichtmuseen, die die ländliche Wohn- und Hauskultur zeigen. Es gibt viele Kunstmuseen, darunter die „Alte Pinakothek" in München oder die Gemäldegalerie in Berlin, es gibt Museen zu Geschichte und Volkskunde, zum Beispiel das Völkerkundemuseum in Berlin oder das Germanische Nationalmuseum in Nürnberg, und es gibt zahlreiche Spezialsammlungen, wie z.B. das Brotmuseum in Ulm oder das Spielzeugmuseum in Nürnberg.

Eines der berühmtesten Museen in Deutschland ist das Deutsche Museum in München. Jedes Jahr kommen mehr als eine Million Besucher, um die hier ausgestellten Originale und Modelle aus der Geschichte der Naturwissenschaften und der Technik zu sehen.

Festspiele

Musikfestspiele sind Höhepunkte im Kulturleben einer Stadt. Sie haben vor allem in Deutschland und Österreich eine lange Tradition. Berühmt sind die Wagner-Festspiele in Bayreuth und die Salzburger Festspiele, wo vor allem Mozart und die deutschen Klassiker aufgeführt werden.

9. Erzählen Sie etwas über Ihren letzten Kino-, Konzert- oder Theaterbesuch.

Ich war mit ... im ...   Es war ...

Musik

Zu keiner Zeit hat es so viel Musik und so viele Musikhörer gegeben wie heute. Das betrifft nicht nur die „Musik-konserven" auf Kassette, Schallplatte oder CD; heute hören auch mehr Leute als je zuvor „lebendige" Musik. Es müssen nicht immer die Berliner Philharmoniker sein; auch in mittleren und kleinen Städten kann man gute Konzertabende und Opernaufführungen erleben.
Nicht nur klassische Musik findet ihre Hörer: In München und Frankfurt füllen die Jazzfans „ihre" Lokale und Rock- und Popkonzerte ziehen Tausende von jugendlichen Zu-hörern an. Und es bleibt nicht beim Zuhören: In jedem größeren Dorf übt ein Gesangverein oder eine Blasmusik, fast jedes Gymnasium hat seine Schülerband, und in man-chen Familien wird auch heute noch klassische oder volks-tümliche Hausmusik gemacht.

Ballett

Von den weit über tausend Ballettänzerinnen und -tän-zern, die in der Bundesrepublik arbeiten, sind mehr als die Hälfte Ausländer. Sie tanzen hauptsächlich das klas-sische Repertoire; die neuen Inszenierungen, die auch gezeigt werden, sind bei weitem nicht so gut besucht. Am berühmtesten sind zur Zeit wohl das Stuttgarter und das Hamburger Ballett.

Kino

In den Zwanziger Jahren war das deutsche Kino welt-berühmt, aber der Nationalsozialismus trieb eine ganze Generation von Regisseuren in die Emigration. Auch nach dem zweiten Weltkrieg entstanden in Deutschland zunächst kaum Filme mit künstlerischer Bedeutung.
Im Februar 1962 erklärten dann 26 junge Filmemacher, dass sie den „neuen deutschen Film" schaffen wollten: kri-tisches Kino mit politischem Engagement. Das 1965 gegründete *Kuratorium Junger Deutscher Film* förderte die jungen Filmautoren finanziell.
Die älteren Leute bleiben heute lieber zu Hause: Etwa 80 Prozent aller Kinobesucher sind zwischen 14 und 29 Jahre alt. Noch immer sind amerikanische Filme am erfolgreichsten; aber auch einige deutsche Filme brach-ten schon Rekordeinnahmen.

10. Was ist in Ihrem Land gleich, ähnlich oder ganz anders?

Lösen Sie die Aufgabe allein oder zu zweit schriftlich. Vergleichen Sie dann in der Klasse.

11. Schreiben und spielen Sie Dialoge zu den Veranstaltungen auf Seite 168.

Benutzen Sie die folgenden Sätze, Wendungen und Wörter. Arbeiten Sie zu zweit. Natürlich können Sie auch Dialoge zu Veranstaltungen spielen, die Sie wirklich gesehen haben.

Einladungen

| Ich habe zwei | Karten | für… | Kommst du / Kommen Sie mit? |
| | Freikarten | | Hast du / Haben Sie Zeit, mitzukommen? |

Ja,	natürlich.	Wann	ist das denn?	Was	gibt es denn genau?
	selbstverständlich.		fängt das denn an?		spielen die denn?
	klar.				steht denn auf dem Programm?

Es gibt / Die spielen / Auf dem Programm steht … von … mit …

…	finde ich	prima / fantastisch /	…	kenne ich noch gar nicht.
		toll / interessant / …		wollte ich schon immer mal sehen / hören.
			…	habe ich leider schon gesehen / gehört.

Ich weiß nicht …	So interessant finde ich das doch nicht.
Nein, vielen Dank!	Sowas interessiert mich eigentlich nicht!
Nein,	das ist überhaupt nichts für mich. / davon verstehe ich gar nichts.

Bewertung, Kritik

Na, wie	findest du / finden Sie das?	Na, was sagst du / sagen Sie dazu?
	hat es dir / Ihnen gefallen?	
	war's?	

| Es war | einfach / total / | fantastisch / toll / | Einiges fand ich gut, anderes überhaupt nicht! |
| | absolut / ganz | herrlich / wunderbar | Es hat sich nicht gelohnt. |

			Es war	alles ziemlich langweilig.
Ich bin vollkommen begeistert!		wenig	Neues.
Sowas habe ich noch nie erlebt!		nichts	
Das hat richtig Spaß gemacht!		ganz schlecht.

§ 8

Na ja,	es	ging so.
	war	ziemlich mittelmäßig.	So ein	Blödsinn!
		nichts Besonderes.		Unsinn!
	teils teils.			Quatsch!

Und was meinst du / meinen Sie?   Bist du / Sind Sie auch meiner Meinung?

5

Die berühmteste Dichtung in deutscher Sprache wurde vom berühmtesten deutschen Dichter geschrieben: Goethes „Faust". An diesem Werk arbeitete Goethe fast sein ganzes Leben lang. Wahrscheinlich war er schon im Jahre 1772 damit beschäftigt und er schrieb bis zu seinem Tod daran weiter. Als Buch erschien der erste Teil der Tragödie 1808, der zweite Teil erst nach Goethes Tod, im Jahre 1832.

Goethe hat die Geschichte des Dr. Faustus nicht selbst erfunden. Ein Mann mit dem Namen Faust hat wirklich gelebt, in Süddeutschland, etwa dreihundert Jahre vor Goethe. Er trat als Zauberer und Wahrsager in vielen Städten auf und war schon berühmt, als er noch lebte. Bald wurden über ihn Zaubergeschichten erzählt, die in Wirklichkeit gar nichts mit ihm zu tun hatten, sondern viel älter waren. Daraus entstand schließlich die Faustsage, die nach seinem Tod in vielen Büchern beschrieben wurde.

Die Faustsage wurde auch in anderen Ländern bekannt. Im Jahre 1589 schrieb der Engländer Christopher Marlowe ein Theaterstück darüber, das auch in Deutschland gespielt wurde. (Goethe sah dieses Stück als Fünfjähriger in einem Puppentheater.) Faust wird hier als ein Mann gezeigt, der alle Geheimnisse der Welt verstehen möchte. Die Wissenschaft genügt ihm nicht, er wählt die Magie und schließt mit dem Teufel einen Vertrag: Im Tausch gegen alles Wissen dieser Welt erhält der Teufel nach vierundzwanzig Jahren Fausts Seele.

Auch in Goethes Werk schließt Faust einen Vertrag mit dem Teufel, aber nicht für eine bestimmte Zeit, wie in Marlowes Drama; der Vertrag ist dann erfüllt, wenn der Teufel Faust soviel gezeigt hat, dass dieser damit zufrieden ist.

Mephisto, der Teufel, führt Faust durch alle Bereiche der Welt und lässt ihn vieles erkennen und erfahren, aber als Faust am Ende wirklich sagt, dass er zufrieden sei, kommt seine Seele trotz des Vertrags nicht in die Hölle. In einem Kampf siegen die Engel über Mephisto und tragen Fausts Seele in den Himmel; denn:

Wer immer strebend sich bemüht,
Den können wir erlösen.

Darin unterscheidet sich Goethes Faust von den früheren Faustdichtungen. Früher war Faust immer mit der Hölle bestraft worden, weil er versucht hatte, die Welt und ihre inneren Gesetze zu verstehen; man glaubte, dass dieser Versuch eine Sünde sei, weil nur Gott alles verstehen könne.

Auch nach Goethe haben viele Dichter über Faust geschrieben, meistens für das Theater. Sehr bekannt wurde Thomas Manns Roman „Doktor Faustus", der die Geschichte in das zwanzigste Jahrhundert verlegt; sein „Faust" ist ein Musiker, der sich an die dunkle Macht des Nationalsozialismus verkauft.

Auch mehrere Faust-Opern entstanden; am häufigsten wird wohl die von Charles Gounod gespielt (die auch unter dem Titel „Margarete" bekannt ist). Aber der „eigentliche" Faust ist und bleibt Goethes Werk.

12. Ordnen Sie zu.

1 Als Kind sah Goethe das Faust-Drama	A an dieser Tragödie.
2 Der Roman „Doktor Faustus"	B des Engländers Christopher Marlowe.
3 Der zweite Teil von Goethes „Faust"	C erschien erst 24 Jahre nach dem ersten Teil.
4 Die berühmteste aller Faust-Dichtungen	D fand Faust in allen Büchern ein böses Ende.
5 Faust tauscht seine Seele	E gegen die Geheimnisse der Welt.
6 Faust, ein Zauberer und Wahrsager,	F ist ein Werk Thomas Manns.
7 Goethe arbeitete fast sein ganzes Leben lang	G sind mehrere Opern geschrieben worden.
8 In Goethes Faust	H stammt von Goethe.
9 Schon vor Goethes Zeit gab es Bücher	I über Doktor Faust.
10 Über die Faust-Sage	J wird Fausts Seele gerettet.
11 Vor Goethes Zeit	K wurde schon vor seinem Tod berühmt.

Erfolgsrezept für junge Schriftsteller

Vielleicht haben Sie sich schon gefragt, wie die Autoren von Romanen, Filmdrehbüchern, Theaterstücken oder Fernsehserien immer auf die tollen Ideen für ihre Stoffe kommen. Nun, in Wirklichkeit ist das ganz einfach: Man braucht nur ein paar Wortlisten und zwei Würfel. Sie können es einmal mit Ihrem Nachbarn ausprobieren.

Sie haben unten 9 Listen mit je 11 Wörtern, die von 2 bis 12 durchnummeriert sind. Für jede Liste müssen Sie einmal mit beiden Würfeln würfeln; Sie erhalten dann eine Zahl zwischen 2 und 12. Schreiben Sie sich das entsprechende Wort auf.

Wenn Sie z.B. folgende Zahlen gewürfelt haben:

10 4 2   8 10 5   4 11 12

dann erhalten Sie die Wörter:

neugierig Lehrerin Brille Gras Ring finden Konferenz Chef erschießen

Nun brauchen Sie nur noch ein paar Artikel und Präpositionen hinzuzufügen und schon haben Sie die Grundidee für eine spannende Handlung, die Sie den anderen Kursteilnehmern vorstellen:

»Meine Geschichte handelt von einer neugierigen Lehrerin mit Brille, die im Gras einen Ring findet und auf einer Konferenz ihren Chef erschießt.«

Wählen Sie von allen Geschichten, die vorgestellt werden, die schönste aus und schreiben Sie dazu in Gruppen oder zu Hause eine vollständige Geschichte. Je ungewöhnlicher die Idee ist, desto spannender wird die Geschichte und umso größer der Erfolg! Das Beispiel oben könnte etwa so anfangen:

Der Ring im Gras

Die Sonne stand schon tief, als Vera Blümlein an diesem Herbstnachmittag das Haus ihrer Freundin Elisabeth verließ. Während sie den Garten vor dem Haus durchquerte, bemerkte sie plötzlich einen kleinen Gegenstand im Gras, auf den das letzte Sonnenlicht fiel. Neugierig hob sie das Ding auf …

LISTE 1	
2 blind	8 kräftig
3 arm	9 sympathisch
4 dünn	10 neugierig
5 höflich	11 still
6 konservativ	12 krank
7 zuverlässig	

LISTE 2	
2 Lehrling	8 Verbrecher
3 Fußgänger	9 Geschäfts-frau
4 Lehrerin	
5 Autofahrer	10 Briefträger
6 Zahnarzt	11 Ausländer
7 Feuerwehr-mann	12 Hausfrau

LISTE 3	
2 Brille	8 Beziehungen
3 Erklärung	9 Charakter
4 Fahrrad	10 Hut
5 Bart	11 Führerschein
6 Bauch	12 Diplom
7 Zahn-schmerzen	

LISTE 4	
2 Parkplatz	8 Gras
3 Garderobe	9 Mauer
4 Lift	10 Einwohner-meldeamt
5 Hafen	
6 Camping-platz	11 Toilette
	12 Küste
7 Ausländeramt	

LISTE 5	
2 Tasche	8 Handschuh
3 Geldschein	9 Taschentuch
4 Einschreiben	10 Ring
5 Hammer	11 Knopf
6 Markstück	12 Nachricht
7 Schachtel	

LISTE 6	
2 bekommen	8 aufheben
3 gewinnen	9 kriegen
4 verlieren	10 mitnehmen
5 finden	11 verkaufen
6 suchen	12 vergessen
7 stehlen	

LISTE 7	
2 Nebel	8 Abendessen
3 Fest	9 Versamm-lung
4 Konferenz	
5 Öffentlichkeit	10 Rückkehr
6 unterwegs	11 Wirtschaft
7 Gewitter	12 nachher

LISTE 8	
2 Partner	8 Bundeskanzler
3 Zeuge	9 Geschäfts-mann
4 Bürger-meister	
5 Vermieter	10 Besitzer
6 Mitarbeiter	11 Chef
7 Pferd	12 Politiker

LISTE 9	
2 schlagen	8 töten
3 überraschen	9 verletzen
4 begrüßen	10 missverstehen
5 treffen	11 kennen lernen
6 beleidigen	12 erschießen
7 beobachten	

Aus Goethes Faust

Der Tragödie erster Teil

3 38

Nacht
In einem hochgewölbten, engen gotischen Zimmer.
Faust unruhig auf seinem Sessel am Pulte.

FAUST. Habe nun, ach! Philosophie,
Juristerei und Medizin
Und leider auch Theologie
Durchaus studiert, mit heißem Bemühn.
Da steh ich nun, ich armer Tor!
Und bin so klug als wie zuvor;
Heiße Magister, heiße Doktor gar,
Und ziehe schon an die zehen Jahr
Herauf, herab und quer und krumm
Meine Schüler an der Nase herum –
Und sehe, daß wir nichts wissen können!
Das will mir schier das Herz verbrennen.
Zwar bin ich gescheiter als alle die Laffen,
Doktoren, Magister, Schreiber und Pfaffen;
Mich plagen keine Skrupel noch Zweifel,
Fürchte mich weder vor Hölle noch Teufel –
Dafür ist mir auch alle Freud entrissen,
Bilde mir nicht ein, was Rechts zu wissen,
Bilde mir nicht ein, ich könnte was lehren,
Die Menschen zu bessern und zu bekehren.
Auch hab ich weder Gut noch Geld,
Noch Ehr und Herrlichkeit der Welt;
Es möchte kein Hund so länger leben!
Drum hab ich mich der Magie ergeben,
Ob mir durch Geistes Kraft und Mund
Nicht manch Geheimnis würde kund;
Daß ich nicht mehr mit sauerm Schweiß
Zu sagen brauche, was ich nicht weiß;
Daß ich erkenne, was die Welt
Im Innersten zusammenhält…

die Bewerber

Lektion 15

Die PRÜFUNG

die Prüfungsangst

die Vorbereitung

der Fragebogen

die schriftliche Prüfung

die erlaubten Hilfsmittel

DUDEN

die unerlaubten Hilfsmittel

die mündliche Prüfung

nicht bestanden   bestanden

die Punktzahl 96

die Auswertung

1 Prüfungen

3 39-46

1. Hören Sie die Situationen auf der Kassette. Zu welchen Bildern passen die Hörtexte?

A zu ___   B zu ___   C zu ___   D zu ___   E zu ___   F zu ___   G zu ___   H zu ___

2. Beschreiben Sie die Prüfungssituationen.

a) Was für Prüfungen finden hier statt?

> Meisterprüfung – Lehrerexamen – medizinische Doktorprüfung – Lehrabschlussprüfung –
> Abitur – Führerscheinprüfung – Gesundheitsprüfung – TÜV –

b) Was wird auf den Bildern gerade gemacht?

c) Aus welchen Teilen bestehen die einzelnen Prüfungen?

> eine Doktorarbeit schreiben   Auto fahren
> eine | mündliche | Prüfung ablegen   einen handwerklichen Gegenstand herstellen
> | schriftliche | Probeunterricht in einer Schulklasse durchführen
> | praktische | …

d) Was dürfen die Prüflinge 1–6 tun, wenn sie die Prüfung bestanden haben? Wie dürfen
   sie sich dann nennen?

> eine Werkstatt aufmachen   Lehrlinge ausbilden
>   studieren   Kranke behandeln
> am Gymnasium unterrichten   allein Auto fahren
>   …

> Dr. med.
> Meister
> Studienrat

3. Berichten Sie: Haben Sie selbst schon eine dieser Prüfungen gemacht? Wie war das?

§ 29, 37 a

Amtliche Prüfungsfragen für Führerscheinbewerber

Achtung: Eine oder mehrere Antworten können richtig sein.

1. Wodurch werden nach einem Gewitterschauer die Sicht-verhältnisse auf diesem regennassen Straßenabschnitt beeinträchtigt?

☐ Durch aufgewirbeltes Wasser von vorausfahrenden Fahrzeu-gen.

☐ Durch Lichtspiegelungen auf der nassen Fahrbahn.

☐ Durch den geraden Straßenverlauf.

2. Warum ist das Befahren dieser ungleichmäßig beleuchte-ten Straße gefährlich?

☐ Entgegenkommende Fahrzeuge werden erst spät sichtbar.

☐ Schlecht beleuchtete Fahrzeuge sind in den Dunkelfeldern schwer zu erkennen.

☐ Fußgänger, die in einem Dunkelfeld die Straße überqueren, können leicht übersehen werden.

3. Wie können Sie ein Kleinkind möglichst sicher in Ihrem Pkw mitnehmen?

☐ Auf dem Rücksitz in einem dafür geeigneten Kindersitz.

☐ Auf dem Beifahrersitz in einem dafür genehmigten und für das Kind geeigneten Kindersitz.

☐ Auf dem Schoß einer vorn sitzenden Person.

4. Was müssen Sie bei diesem verkehrsberuhigten Bereich beachten?

☐ Sie dürfen nicht schneller als mit Schrittgeschwindigkeit fahren.

☐ Der Fahrzeugverkehr hat gegenüber Fußgängern Vorrang.

☐ Sie müssen auf spielende Kinder achten, da überall Kinder-spiele erlaubt sind.

5. Für welche Fahrzeuge ist das Befahren einer so beschilderten Straße verboten?

☐ Für Fahrzeuge, deren zulässige Achslast 8 t überschreitet.

☐ Für Fahrzeuge, deren tatsächliche Achslast 8 t überschreitet.

☐ Für Fahrzeuge, deren zulässiges Gesamtgewicht 8 t nicht überschreitet.

6. Womit müssen Sie rechnen?

☐ Die Kinder werden erst dann weiterspielen, wenn Sie vorbei-gefahren sind.

☐ Eines der Kinder könnte umkehren, um den Ball von der Fahrbahn zu holen.

☐ Das Kind, das nach rechts gelaufen ist, könnte umkehren, um den Anschluss an die Gruppe zu finden.

4. Welche Fragen und Antworten sind schwer zu verstehen? Warum?

Versuchen Sie, zusammen mit Ihrem Nachbarn einfachere Formulierungen zu finden.

Warum ..., wenn ...? – Weil ...

Fahrzeuge,	die ...,	dürfen	...
Fußgänger,		müssen	
Kinder,		kann	man
...		muss	

Welche Fahrzeuge dürfen ... nicht ...? – Fahrzeuge, die ...

3

PSYCHO-TEST

1

Sie sind zu einer Party eingeladen. Beginn ist 20.00 Uhr. Wann treffen Sie normalerweise ein?

a) Pünktlich natürlich. **0**

b) Gegen 21.00 Uhr, wenn alle schon da sind. **6**

c) Aus Rücksicht auf die gestressten Gastgeber um 20.15 Uhr. **3**

2

Wie feiern Sie Ihren Geburtstag am liebsten?

a) Mit einer großen Party, zu der ich alle Freunde, Bekannten und Kollegen einlade. **6**

b) Am liebsten gar nicht. **0**

c) Ganz romantisch mit meinem Partner. **3**

3

An Ihrem Arbeitsplatz läuft in letzter Zeit leider einiges schief. Sie ...

a) ... ärgern sich zusammen mit den Kollegen darüber. **3**

b) ... organisieren eine Krisensitzung mit allen Kollegen und dem / der Abteilungsleiter/in. **6**

c) ... nehmen erst mal Urlaub. **0**

4

Würden Sie gern mal bei einer Spielshow im Fernsehen als Kandidat/in mitmachen?

a) Nein, solche Shows finde ich furchtbar albern. **3**

b) Oh ja, sehr gern! Das würde mir großen Spaß machen. **6**

c) Zuschauen schon, mitmachen auf keinen Fall. **0**

5

Sie haben eine große Neuigkeit zu verkünden. Wie tun Sie es?

a) Ich platze damit heraus. **3**

b) Ich inszeniere die Verkündung, mache es spannend. **6**

c) Na, ganz normal und ohne großen Aufstand. **0**

6

Betrachten Sie aufmerksam unser Foto. Was für einen Eindruck macht die junge Frau auf Sie?

a) Kokett, ich denke, sie flirtet gerade mit jemandem. **3**

b) Sie macht einen verträumten Eindruck. **0**

c) Sie wirkt sehr selbstbewusst, ist sich ihrer Schönheit sicher. **6**

7

Fällt es Ihnen leicht, vor einer großen Gruppe zu sprechen?

a) Nein, leider nicht. Deswegen vermeide ich das auch immer. **0**

b) Ja, da laufe ich zur Höchstform auf. **6**

c) Ich reiße mich zwar nicht darum, aber wenn es sein muss, tue ich es. **3**

8

Sie erzählen Ihrer Freundin auf einer Party eine lustige Geschichte, da merken Sie, dass immer mehr Leute zuhören. Sie ...

a) ... schmücken die Geschichte noch extra etwas aus. **6**

b) ... lassen sich nicht beirren und erzählen einfach völlig ungerührt weiter. **3**

c) ... fangen an zu stottern und werden rot. **0**

Stehen Sie gern im Mittelpunkt?

Es gibt Menschen, die blühen erst richtig auf, wenn sie im Rampenlicht stehen. Anderen verschlägt es schon die Sprache, wenn sie in einer großen Gruppe unerwartet auf eine Frage antworten müssen. Ob Sie gern die Hauptrolle spielen, verrät Ihnen unser Test.

Zählen Sie nun bitte Ihre Punkte zusammen. Und lesen Sie die Testauswertung auf der nächsten Seite!

0 bis 13 Punkte

Es verunsichert Sie sehr, wenn alle Aufmerksamkeit plötzlich auf Sie gerichtet ist. Die Angst davor, sich lächerlich zu machen, verschlägt Ihnen dann erst mal die Sprache. Deswegen scheuen Sie sich davor, in einer großen Gruppe das Wort zu ergreifen. Auch wenn jemand Ihnen zusieht, geraten Sie aus dem Konzept. Warum befürchten Sie, den Erwartungen der anderen nicht gerecht zu werden? Dazu gibt es wirklich keinen Grund. Ihre Mitmenschen kochen auch nur mit Wasser und haben mehr Verständnis für Ihre Unsicherheiten, als Sie glauben. Zwingen Sie sich öfter mal, vor mehreren Leuten zu sprechen. So werden Sie sicher bald souveräner.

14 bis 31 Punkte

Sie drängeln sich nicht darum, im Mittelpunkt zu stehen, was aber nicht bedeutet, dass Sie es nicht ab und zu gern tun. Für Ihren „Auftritt" brauchen Sie nur das richtige Umfeld, sonst ist Ihr Lampenfieber zu stark, als dass Sie ihn genießen könnten. Von allen bewundert zu werden, macht Ihnen erst dann so richtig Spaß, wenn Sie auch davon überzeugt sind, dass Sie es verdient haben. Und zwar nicht durch Koketterie und leere Sprüche, sondern durch eine tolle Leistung. Sie nehmen dabei immer viel Rücksicht auf andere, so dass keiner das Gefühl hat, Sie glänzen auf seine Kosten. Deswegen ist Ihnen der „Beifall" Ihrer Mitmenschen auch stets sicher.

32 Punkte und mehr

Am wohlsten fühlen Sie sich, wenn Sie Mittelpunkt des Interesses sind und andere neben Ihnen verblassen. Dann sind Sie voll in Ihrem Element! Die Kunst, sich selbst in Szene zu setzen, beherrschen Sie perfekt. Ihr Selbstbewusstsein braucht den Beifall Ihrer Mitmenschen. Dabei merken Sie aber oft gar nicht, dass Ihnen Ihre Zuhörer nicht nur wohlgesonnen sind. Denn dadurch, dass Sie unbedingt im Blickpunkt stehen möchten, sind Sie manchmal rücksichtslos gegenüber Bekannten und Freunden. Die werden natürlich ärgerlich, wenn sie in Ihrer Gegenwart einfach nicht zu Wort kommen. Nehmen Sie ein bisschen mehr Rücksicht.

5. Lesen Sie die Testfragen.

a) Welche Testfragen behandeln
- das Verhalten der Testperson in typischen Situationen?
- die Vorlieben, Wünsche oder Träume der Testperson?
- die Einschätzung anderer Personen durch die Testperson?

b) Welcher Ergebnistext zeigt die sympathischste Persönlichkeit? Was macht diese Persönlichkeit sympathisch?

c) Welche Sätze enthalten eine Beschreibung des Charakters?   ... eine Beschreibung des Verhaltens?   ... eine Kritik?   ... einen Rat?

6. Stellen Sie selbst in Gruppen einen Persönlichkeitstest zusammen.

a) Erarbeiten Sie sechs bis acht Testfragen mit je drei möglichen Antworten. (Vielleicht finden Sie in „Themen neu" interessante Bilder oder Zeichnungen, die Sie dafür benutzen können.)

Hier einige Vorschläge für Test-Themen:

Sind Sie tolerant?
Sind Sie selbstsicher?
Sind Sie ein zuverlässiger Freund?
Sind Sie ein guter Verkehrsteilnehmer?
Sind Sie ein mutiger Mensch oder ein Angsthase?
Sind Sie sparsam oder verschwenderisch?
Haben Sie Chancen bei Männern / bei Frauen?

Wie verhalten Sie sich, | wenn ...?
Was würden Sie tun,
Was sagen Sie,
Haben Sie | schon einmal ...?
Sind Sie |
Wie oft ...?
Mit wem würden Sie am liebsten ...?
Was drückt dieses Bild aus?
...

b) Schreiben Sie drei Auswertungstexte je nach erreichter Punktzahl.

c) Lassen Sie den Test von den anderen Kursteilnehmern durchführen.

d) Diskutieren Sie anschließend über den Sinn und die Zuverlässigkeit solcher Tests.

Sadistische Rituale

Viele Firmen untersuchen vor einer Einstellung die Psyche der Kandidaten – mit fragwürdigen Methoden.

Bahnticket erster Klasse, Viersternehotel, förmliche Begrüßung – alles war vom Feinsten für die fünf Bewerber um eine freie Stelle bei der VHM-Versicherung. Aber dann ging alles plötzlich ganz schnell: Die Kandidaten sollten möglichst rasch einen Persönlichkeitstest bearbeiten und damit war auch schon Schluss.
In einem kurzen Einzelgespräch, so berichtet einer der Bewerber, wurde ihm mitgeteilt, dass er nicht eingestellt werde. Grund: Es mangele ihm an Eigenverantwortlichkeit, Offenheit, Gelassenheit und emotionaler Stabilität.
Fälle wie diesen haben die Psychologen Jürgen Hesse und Hans Christian Schrader gesammelt. In ihrem Buch „Das neue Test-Trainings-Programm" kritisieren sie die psychologischen Persönlichkeitstests, die bei Firmen in allen Branchen in Mode gekommen sind. Sie wollen Stellenbewerbern helfen, mit solchen Tests besser fertig zu werden.
Für die Bewerber sind viele dieser Tests eine Qual. Es geht dabei nicht einfach um logisches Denken und um Nervenkraft; nein, die Tests sollen die ganze Tiefe der Persönlichkeit ausleuchten – emotionale Stabilität, Kontaktfähigkeit, Leistungsbereitschaft und Aggressionspotential.
Eine Abiturientin, die sich um eine Ausbildungsstelle zur Industriekauffrau bewarb, wurde nach Problemen in ihrer Pubertät gefragt.
Ein Anwärter für eine Stelle im öffentlichen Dienst erhielt die Aufgabe, die Inschrift für seinen Grabstein zu entwerfen.
Bei einer Fluggesellschaft musste sich eine Bewerberin fünf Stunden lang testen lassen; anschließend ließ man sie zwei Stunden auf das Bewerbungsgespräch warten. Die erste Frage in diesem Gespräch: „Sind Sie jetzt nervös?"
Für die Autoren Hesse und Schrader sind solche Methoden „Intimschnüffelei, die ganz klar das Verhältnis von Arbeitgeber und Arbeitnehmer übersteigt." Dabei merken viele Bewerber gar nicht, dass es den Testern darum geht, Einblick in ihr Seelenleben zu erhalten. Die meist kurz mitgeteilte Auskunft, dass man für die Stelle nicht in Frage komme, trifft sie dann besonders hart.
Den Personalchefs geht es darum, aus der großen Zahl der Bewerber schnell und risikofrei den herauszufinden, der am besten ins Unternehmen passt. Experten warnen allerdings vor der unkritischen Testerei. „Die Vorstellung, dass da exakte Daten herauskommen, ist falsche Wissenschaftsgläubigkeit", sagt der Testspezialist Siegfried Grubitzsch.
Auch in der Art, wie die Tests angewandt werden, passieren haarsträubende Dinge. „Sadistische Rituale" nennt Jürgen Hesse das, was manchmal beim Umgang mit unterlegenen Bewerbern zu beobachten ist. Manche Personalchefs sind offenbar lernfähig. „Immer mehr Unternehmen", sagt Hesse, „begreifen, dass sie Bewerber anständig behandeln müssen." Auch die VHM-Versicherung hat ihren Test abgeschafft, auf Drängen des Betriebsrates. „Wir haben ihn", so die Personalabteilung, „durch einen neuen, besseren ersetzt."

7. Was passt zusammen?

1	Die Tests dienen dazu,	A wollen den Bewerbern helfen.
2	Diese Tests	B wollen die Bewerber nicht mehr auf diese Art testen.
3	Ein Testspezialist	C schnell den besten Bewerber zu finden.
4	Eine Bewerberin	D sollen Auskunft über die Persönlichkeit geben.
5	J. Hesse und H. Ch. Schrader	E warnen vor der Testerei.
6	Manche Personalchefs	F werden in manchen Firmen nicht korrekt behandelt.
7	Prüfungsexperten	G wurde fünf Stunden lang getestet.
8	Unterlegene Bewerber	H glaubt nicht, dass die Tests genaue Resultate liefern.

§ 49, 50

8. Was könnte man tun, wenn man einen solchen Test bearbeiten soll?

... nicht antworten
sich ... erkundigen
gleich ... verzichten
nicht ... teilnehmen
sagen, was man ... hält
sich ... ... beschweren
... keine Auskunft geben
... gar nicht eingehen
den Tester ... hinweisen
den Tester ... überzeugen
sich gut ... vorbereiten

... bitten
... diskutieren
... berichten

um einen anderen Test   über den Test
auf heikle Fragen
darauf, dass solche Tests nicht zuverlässig sind
auf manche der Fragen
auf die Bewerbung   von solchen Tests
über private Dinge   auf solche Tests   am Test
davon, dass der Test nicht zuverlässig ist   in einer Zeitung
mit dem Tester
nach dem Sinn des Tests   beim Betriebsrat

	ja	nein
1. Ich habe die Anleitung gelesen und bin bereit, jeden Satz offen zu beantworten.		
2. Ich bin immer guter Laune.		
3. Ab und zu lache ich über einen unanständigen Witz.		
4. Auch wenn ich mit anderen Leuten zusammen bin, fühle ich mich oft einsam.		
5. Ein Hund, der nicht gehorcht, verdient Schläge.		
6. Zwischen anderen und mir gibt es oft Meinungsverschiedenheiten.		
7. Wenn mich eine Fliege ärgert, bin ich erst zufrieden, wenn ich sie gefangen habe.		
8. Im Allgemeinen bin ich ruhig und nicht leicht aufzuregen.		
9. Ich sage nicht immer die Wahrheit.		
10. Mein Motto ist: Vertraue Fremden nie!		

	ja	nein
11. Ich bin im Grunde ein ängstlicher Mensch.		
12. Wenn man zwischen zwei Dingen zu wählen hat, ist es besser, sich schnell zu entscheiden, als sich Zeit zu lassen.		
13. Ich bin gegen mich selber härter als gegen andere.		
14. Ich brauche zwischendurch immer wieder kleine Erholungspausen.		
15. Meine Arbeitsleistungen sind nicht immer gleich.		
16. Manchmal schiebe ich auf, was ich sofort tun sollte.		
17. Man kann sich nur auf sich selbst verlassen.		
18. Es gibt nur wenige Dinge im Leben, die wichtiger sind als Geld.		
19. Es ist zwecklos, gegen den Willen der Vorgesetzten etwas durchsetzen zu wollen.		
20. Ich werde ungeduldig, wenn mir etwas nicht gelingt.		

21. Welche der drei Figuren entsteht aus der Faltskizze? ☐

22. Welche Räder drehen sich im Uhrzeigersinn? ☐ ☐ ☐

23. Wie muss die Reihe weitergeführt werden?

a) 7 10 13 16 ?
   ☐ 17 ☐ 18 ☐ 19

b) 0 1 1 2 3 5 ?
   ☐ 7 ☐ 8 ☐ 9

c) 24 19 23 21 22 23 ?
   ☐ 21 ☐ 19 ☐ 24

9. Aus einem Einstellungstest.

Welche der Fragen und Aufgaben sollen Auskunft geben über …

Einstellung zur Arbeit, Fleiß? – Selbstvertrauen? – logisches Denken? – Ehrlichkeit? – Aggressivität? – Fantasie und Kreativität? – Fähigkeit zur Zusammenarbeit? – Verantwortungsbewusstsein? – Karrieredenken? – Zuverlässigkeit?

10. Diskutieren Sie über die Fragen und Aufgaben.

Man kann sich doch gleich denken, was man antworten muss!
Muss man eigentlich über diese Dinge Auskunft geben?
Es ist doch meine Sache, ob ich …
Das geht doch den Arbeitgeber nichts an!
Unter diesen Bedingungen würde ich auf die Stelle verzichten!

Ganz interessant!
Ich weiß nicht, was ich davon halten soll.
Das muss eben sein.
Es kommt darauf an, dass man einen guten Eindruck macht!
Man braucht ja nicht die Wahrheit zu sagen!
Solche Aufgaben löse ich gern.
Da muss man sich halt anstrengen!

3 **47**

11. Nach dem Einstellungstest.

Hören Sie das Gespräch und beantworten Sie die Fragen.

1. Um was für eine Stelle hat
   Herr Engler sich beworben?
   ☐ Betriebspsychologe
   ☐ Professor
   ☐ Das wird nicht gesagt.

2. Was wurde mit dem Test geprüft?
   ☐ Seine Persönlichkeit
   ☐ Seine Gesundheit
   ☐ Seine Erfahrung

3. Wie fand Herr Engler sich in
   diesem Test?
   ☐ Gut
   ☐ Nicht so gut
   ☐ Schlecht

4. Wie findet ihn der Personalchef?
   ☐ Gut
   ☐ Nicht so gut
   ☐ Schlecht

5. Was war das Problem für Herrn Engler?
   ☐ Er konnte die gestellten Aufgaben nicht lösen.
   ☐ Er wusste nicht, worauf es bei den Aufgaben
     ankam.
   ☐ Er ist nicht intelligent genug für die Stelle.

Kummerkasten

Frau Dr.
Hiller
beantwortet
Ihre
Anfragen

Prüfungsangst

*Leserin: Mein Problem heißt
Prüfungsangst. Dabei weiß ich
gar nicht, wovor ich mich fürchte. Meine Eltern trösten mich
sogar bei jeder schlechten Note
(übrigens habe ich noch nie eine
Fünf geschrieben). Aber eigentlich ist das nicht mein einziges
Problem. Ich lerne fürchterlich
viel. Das hängt natürlich hauptsächlich mit der Prüfungsangst
zusammen, zu allem Unglück
aber bin ich auch noch ehrgei-
zig. Ich will in der Schule unbedingt gut sein. Und wenn ich mal
schlechter abgeschnitten habe,
als ich mir erhofft hatte, dann
geht es los: Depressionen und
Prüfungsangst. Was soll ich nur
tun, damit dies aufhört?*

12. Beantworten Sie den Leserbrief.

Sie könnten sich dabei an die folgenden Abschnitte
halten:

1. Abschnitt: Wie wirkt der Leserbrief auf Sie?

Deine Sorgen möchte ich haben!		
Ich kann Dein Problem gut verstehen, denn ...		
Mein	Sohn	... das genaue Gegenteil ...
Meine	Schwester	... auch ...
	...	

2. Abschnitt: Was könnte die Leserin tun?

Du solltest unbedingt	herausfinden, warum ...
	mit ... sprechen.
	...
An deiner Stelle würde ich ...	

3. Abschnitt: Sie hoffen, dass sie eine Lösung findet.

Ich bin	sicher,	dass ...
	überzeugt,	
Hoffentlich ...		

Nur für Liebhaber von klopfenden Herzen

Zehn goldene Regeln für Leute, die Aufregung vor Prüfungen lieben.

Manchmal hat man den Eindruck, es gibt Leute, denen es Spaß macht, vor Prüfungen völlig aus dem Häuschen zu geraten – jedenfalls tun sie alles nur irgend mögliche, was zu Prüfungsangst führt. Man kann schlecht glauben, dass nur Unwissenheit und keine Absicht dahintersteckt. Deswegen stehen hier für solche Spannungsliebhaber zehn goldene Regeln. Werden sie wirklich befolgt, dann kann man für eine Prüfungsangst garantieren, die zur internationalen Spitzenklasse zählt.

1 Nimm jede Prüfung dreimal so wichtig, wie sie ist.

2 Träume immer davon, dass du die Prüfung als Bester von allen bestehen wirst.

3 Erzähle auch der Putzfrau und dem Postboten ausführlich von deiner Prüfung – diese Leute haben ein Recht auf dein Seelenleben.

4 Glaube nur denen, die dir erzählen, wie furchtbar schwer die Prüfung sei, die du ablegen musst.

5 Erzähle allen, du schaffst es doch nicht, und glaube vor allem manchmal selbst daran.

6 Beginne mindestens sechs Wochen vorher, mit leidender Miene herumzulaufen – schließlich muss man sich rechtzeitig auf einen solchen Anlass vorbereiten.

7 Schiebe dagegen das Lernen möglichst lange hinaus. Drei Tage vorher ist auch noch Zeit.

8 Rauche vor der Prüfung vierzig Zigaretten am Tag, trinke mindestens acht Tassen Kaffee und lutsche Beruhigungstabletten. So kommt man in die richtige Stimmung.

9 Vergiss auch deine lächerliche normale Lebensweise. Lerne bis Mitternacht, wenn es dich sonst schon um acht Uhr ins Bett zieht. Zwinge dich mit eisernem Willen um sieben Uhr aus den Federn, wenn du normalerweise erst um elf Uhr munter wie ein Fisch bist.

10 Lass dir von deinen Mitmenschen so oft wie irgend möglich bestätigen, wie bedauernswert und schrecklich deine Lage ist.

Befolgt man diese Ratschläge, erlebt man vor der nächsten Prüfung sicher mehr an Nervenkitzel und Spannung als bei sämtlichen deutschen Kriminalfilmen und Fernsehkrimis zusammen.

13. Formulieren Sie in Gruppen zu jeder der 10 Regeln eine „Gegenregel".

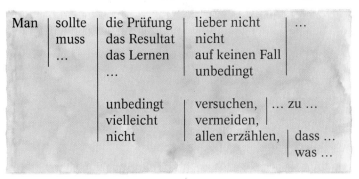

Man	sollte muss ...	die Prüfung das Resultat das Lernen ...	lieber nicht nicht auf keinen Fall unbedingt	...
		unbedingt vielleicht nicht	versuchen, vermeiden, allen erzählen,	... zu ... dass ... was ...

14. Berichten Sie.

Hatten Sie schon einmal Prüfungsangst? Was haben Sie dagegen getan?

6

§ 40

Manchmal wünscht man sich drei Köpfe

Wie man für Prüfungen lernt, ohne dabei auch noch den einzigen zu verlieren.

Prüfungen werden nicht dann entschieden, wenn sie abgenommen werden, sondern vorher – jedenfalls zu 90%. Nur ganz selten fällt eine Prüfung besser aus, als ihre Vorbereitungen hätten erwarten lassen.

Die Qualität der Vorbereitung kann man nicht einfach an den Arbeitsstunden messen. Sechs Wochen Lernen können zum Fenster hinausgeworfen sein, wenn man es ungeschickt anstellt – und ein oder zwei Stunden können genügen, wenn man das Richtige tut.

Voraussetzung ist, dass man das Köpfchen gebraucht, und zwar rechtzeitig. Damit sind wir schon beim Ersten, was man beachten muss:

Rechtzeitig anfangen.

Je früher man anfängt, desto besser. Natürlich soll man nicht übertreiben, aber diese Gefahr ist sicher gering; normalerweise fängt man viel zu spät an.

Am Anfang der Vorbereitung stehen vier Fragen:
– *Was wird in der Prüfung verlangt?*
– *Was kann ich davon bereits?*
– *Welches Wissen fehlt mir also noch?*
– *Was will und kann ich davon noch lernen?*

Hat man sich das ohne Illusionen, aber auch ohne falschen Pessimismus gefragt, dann versucht man möglichst objektiv zu schätzen, wie lange man für das Lernen braucht. Und die dabei erhaltene Zeit verdoppelt man dann.

Warum verdoppeln? Ganz einfach: Man unterschätzt den Arbeitsaufwand stets erheblich. Außerdem braucht man unbedingt eine Sicherheitsreserve, weil ja bekanntlich immer etwas dazwischenkommt. Zudem soll man vor Prüfungen nicht in höchstem Tempo lernen (womöglich elf Stunden täglich!), denn das ruiniert die Nerven so, dass man sein Wissen nachher gar nicht mehr anbringen kann. Und schließlich muss man mit dem Lernen nicht nur rechtzeitig anfangen, sondern auch das andere tun:

Rechtzeitig aufhören!

Das Hervorholen von Wissen wird nämlich gestört durch Lernprozesse, die erst kurze Zeit vorher stattgefunden

haben. Solche Störungen können manchmal sogar ganz erheblich sein.

Lernt man z. B. fünf Minuten vor einer Prüfung noch etwas (oder versucht es wenigstens), so kann es durchaus vorkommen, dass man danach in der Prüfung praktisch nichts mehr weiß von dem Stoff, obwohl man ihn eigentlich schon völlig beherrscht hatte. Das Gehirn ist dann nämlich mit dem Verdauen des zuletzt Gelernten völlig ausgelastet.

Je näher eine Prüfung kommt, desto weiter weg muss man deshalb das Lernmaterial verbannen.

Eiserne Regel für alle schriftlichen Prüfungen (und natürlich auch für größere mündliche): Am Tag der Prüfung wird kein Buch mehr angerührt! Bei größeren Prüfungen sollte man am Tag davor nichts mehr tun. Je bedeutender eine Prüfung ist und je größer das verlangte Wissen, desto früher sollte man mit dem Lernen aufhören.

Dieses Aufhören erfordert natürlich eine gewisse Überwindung. Kurz davor fallen einem ja immer noch so viele Dinge ein, die man unbedingt lernen müsste. Aber das ist Unsinn. Dieses Lernen in letzter Minute bringt nicht nur kaum etwas ein, weil man schon zu nervös ist; es ist auch meist gar nicht mehr so wichtig, wie man sich in seiner Aufregung einbildet. Aber vor allem schadet es viel mehr, als es nützt.

Kurz vor der Prüfung gibt es nur noch eine Tätigkeit, die sinnvoll ist: Nervenkosmetik.

Das wirksamste Mittel, zu verhindern, dass einem am letzten Abend einfällt, was man eigentlich alles noch zu lernen hätte, wurde schon genannt: Man muss sich rechtzeitig fragen:

Was wird verlangt?

Welche Anforderungen in der Prüfung gestellt werden, welcher Stoff verlangt wird, welcher nicht, in welcher Form geprüft wird, wieviel Zeit zur Verfügung steht, welche Hilfsmittel benutzt werden dürfen, usw. – diese Fragen, rechtzeitig gestellt und beantwortet, sparen später am meisten Zeit – und Nerven außerdem, was vielleicht noch wichtiger ist.

15. Vergleichen Sie die Ratschläge zur Prüfungsvorbereitung mit Ihren Regeln.

An welche Ratschläge hatten Sie noch nicht gedacht?
Welche Aussagen des Textes können Sie aus Erfahrung bestätigen?

16. Warum ist es falsch, bis zuletzt zu lernen und zu wiederholen?

Hermann Hesse beschreibt den Tag vor dem Examen

Es war nun soweit. Morgen früh sollte er mit seinem Vater nach Stuttgart fahren und dort im Landexamen zeigen, ob er würdig sei, durch die schmale Klosterpforte des Seminars einzugehen. Eben hatte er seinen Abschiedsbesuch beim Rektor gemacht.

„Heute abend", sagte zum Schluß der gefürchtete Herrscher mit ungewöhnlicher Milde, „darfst du nichts mehr arbeiten. Versprich es mir. Du mußt morgen absolut frisch in Stuttgart antreten. Geh noch eine Stunde spazieren und nachher beizeiten zu Bett. Junge Leute müssen ihren Schlaf haben."

Hans war erstaunt, statt der gefürchteten Menge von Ratschlägen so viel Wohlwollen zu erleben, und trat aufatmend aus dem Schulhaus.

[...]

Zerstreut erhob er sich von seinem Sitz und war unschlüssig, wohin er gehen sollte. Er erschrak heftig, als eine kräftige Hand ihn an der Schulter faßte und eine freundliche Männerstimme ihn anredete.

„Grüß Gott, Hans, gehst ein Stück mit mir?"

Das war der Schuhmachermeister Flaig, bei dem er früher zuweilen eine Abendstunde verbracht hatte, jetzt aber schon lang keine mehr. Hans ging mit und hörte dem frommen Pietisten ohne rechte Aufmerksamkeit zu. Flaig sprach vom Examen, wünschte dem Jungen Glück und sprach ihm Mut zu, der Endzweck seiner Rede war aber, darauf hinzuweisen, daß so ein Examen doch nur etwas Äußerliches und Zufälliges sei. Durchzufallen sei keine Schande, das könne dem Besten passieren, und falls es ihm so gehen sollte, möge er bedenken, daß Gott mit jeder Seele seine besondern Absichten habe und sie eigene Wege führe.

[...]

In der Kronengasse begegneten sie dem Stadtpfarrer. Der Schuster grüßte gemessen und kühl und hatte es plötzlich eilig, denn der Stadtpfarrer war ein Neumodischer und stand im Ruf, er glaube nicht einmal an die Auferstehung. Dieser nahm den Knaben mit sich.

„Wie geht's?" fragte er. „Du wirst froh sein, daß es jetzt soweit ist."

„Ja, 's ist mir schon recht."

„Nun, halte dich gut! Du weißt, daß wir alle Hoffnungen auf dich setzen. Im Latein erwarte ich eine besondere Leistung von dir."

„Wenn ich aber durchfalle", meinte Hans schüchtern.

„Durchfallen?!" Der Geistliche blieb ganz erschrocken stehen. „Durchfallen ist einfach unmöglich. Einfach unmöglich! Sind das Gedanken!"

„Ich meine nur, es könnte ja doch sein ..."

„Es kann nicht, Hans, es kann nicht; darüber sei ganz beruhigt. Und nun grüß mir deinen Papa und sei mutig!"

Hans sah ihm nach; dann schaute er sich nach dem Schuhmacher um. Was hatte der doch gesagt? Auf Latein käme es nicht so sehr an, wenn man nur das Herz auf'm rechten Fleck habe und Gott fürchte. Der hatte gut reden. Und nun noch der Stadtpfarrer! Vor dem konnte er sich überhaupt nimmer sehen lassen, wenn er durchfiel.

Aus Hermann Hesse: Unterm Rad

Grammatikübersicht

Nomen

§ 1 Wortbildung: Zusammengesetzte Nomen

⚠️ die Ban<u>k</u> → die Park<u>bank</u>   der Schirm → der Sonnen<u>schirm</u>

a) Nomen + Nomen

der Berggipfel	(der Gipfel des Berges)
die Parkbank	(die Bank im Park)
das Gemüsefeld	(das Feld für Gemüse)

Ebenso:
das Luftschloss, der Dachgarten, das Stadtzentrum, das Traumhaus, das Heimatgefühl …
Aber: die Kirch<u>e</u> + der Turm → der Kir<u>ch</u>turm

b) Nomen + | *-(e)s-* | *+ Nomen*
            | *-(e)n-* |

der Meeresstrand	(der Strand des Meeres)
die Blumenwiese	(die Wiese mit Blumen)
der Sonnenschirm	(der Schirm gegen die Sonne)

Ebenso:
die Verkehrslage, die Wohnungseinrichtung, das Straßenfest, die
Bauernmöbel *(Plural)* …

Auch möglich: Nomen + Nomen + Nomen
das Mieterschutzgesetz = das Gesetz zum Schutz der Mieter

c) Verb + Nomen

⚠️ wander<u>n</u> + der Weg → der Wanderweg
anleg<u>en</u> + die Stelle → die Anlegestelle

der Wanderweg	(der Weg, auf dem man wandern kann)
die Anlegestelle	(die Stelle, wo man anlegen kann)
das Paddelboot	(das Boot, das man mit einem Paddel vorwärts bewegt)

d) Adjektiv + Nomen

der Altbau (der alte Bau)   die Großstadt (die große Stadt)   das Hochhaus (das hohe Haus)

§ 2 Wortbildung: Nomen aus Verben

a) Nomen = Infinitiv eines Verbs

<u>Das Radfahren</u> ist hier verboten.   (Man darf hier nicht <u>Rad fahren</u>.)
<u>Zum Kochen</u> braucht man einen Herd.   (Mit einem Herd kann man <u>kochen</u>.)
<u>Das Überqueren</u> <u>der Gleise</u> ist verboten.   (Man darf <u>die Gleise</u> nicht <u>überqueren</u>.)

                    Genitiv   *Akkusativ*

b) Nomen = vom Verb abgeleitet

Verb auf -ieren:

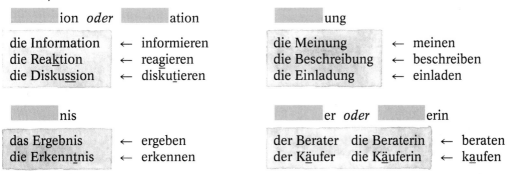

    ion *oder*   ation   ung

die Information	← informieren	die Meinung	← meinen
die Reaktion	← reagieren	die Beschreibung	← beschreiben
die Diskussion	← diskutieren	die Einladung	← einladen

    nis   er *oder*   erin

| das Ergebnis | ← ergeben | der Berater die Beraterin | ← beraten |
| die Erkenntnis | ← erkennen | der Käufer die Käuferin | ← kaufen |

Nomen = Verbstamm

| der Bau | ← bauen | der Versuch | ← versuchen |
| der Wunsch | ← wünschen | der Vorschlag | ← vorschlagen |

 der Flug ← fliegen   der Verlust ← verlieren

§ 3 Wortbildung: Nomen aus Adjektiven

a) Nomen = Adjektiv

| der Arme | ← der arme Mann | die Arme | ← die arme Frau |
| ein Armer | ← ein armer Mann | eine Arme | ← eine arme Frau |

① § 13 b)

b) Nomen = Adjektiv + -keit, -heit, -ität

Adjektiv auf -ig, -lich: keit

| die Schwierigkeit | ← schwierig |
| die Möglichkeit | ← möglich |

andere Adjektive: heit

die Schönheit	← schön
die Freiheit	← frei
die Krankheit	← krank

Adjektiv = Fremdwort: ität

die Realität	← real
die Formalität	← formal
die Anonymität	← anonym

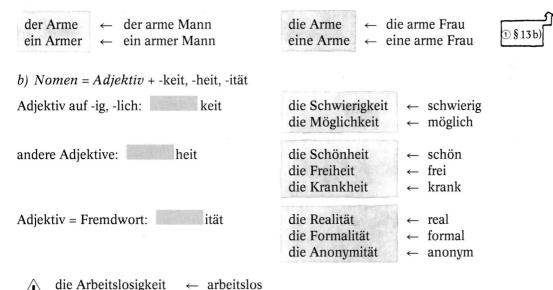

die Arbeitslosigkeit	← arbeitslos
die Süßigkeit	← süß
die Einsamkeit	← einsam

Adjektiv

§ 4 Wortbildung: Adjektive aus Nomen

a) Adjektive auf -ig, -lich, -isch *(von Nomen abgeleitet)*

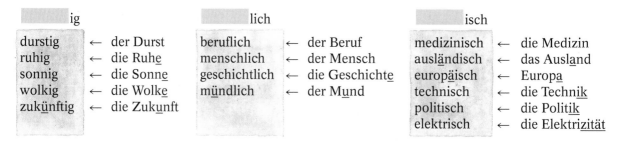

	ig			lich			isch	
durstig	←	der Durst	beruflich	←	der Beruf	medizinisch	←	die Medizin
ruhig	←	die Ruhe	menschlich	←	der Mensch	ausländisch	←	das Ausland
sonnig	←	die Sonne	geschichtlich	←	die Geschichte	europäisch	←	Europa
wolkig	←	die Wolke	mündlich	←	der Mund	technisch	←	die Technik
zukünftig	←	die Zukunft				politisch	←	die Politik
						elektrisch	←	die Elektrizität

b) Adjektive auf -los, -voll, -reich *(von Nomen abgeleitet)*

	los			voll	
sinnlos	(ohne Sinn)		sinnvoll	(mit Sinn)	
fantasielos	(ohne Fantasie)		fantasievoll	(mit Fantasie)	
wertlos	(ohne Wert)		wertvoll	(mit großem Wert)	
geistlos	(ohne Geist)				
erfolglos	(ohne Erfolg)			reich	

⚠ mutlos ↔ mutig

	reich	
geistreich	(mit viel Geist)	
erfolgreich	(mit Erfolg)	

§ 5 Wortbildung: Adjektive aus anderen Wortarten

a) Adjektive aus Verben

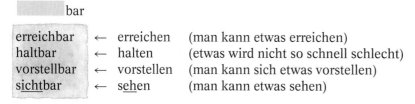

	bar		
erreichbar	←	erreichen	(man kann etwas erreichen)
haltbar	←	halten	(etwas wird nicht so schnell schlecht)
vorstellbar	←	vorstellen	(man kann sich etwas vorstellen)
sichtbar	←	sehen	(man kann etwas sehen)

b) Adjektive aus Adverbien

die	obere	Reihe	←	oben		die	innere	Landkarte	←	innen
die	untere	Reihe	←	unten		der	äußere	Gang	←	außen
das	hintere	Regal	←	hinten		der	rechte	Gang	←	rechts
das	vordere	Regal	←	vorn		die	linke	Seite	←	links

① § 16

§ 6 Wortbildung: Adjektive, die mit „un-" beginnen

unbekannt	= nicht bekannt
unsicher	= nicht sicher
unpersönlich	= nicht persönlich

unangenehm	= nicht angenehm
ungefährlich	= nicht gefährlich
unvorstellbar	= nicht vorstellbar

§ 7 Attributives Adjektiv nach Null-Artikel, „etwas"/„einige", „wenig(e)", „viel(e)"

Singular: *Nominativ*

–	frisch**er** Salat
etwas	gut**e** Wurst
wenig	fein**es** Brot
viel	

Akkusativ

–	frisch**en** Salat
etwas	gut**e** Wurst
wenig	fein**es** Brot
viel	

Dativ

mit	–	frisch**em** Salat
	etwas	gut**er** Wurst
	wenig	fein**em** Brot
	viel	

Plural: *Nominativ*

–	frisch**e** Salate
einige	gut**e** Würste
wenige	schön**e** Brote
viele	

Akkusativ

–	frisch**e** Salate
einige	gut**e** Würste
wenige	schön**e** Brote
viele	

Dativ

mit	–	frisch**en** Salaten
	einigen	gut**en** Würsten
	wenigen	schön**en** Broten
	vielen	

§ 8 Nominalisiertes Adjektiv nach Indefinitpronomen „etwas", „nichts", „viel", „wenig"

Hier gibt es	etwas Neu**es**.	(= einige neue Dinge)
	nichts Besonder**es**.	(= keine besonderen Dinge)
	viel Schön**es**.	(= viele schöne Dinge)

⚠ *Klein geschrieben:* Das ist etwas ander**es**.

Pronomen

§ 9 Reziprokpronomen

a) ohne Präposition

Sie besucht ihn.   Er besucht sie.   → Sie besuchen sich.
Sie hilft ihm.   Er hilft ihr.   → Sie helfen sich.

Weitere Verben mit Reziprokpronomen:

sich anschauen, sich ansehen, sich kennen lernen, sich lieben, sich treffen, sich wünschen …

b) mit Präposition

Sie lernen <u>miteinander</u>.　← Er lernt <u>mit</u> <u>ihr</u>, sie lernt mit <u>ihm</u>.

Sie lernen voneinander.　← Er lernt von ihr, sie lernt von ihm.

⚠ miteinander, voneinander, … = *1 Wort!*

§ 10　Relativpronomen

Nom.	Der Fluss,	<u>der</u> durch den Bodensee fließt,	heißt Rhein.	<u>Der</u> Fluss fließt…
Akk.		<u>den</u> wir einmal gesehen haben,		<u>Den</u> Fluss haben wir…
Dat.		in <u>dem</u> ich geschwommen bin,		In <u>dem</u> Fluss bin ich…
Gen.		<u>dessen</u> Ufer ich so schön finde,		Das Ufer <u>des</u> Flusses…

	Relativ-pronomen			*Zum Vergleich: definiter Artikel*

	Maskulinum	*Femininum*	*Neutrum*	*Plural*
	Der <u>Fluss</u>,	Die Insel,	Das Gebirge,	Die Städte,
Nominativ	<u>der</u>…	<u>die</u>…	<u>das</u>…	<u>die</u>…
Akkusativ	<u>den</u>…	<u>die</u>…	<u>das</u>…	<u>die</u>…
Dativ	<u>dem</u>…	<u>der</u>…	<u>dem</u>…	<u>denen</u>…
Genitiv	<u>dessen</u>…	<u>deren</u>…	<u>dessen</u>…	<u>deren</u>…

mit Präposition:

	Der Fluss	Die Insel,	Das Gebirge,	Die Städte,
Akkusativ	durch den…	durch die…	durch das…	durch die…
Dativ	von dem…	von der…	von dem…	von denen…

§ 11　Generalisierende Relativpronomen

<u>Was</u>	braucht man?	Man kann	<u>alles</u> <u>vieles</u> …	bekommen,	<u>was</u>	man braucht.

<u>Was</u>	gefällt einem nicht?	Man kann	<u>alles</u>	zurückschicken,	<u>was</u>	einem nicht gefällt.
<u>Worüber</u>	ärgert man sich?	Man sollte	<u>vieles</u>	kaufen,	<u>worüber</u>	man sich ärgert.
<u>Wofür</u>	…		…		<u>wofür</u>	…

Jeder, der ⎫
Jede, die ⎭ Einladungen verschiebt, verliert Freunde.

<u>Wer</u>　Einladungen verschiebt, verliert Freunde.

§ 12 Ausdrücke mit „es"

a) „Es" = echtes Pronomen (steht für ein Nomen oder einen Teilsatz)

Das Klima des Regenwaldes ist heiß und feucht.
Es ist für Pflanzen ideal.
Aber für den Menschen ist es sehr ungesund.

es *ist hier Personalpronomen für* das Klima des Regenwaldes.

Das Auto fährt.   Es fährt.   Er sagt nicht, dass er glücklich ist.   Er sagt es nicht.

b) „Es" = Subjekt (unpersönliches Pronomen; steht nicht für ein Nomen)

Es ist kalt.	Es klingelt.	Wie wäre es, wenn …?
Es ist dunkel.	Es klappt.	Es ist das erste/letzte Mal, dass …
Es ist laut.	Es dauert lange, bis …	Wie kommt es, dass …?
Es regnet.	Es wird Zeit.	Es kommt darauf an, dass …
Es schneit.	Wie geht es Ihnen/dir?	Es gibt … Es kommt zu …
Es ist Frühling.	Es geht.	Es geht um …
	Es geht los.	Es fehlt an …
	Wie spät ist es? Es ist neun Uhr.	Es muss nicht immer … sein.

c) „Es" = Ersatzsubjekt

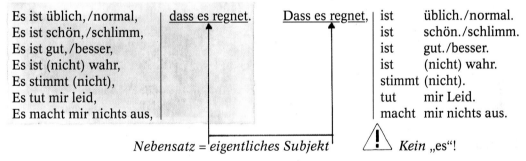

Es ist üblich,/normal,	dass es regnet.	Dass es regnet,	ist üblich./normal.
Es ist schön,/schlimm,			ist schön./schlimm.
Es ist gut,/besser,			ist gut./besser.
Es ist (nicht) wahr,			ist (nicht) wahr.
Es stimmt (nicht),			stimmt (nicht).
Es tut mir leid,			tut mir Leid.
Es macht mir nichts aus,			macht mir nichts aus.

Nebensatz = eigentliches Subjekt   ⚠ *Kein „es"!*

d) „Es" = Akkusativergänzung (unpersönliches Pronomen; steht nicht für ein Nomen)

Wir haben es nicht leicht.	Mach's gut!
Er hat es schwer.	Ich habe es eilig.
Ihr habt es gut.	Ich bin es leid, … zu … *(= Ersatz-Akkusativergänzung)*

e) „Es" = Ersatzwort im Vorfeld (bei Passivsätzen ohne Subjekt)

Es wird getanzt.
Es wird geschlafen.

Hier   wird getanzt.
Um neun Uhr   wird geschlafen.

Vorfeld anders besetzt   ⚠ *Kein „es"!*

Präposition

§ 13 Kasus bei Präpositionen

Wechsel-präpositionen		Präpositionen mit Akkusativ		Präpositionen mit Dativ		Präpositionen mit Genitiv	
an	+ *Akk.*	bis	+ *Akk.*	ab	+ *Dat.*	aufgrund	+ *Genitiv*
auf	*oder*	durch		aus		außerhalb	*(in der*
hinter	+ *Dativ*	für		außer		innerhalb	*Umgangs-*
in		gegen		bei		statt*	*sprache*
neben		ohne		entlang		trotz*	*auch mit*
über		um		gegenüber		während*	*Dativ)*
unter				mit		wegen*	
vor				nach			
zwischen				seit			
				von			
				zu			

§ 14 Lokale und temporale Bedeutungen von Präpositionen

Lokale Funktionen		*Temporale Funktionen*	
Wo?	an, auf, bei, hinter, in, neben, über, unter, vor, zwischen + *Dativ*	Wann?	gegen, um + *Akkusativ* in, nach, vor, zwischen + *Dativ* während + *Genitiv*
	an der Wand, auf dem Dach …		gegen Mittag, um 19.30 Uhr in einer Stunde, nach zwei Tagen, vor sieben Uhr, zwischen zwölf und halb eins während der Pause
Wohin?	an, auf, gegen, hinter, in, neben, über, unter, vor, zwischen + *Akkusativ* nach, bis (nach), zu, bis zu + *Dativ*	Wie lange?	über + *Akkusativ* bis, seit, von … bis (zu), + *Dativ*
	an die Wand, auf das Dach, … nach Bern, bis Genf, zum See, bis zur Brücke		über eine Stunde (noch) bis halb vier, (schon) seit gestern, vom Montag bis zum Mittwoch / von Montag bis Mittwoch
Woher?	aus, von + *Dativ*		
	aus der Schweiz, vom Bodensee		
auf welchem Weg?	durch, über, um + *Akk.*		
	durch Bonn, über München, um die Stadt herum		

§ 15 Präpositionen: Stellung ① § 27-30

a) Präposition + Nomen

um quer durch	+ *Nomen im Akkusativ*	Er wohnt gleich um die Ecke. Er geht um die Ecke. Wir fahren quer durch die Stadt.

gegenüber entlang nahe bei ab	+ *Nomen im Dativ*	Ich wohne gegenüber dem Park. Entlang dem Fluss gibt es schöne Wege. Die Kirche liegt nahe bei der Fabrik. Ab Karlsruhe nehmen wir die Autobahn.

außerhalb innerhalb aufgrund statt ° trotz ° während ° wegen °	+ *Nomen im Genitiv*	Wir wohnen außerhalb der Stadt. Sie wohnen innerhalb der Stadt. Aufgrund des Wandels gibt es Probleme. Statt des Weihnachtsmanns kommt das Christkind. Faust kommt trotz des Vertrags nicht in die Hölle. Während der Arbeit darf man nicht essen. Wegen der Allergie musste er aufhören zu arbeiten.

° *in der Umgangssprache auch mit Dativ*

b) Nomen + Präposition

Nomen im Dativ + gegenüber	Ich wohne dem Park gegenüber.

c) Präposition + Nomen + Präposition/Adverb

um + *Nomen im Akk.* + herum		Wir fahren um die Stadt herum.

an + *Nomen im Dativ* +	entlang vorbei	Ich gehe oft am Fluss entlang spazieren. Ich komme oft an der Brücke vorbei.
von + *Nomen im Dativ* +	aus	Wir fahren von der Schweiz aus nach Italien.

§ 16 Zeitausdrücke im Akkusativ ohne Präposition

		Wann?		Wie oft?	Wie lange?	
Hier regnet es	jeden Tag.	diesen	Monat	jeden Tag	den ganzen	Tag
Das dauert	den ganzen Tag.	letzten vorigen nächsten		alle drei Minuten	einen	

§ 17 „hin"/„her" + Präposition (Präpositionalpronomen)

Bewegung zum Ziel: „hin"

„hin"

Er steigt <u>auf</u> den Berg.	Er steigt <u>hinauf</u>.
Sie geht <u>unter</u> die Brücke.	Sie geht <u>hinunter</u>.
Wir gehen <u>über</u> die Straße.	Wir gehen <u>hinüber</u>.
Sie ist <u>ins</u> Haus gegangen.	Sie ist <u>hineingegangen</u>.
Er ist <u>aus</u> dem Haus gegangen.	Er ist <u>hinausgegangen</u>.

Bewegung zur Person, die spricht: „her"

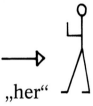

„her"

Er kommt <u>auf</u> den Berg.	Er kommt <u>herauf</u>.
Sie kommt <u>vom</u> Berg (herunter).	Sie kommt <u>herunter</u>.
Sie kommen <u>über</u> die Straße.	Sie kommen <u>herüber</u>.
Sie kommt <u>in</u> das Zimmer.	Sie kommt <u>herein</u>.
Er kommt <u>aus</u> dem Haus.	Er kommt <u>heraus</u>.
Er holt das Buch <u>aus</u> der Tasche.	Er holt es <u>heraus</u>.

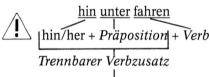

⚠ <u>hin</u> <u>unter</u> <u>fahren</u>
|hin/her + *Präposition* + Verb

① § 37

Trennbarer Verbzusatz

Er <u>fährt</u> jetzt <u>hinunter</u>.

§ 18 Nomen und Adjektive mit Präpositionalergänzung + Akkusativ

die Erinnerung	**an wen** **woran**
angewiesen sein	**auf wen** **worauf**
eine Demonstration ein Streik	**gegen wen** **wogegen**

eine Demonstration ein Streik Zeit notwendig sein dankbar sein gültig sein gut sein schlecht sein bekannt sein wichtig sein typisch sein	**für wen** **wofür**

enttäuscht sein froh sein glücklich sein eine Diskussion ein Gespräch eine Information ein Vertrag	über *Akkusativ*

§ 19 Nomen und Adjektive mit Präpositionalergänzung + Dativ

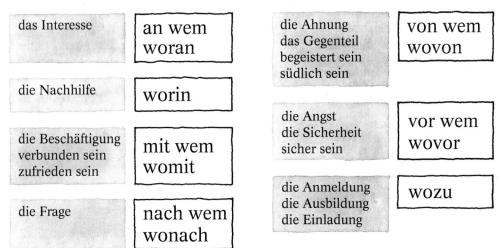

das Interesse	**an wem** **woran**
die Nachhilfe	**worin**
die Beschäftigung verbunden sein zufrieden sein	**mit wem** **womit**
die Frage	**nach wem** **wonach**

die Ahnung das Gegenteil begeistert sein südlich sein	**von wem** **wovon**
die Angst die Sicherheit sicher sein	**vor wem** **wovor**
die Anmeldung die Ausbildung die Einladung	**wozu**

Verben mit Präpositionalergänzung siehe Liste § 49 und § 50

Verb

§ 20   Futur I

ich	werde machen	wir	werden machen
du	wirst machen	ihr	werdet machen
er/sie/es	wird machen	sie/Sie	werden machen

Futur I =   werden + *Infinitiv*

Vorfeld	*Verb₁*	*Subjekt*	*Angabe*	*Ergänzung*	*Verb₂*
Die Leute	werden		lieber	zu Hause	bleiben.
Dann	werden	sie	wieder	Bücher	lesen.

Vermutung über die Zukunft oder Gegenwart:
Futur I, meistens + „wohl", „vielleicht", …

Ich werde wohl zu Hause bleiben. *(Zukunft)*
Klaus ist nicht da. Er wird (wohl) krank sein.
(Gegenwart)

Aussage über die Zukunft:
Futur I oder Präsens + Zeitangabe

Ich werde eine Reise machen.
Ich mache nächste Woche eine Reise.

§ 21 Plusquamperfekt

ich	hatte	gemacht	war	gefahren
du	hattest	gemacht	warst	gefahren
er/sie/es	hatte	gemacht	war	gefahren
wir	hatten	gemacht	waren	gefahren
ihr	hattet	gemacht	wart	gefahren
sie/Sie	hatten	gemacht	waren	gefahren

Plusquamperfekt = | *Präteritum von* | haben | *+ Partizip II* |
| | | sein | |

§ 22 Gegenwart und Vergangenheit im Text

1945 <u>war</u> die „Stunde Null". Sechs Jahre <u>hatte</u> der Weltkrieg <u>gedauert</u>; über 50 Millionen Menschen <u>waren</u> <u>gestorben</u>.

Beschreibung von vergangenen Ereignissen und Zuständen:
Präteritum: war, mussten … sorgen

Jetzt <u>mussten</u> die Frauen allein für sich und ihre Kinder <u>sorgen</u>, denn im Krieg <u>waren</u> viele Männer <u>gefallen</u> und viele <u>waren</u> noch nicht aus der Kriegsgefangenschaft <u>zurückgekehrt</u>.

Beschreibung von Ereignissen und Zuständen, die <u>schon damals</u> vergangen waren:
Plusquamperfekt: hatte … gedauert; waren … gestorben; waren … gefallen; waren … zurückgekehrt

In den sechziger Jahren <u>entstand</u> eine neue Partei. Diese Partei <u>setzt</u> <u>sich</u> seither für die Umwelt <u>ein</u>. Sie <u>hat</u> vielen Menschen <u>klargemacht</u>, dass wir die Umwelt schützen müssen.

Beschreibung von vergangenen Ereignissen und Zuständen:
Präteritum: entstand

Handlungen, die in der Vergangenheit angefangen haben und die heute noch fortgesetzt werden:
Präsens: setzt sich … ein

Handlungen, deren Ergebnis heute noch wichtig ist:
Perfekt: hat … klargemacht

§ 23 Konjunktiv I

a) Formen

	machen	fahren	wollen	müssen	werden	haben
ich	mache	fahre	**wolle**	**müsse**	werde	habe
du	machest	fahrest	wollest	müssest	werdest	habest
er/sie/es	**mache**	**fahre**	**wolle**	**müsse**	**werde**	**habe**
wir	machen	fahren	wollen	müssen	werden	haben
ihr	machet	fahret	wollet	müsset	werdet	habet
sie/Sie	machen	fahren	wollen	müssen	werden	haben

ich	-e
du	-est
er/sie/es	-e
wir	-en
ihr	-et
sie/Sie	-en

sein

sei
seist
sei
seien
seiet
seien

Wenn <u>Konjunktiv I</u> aussieht wie <u>Präsens Indikativ</u>, dann <u>Konjunktiv II</u>:

Ute schreibt, nächstes Mal ~~fahren~~ <u>führen</u> sie und Hans mit dem Zug.

⚠ *Gebrauch:* *sein: alle Formen*
wollen, <u>müssen</u>, <u>können</u>, <u>dürfen</u>, <u>sollen</u>: 1. und 3. Person Singular
<u>andere Verben</u>: nur 3. Person Singular; sonst Konjunktiv II
statt Konjunktiv I

b) Funktion

Direkte Rede:

Er sagt:	„Ich fahre."
Er sagte:	„Ich bin gefahren."
Er hat gesagt:	„Ich fuhr."
	„Ich werde fahren."
	„Fahr!"

Indirekte Rede:

Er sagt,	er fahre.
Er sagte,	er sei gefahren.
Er hat gesagt,	er sei gefahren.
	er werde fahren.
	ich solle fahren.

§ 24 Konjunktiv II von starken und unregelmäßigen Verben

① § 43

a) Formen

	kommen	fahren	müssen	rufen	haben	sein	werden
ich	käme	führe	müsste	riefe	hätte	wäre	würde
du	kämst	führst	müsstest	riefst	hättest	wärst	würdest
er/sie/es	käme	führe	müsste	riefe	hätte	wäre	würde
wir	kämen	führen	müssten	riefen	hätten	wären	würden
ihr	kämt	führt	müsstet	rieft	hättet	wärt	würdet
sie/Sie	kämen	führen	müssten	riefen	hätten	wären	würden

ich	-e
du	-(e)st
er/sie/es	-e
wir	-en
ihr	-(e)t
sie/Sie	-en

*Konjunktiv II der wichtigsten starken und unregelmäßigen Verben
(zum Vergleich mit Präteritum)*

Infinitiv	*Konjunktiv II*	*Präteritum*	*Infinitiv*	*Konjunktiv II*	*Präteritum*
sehen:	er sähe	sah	gehen:	er ginge	ging
finden:	er fände	fand	stehen:	er stünde/	stand
geben:	er gäbe	gab		er stände	
nehmen	er nähme	nahm	tun:	er täte	tat
tragen:	er trüge	trug			
schlafen:	er schliefe	schlief	denken:	er dächte	dachte
laufen:	er liefe	lief	bringen:	er brächte	brachte
schreiben	er schriebe	schrieb	wissen:	er wüsste	wusste

⚠ *Schwache Verben:*
Konjunktiv II = Präteritum:

machen:	er machte	machte
sagen:	er sagte	sagte

b) Vergleich: einfacher Konjunktiv II:

Ich <u>wünschte</u> mir ein Schloss, das
auf einem Berg <u>läge</u>.

Konjunktiv II mit „würde":

Ich <u>würde</u> mir ein Schloss <u>wünschen</u>, das auf
einem Berg <u>liegen</u> <u>würde</u>.

c) Gebrauch des Konjunktivs II:

– *Modalverben sowie* sein *und* haben:
Fast immer einfacher Konjunktiv II.

könnte / müsste / dürfte / wollte / sollte
wäre / hätte

– *Starke Verben:*
*Bei den häufigsten Verben mit
Umlaut einfacher Konjunktiv II;
sonst Konjunktiv II mit „würde".*

gäbe / fände / käme / sähe / ...

würde fliegen / würde schwimmen / ...

– *Schwache Verben:*
*Fast immer Konjunktiv II mit
„würde".*

würde arbeiten / würde sagen / ...

§ 25 Konjunktiv II der Vergangenheit

ich	hätte gemacht	wäre gekommen
du	hättest gemacht	wärst gekommen
er/sie/es	hätte gemacht	wäre gekommen
wir	hätten gemacht	wären gekommen
ihr	hättet gemacht	wärt gekommen
sie/Sie	hätten gemacht	wären gekommen

Konjunktiv II der Vergangenheit =

Konjunktiv II von haben
sein *+ Partizip II*

§ 26 Übersicht: „wenn"-Sätze

Wenn Hans die Kuh behält,	bekommt er Milch.	*Es ist jetzt oder in der*
	wird er Milch bekommen.	*Zukunft möglich.*

wenn + *Präsens*   → *Präsens oder Futur*

Wenn Hans die Kuh behielte,	bekäme er Milch.	*Es ist jetzt oder in der*

wenn + *Konj. II*   → *Konj. II*

Es ist jetzt oder in der Zukunft möglich, aber nicht wahrscheinlich.

Wenn Hans die Kuh behalten hätte,	hätte er Milch bekommen.

wenn + *Konj. II der Vergangenh.*   → *Konj. II der Vergangenh.*

Es wäre in der Vergangenheit möglich gewesen, ist aber nicht Realität geworden.

§ 27 Passiv

a) Passiv Perfekt

b) Zustandspassiv

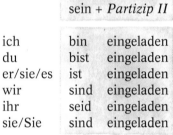

	sein + *Partizip II* + worden		
ich	bin	eingeladen	worden
du	bist	eingeladen	worden
er/sie/es	ist	eingeladen	worden
wir	sind	eingeladen	worden
ihr	seid	eingeladen	worden
sie/Sie	sind	eingeladen	worden

	sein + *Partizip II*	
ich	bin	eingeladen
du	bist	eingeladen
er/sie/es	ist	eingeladen
wir	sind	eingeladen
ihr	seid	eingeladen
sie/Sie	sind	eingeladen

① § 42

c) Vergleich: Passiv Perfekt und Zustandspassiv

Vorgang/Aktion:	Ich	<u>bin</u>	eingeladen	<u>worden</u>.	= Man hat mich eingeladen.
	Das Kleid	<u>ist</u>	genäht	<u>worden</u>.	= Man hat das Kleid genäht.
Zustand/Resultat:	Ich	<u>bin</u>	eingeladen.		= Ich habe eine Einladung.
	Das Kleid	<u>ist</u>	genäht.		= Das Kleid ist fertig.

⚠ Nicht verwechseln: Das Kleid wird genäht. = Man näht das Kleid jetzt gerade.
(Es ist noch nicht fertig.)
Das Kleid ist genäht.   = Das Kleid ist fertig.

d) Passiv mit Modalverb

Das Kleid	<u>kann</u>	jetzt	<u>genäht</u>	<u>werden</u>.	= Man kann das Kleid jetzt nähen.
Die Tür	<u>soll</u>	blau	<u>gestrichen</u>	<u>werden</u>.	= Man soll die Tür blau streichen.
Die Lampe	<u>musste</u>		<u>repariert</u>	<u>werden</u>.	= Man musste die Lampe reparieren.
Das Fenster	<u>durfte</u>	nicht	<u>geöffnet</u>	<u>werden</u>.	= Man durfte das Fenster nicht öffnen.

§ 28 Übersicht: Funktionen von „werden"

Peter	wird	Ingenieur.		werden + *Nomen*
Peter	wird	älter.		werden + *Adjektiv*
Peter	wird	28.		werden + *Altersangabe*
Peter	wird	Monika	einladen.	werden + *Infinitiv* = *Futur*
Monika	wird	von Peter	eingeladen.	werden + *Partizip II* = *Passiv*
Monika	würde	sehr gern	kommen, wenn …	würde + *Infinitiv* = *Konjunktiv II*

§ 29 Partizip I und II

a) Formen

Infinitiv	kaufen	warten	steigen	stehen	kommen	sein	① § 39
Partizip I	kaufend	wartend	steigend	stehend	kommend	seiend	
Partizip II	gekauft	gewartet	gestiegen	gestanden	gekommen	gewesen	

Partizip I = | *Infinitiv* + d |

b) Gebrauch: Partizipien als Adjektive

Partizip I	*Partizip II*
Die Preise steigen.	Die Preise sind gestiegen.
Ich ärgere mich über die steigenden Preise.	Ich ärgere mich über die gestiegenen Preise.
Der Wagen kommt von rechts.	Ich habe den Wagen vollgepackt.
Ich sehe den von rechts kommenden Wagen.	Ich habe einen voll gepackten Wagen.

§ 30 Modalverben

a) Perfekt der Modalverben

① § 35, § 48

Modalverb als Hilfsverb: Infinitiv   *Modalverb als Vollverb: Partizip II*

Ich habe das (nicht) tun	wollen.
	sollen.
	dürfen.
	müssen.
	können.
	mögen.
	brauchen.

Ich habe das (nicht)	gewollt.
	gesollt.
	gedurft.
	gemusst.
	gekonnt.
	gemocht.
	gebraucht.

Ich habe immer die Tafel putzen müssen.   Ich habe das auch immer gemusst.

b) „brauchen" als Modalverb

ich	brauche	<u>nicht</u> weit	<u>zu</u> fahren.
du	brauchst	<u>nichts</u>	einzupacken.
er/sie/es	brauch<u>t</u>	<u>kein</u> Hotel	<u>zu</u> bezahlen.
wir	brauch<u>en</u>	<u>nur</u> zu Hause	<u>zu</u> bleiben.
ihr	brauch<u>t</u>		
sie/Sie	brauch<u>en</u>		

brauchen +	nicht …	zu …
	nie …	
	nichts …	
	kein …	
	nur …	
	kaum …	

⚠ *Gehobene Sprache:*   Er braucht nicht zu kommen.
    Umgangssprache auch: Er braucht nicht kommen.

c) Zum Vergleich: „lassen" mit Verbativergänzung   ① §67

Im Fachgeschäft	kann	man sich	beraten	<u>lassen</u>.
Das Gehäuse	<u>lässt</u>	sich	abnehmen.	

d) Bedeutung der Modalverben

                        mit Verneinung

Befehl:	Er <u>muss</u> das tun.	
Befehl durch eine andere Person:	Er <u>soll</u> das tun.	

Verbot:	Er <u>darf</u> das <u>nicht</u> tun.
Verbot durch eine andere Person:	Er <u>soll</u> das <u>nicht</u> tun.

Unfähigkeit / keine Gelegenheit:	Er <u>kann</u> das <u>nicht</u> tun.

Fähigkeit / Gelegenheit:	Er <u>kann</u> das tun.
Erlaubnis:	Er <u>darf</u> das tun.
Rat:	Er <u>sollte</u> das tun. *(Konjunktiv II!)*

Kein Befehl:	Er <u>muss</u> das <u>nicht</u> tun. /
	Er <u>braucht</u> das <u>nicht zu</u> tun.

Vermutungen: unsicher:	Er <u>könnte</u> das getan <u>haben</u>.
ziemlich sicher:	Er <u>dürfte</u> das getan <u>haben</u>.
sehr sicher:	Er <u>muss</u> das getan <u>haben</u>.
Eine andere Person hat es gesagt:	Er <u>soll</u> das getan <u>haben</u>.

§ 31 „sein zu …" / „haben zu …" + Infinitiv

a) „sein zu …"

Bedeutung „man kann"

Auf dem Bild <u>ist</u> ein Junge <u>zu sehen</u>.	= Auf dem Bild kann man einen Jungen sehen.
In der Statistik <u>ist</u> nicht alles <u>zu lesen</u>.	= In der Statistik kann man nicht alles lesen.

Bedeutung „man muss"

Die Tür ist nachts zu schließen.	= Die Tür muss man nachts schließen.
Das Gerät ist immer auszuschalten.	= Das Gerät muss man immer ausschalten.

Vergleich:

Diese Lektion ist <u>leicht</u> zu lernen.	= Diese Lektion <u>kann</u> man leicht lernen.
Diese Lektion ist <u>unbedingt</u> zu lernen.	= Diese Lektion <u>muss</u> man unbedingt lernen.

b) „haben zu …"

Der Supermarkt zeigt, was er <u>zu bieten</u> <u>hat</u>.	= Der Supermarkt zeigt, was er bieten <u>kann</u>.
Was <u>hast</u> du mir <u>zu sagen</u>?	= Was <u>willst</u> / <u>musst</u> du mir sagen?
Das <u>hast</u> du nicht <u>zu bestimmen</u>!	= Das <u>kannst</u> / <u>darfst</u> du nicht bestimmen!
Diese Lektion <u>hast</u> du <u>zu lernen</u>!	= Diese Lektion <u>musst</u> du lernen!

§ 32 Positionsverben

a) Bedeutung im Satz

		Wo? ⇩		
Das Buch	<u>hat</u>	auf dem Tisch	<u>gelegen</u>.	
Ich	<u>habe</u>	auf dem Stuhl	<u>gesessen</u>.	
Ich	<u>habe</u>	vor dem Haus	<u>gestanden</u>.	
Das Bild	<u>hat</u>	an der Wand	<u>gehangen</u>.	
Der Schlüssel	<u>hat</u>	in der Tür	<u>gesteckt</u>.	

		Wohin? ⇩	
Ich	<u>bin</u>	nach Linz	<u>gefahren</u>.

		Wen? / Was? ⇩	Wohin? ⇩	
Ich	<u>habe</u>	das Buch	auf den Tisch	<u>gelegt</u>.
Ich	<u>habe</u>	mich	auf den Stuhl	<u>gesetzt</u>.
Ich	<u>habe</u>	mich	vor das Haus	<u>gestellt</u>.
Ich	<u>habe</u>	das Bild	an die Wand	<u>gehängt</u>.
Ich	<u>habe</u>	den Schlüssel	in die Tür	<u>gesteckt</u>.

			Wohin?	
Peter	<u>hat</u>	mich	nach Linz	<u>gefahren</u>.

b) Formen

Wo?	liegen	lag / hat gelegen
	sitzen	saß / hat gesessen
	stehen	stand / hat gestanden
	hängen	hing / hat gehangen
	stecken	steckte / hat gesteckt

Wen? Was?	Wohin?	legen	legte / hat gelegt
		setzen	setzte / hat gesetzt
		stellen	stellte / hat gestellt
		hängen	hängte / hat gehängt
		stecken	steckte / hat gesteckt

Wohin?	fahren	fuhr / <u>ist</u> gefahren

⚠ fahren — fuhr / <u>hat</u> gefahren

§ 33 Verben mit untrennbarem Verbzusatz „be-", „emp-", „ent-", „er-", „ge-", „ver-", „zer-"

Infinitiv	*3. Pers. Sing. Präsens*	*Perfekt*
beschäftigen	er be<u>schäf</u>tigt	er hat be<u>schäf</u>tigt
empfangen	er emp<u>fängt</u>	er hat emp<u>fan</u>gen
entwickeln	er ent<u>wi</u>ckelt	er hat ent<u>wi</u>ckelt
erfinden	er er<u>fin</u>det	er hat er<u>fun</u>den
gebrauchen	er ge<u>braucht</u>	er hat ge<u>braucht</u>
verändern	er ver<u>än</u>dert	er hat ver<u>än</u>dert
zerstören	er zer<u>stört</u>	er hat zer<u>stört</u>

① § 39

⇧   ⇧   →   ⇧

Betonung auf Verb<u>stamm</u> → *Partizip II <u>ohne</u> ge*

Weitere Verben:

be-	beachten, bedanken, bedeuten, begegnen, behalten, bekommen, …
emp-	empfehlen, empfinden
ent-	enthalten, entlassen, entscheiden, entschuldigen, entsprechen, entstehen
er-	erfahren, erfüllen, erhalten, erinnern, erklären, erkundigen, erlauben, erledigen, …
ge-	gefallen, gehören, gelingen, genießen, genügen, geschehen, gewinnen, gewöhnen, …
ver-	verbessern, verbinden, verbringen, verdienen, vergessen, …
zer-	zerbrechen, zerdrücken, zerreißen

§ 34 Verben mit untrennbarem Verbzusatz „durch-", „über-", „unter-", „wieder-"

Infinitiv	*3. Pers. Sing. Präsens*	*Perfekt*
durch<u>quer</u>en	er durch<u>quer</u>t	er hat durch<u>quer</u>t
über<u>leg</u>en	er über<u>leg</u>t	er hat über<u>leg</u>t
unter<u>halt</u>en	er unter<u>häl</u>t	er hat unter<u>halt</u>en
wieder<u>hol</u>en	er wieder<u>hol</u>t	er hat wieder<u>hol</u>t

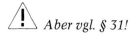   ⇧

Betonung auf Verb<u>stamm</u>   →   *Partizip II <u>ohne</u> ge*

Weitere Verben:

> überholen, übernachten, übernehmen, überqueren, überraschen, übersetzen, überweisen, überzeugen, unterbrechen, unterrichten, unterscheiden, unterstützen, untersuchen, ...

⚠ *Aber vgl. § 31!*

§ 35 Verben mit trennbarem Verbzusatz

	Infinitiv	*3. Pers. Sing. Präsens*	*Perfekt*
ab-	<u>ab</u>lehnen	er lehnt ...<u>ab</u>	er hat <u>ab</u>gelehnt
an-	<u>an</u>fangen	er fängt ...<u>an</u>	er hat <u>an</u>gefangen
auf-	<u>auf</u>hören	er hört ...<u>auf</u>	er hat <u>auf</u>gehört
aus-	<u>aus</u>machen	er macht ...<u>aus</u>	er hat <u>aus</u>gemacht
bei-	<u>bei</u>bringen	er bringt ...<u>bei</u>	er hat <u>bei</u>gebracht
durch-	<u>durch</u>führen	er führt ...<u>durch</u>	er hat <u>durch</u>geführt
ein-	<u>ein</u>kaufen	er kauft ...<u>ein</u>	er hat <u>ein</u>gekauft
fest-	<u>fest</u>stellen	er stellt ...<u>fest</u>	er hat <u>fest</u>gestellt
fort-	<u>fort</u>setzen	er setzt ...<u>fort</u>	er hat <u>fort</u>gesetzt
frei-	<u>frei</u>lassen	er lässt ...<u>frei</u>	er hat <u>frei</u>gelassen
her-	<u>her</u>stellen	er stellt ...<u>her</u>	er hat <u>her</u>gestellt
heraus-	<u>heraus</u>finden	er findet ...<u>heraus</u>	er hat <u>heraus</u>gefunden
herein-	<u>herein</u>kommen	er kommt ...<u>herein</u>	er ist <u>herein</u>gekommen
hin-	<u>hin</u>fallen	er fällt ...<u>hin</u>	er ist <u>hin</u>gefallen
hinaus-	<u>hinaus</u>gehen	er geht ...<u>hinaus</u>	er ist <u>hinaus</u>gegangen
hinein-	<u>hinein</u>gehen	er geht ...<u>hinein</u>	er ist <u>hinein</u>gegangen
mit-	<u>mit</u>kommen	er kommt ...<u>mit</u>	er ist <u>mit</u>gekommen
nach-	<u>nach</u>denken	er denkt ...<u>nach</u>	er hat <u>nach</u>gedacht
teil-	<u>teil</u>nehmen	er nimmt ...<u>teil</u>	er hat <u>teil</u>genommen
um-	<u>um</u>ziehen	er zieht ...<u>um</u>	er ist <u>um</u>gezogen
vor-	<u>vor</u>schlagen	er schlägt ...<u>vor</u>	er hat <u>vor</u>geschlagen

⬑*Betonung auf Verb<u>zusatz</u>* ⬏   →   *Partizip II <u>mit</u> ge* ⇧

	Infinitiv	*3. Pers. Sing. Präsens*	*Perfekt*
voraus-	voraussagen	er sagt …voraus	er hat vorausgesagt
vorbei-	vorbeifahren	er fährt …vorbei	er ist vorbeigefahren
weg-	weglaufen	er läuft …weg	er ist weggelaufen
weiter-	weiterarbeiten	er arbeitet …weiter	er hat weitergearbeitet
wieder-	wiederkommen	er kommt …wieder	er ist wiedergekommen
zu-	zumachen	er macht …zu	er hat zugemacht
zurück-	zurückgeben	er gibt …zurück	er hat zurückgegeben
zusammen-	zusammenfassen	er fasst …zusammen	er hat zusammengefasst

⬑ *Betonung auf Verbzusatz* ⬏ → *Partizip II mit ge* ⇧

⚠ *Verbzusätze, die bei manchen Verben trennbar, bei anderen untrennbar sind:*

durch-	durchführen	er führt …durch	er hat durchgeführt
	durchqueren	sie durchquert	sie hat durchquert
um-	umziehen	sie zieht …um	sie ist umgezogen
	umfassen	es umfasst	es hat umfasst
wieder-	wiedergeben	er gibt …wieder	er hat wiedergegeben
	wiederholen	er wiederholt	er hat wiederholt

Betonung auf Verbzusatz → *trennbar* → *Partizip II mit ge*
Betonung auf Verbstamm → *untrennbar* → *Partizip II ohne ge*

§ 36 Verben mit zwei Verbzusätzen

auf be-	auf be wahren	er bewahrt …auf	er hat aufbewahrt
vor be-	vor be reiten	er bereitet …vor	er hat vorbereitet
wieder ent-	wieder ent decken	er entdeckt …wieder	er hat wiederentdeckt
wieder er-	wieder er kennen	er erkennt …wieder	er hat wiedererkannt
be ab-	be ab sichtigen	er beabsichtigt	er hat beabsichtigt
be an-	be an tragen	er beantragt	er hat beantragt
be vor-	be vor zugen	er bevorzugt	er hat bevorzugt
ver ab-	ver ab reden	er verabredet sich	er hat sich verabredet
	ver ab schieden	er verabschiedet sich	er hat sich verabschiedet
ver an-	ver an stalten	er veranstaltet	er hat veranstaltet

Verb mit trennbarem + untrennbarem Verbzusatz → *Partizip II ohne ge*
Verb mit untrennbarem + trennbarem Verbzusatz → *Partizip II ohne ge*

Satzstrukturen

§ 37 Attribute

a) Vorangestellte Attribute  ① § 16

Adjektive

Der <u>kleine</u>	Junge ...
Eine <u>ganz alte</u>	Frau ...
Das <u>lustige</u>	Kind ...

Partizipien

<u>Verlockendes</u>	Fleisch ...
Die <u>von rechts kommenden</u>	Kunden ...
<u>Enorm gestiegene</u>	Preise ...

b) Nachgestellte Attribute ① § 4

Genitivattribute

Der Einfluss	<u>der Medien</u> ...
Die Welt	<u>der Kinder</u> ...
Das Thema	<u>des Deutschen Museums</u> ...

Präpositionale Attribute

Ein Mann	<u>mit einer blauen Badehose</u> ...
Die Frau	<u>auf dem Pferd</u> ...
Die Leute	<u>vor der Tür</u> ...

c) Vorangestelltes Attribut + Nomen + nachgestelltes Attribut

Ein	<u>kleiner dicker</u>	Mann	<u>mit einer blauen Badehose</u> ...
Die	<u>interessante</u>	Welt	<u>der Kinder</u> ...

d) Attribute im Satz

Vorfeld	Verb$_1$	Subjekt	Angabe	Ergänzung	Verb$_2$
Die <u>von rechts kommenden</u> Kunden	sehen		zuerst	das Fleisch.	
Der Verkäufer	bedient		zuerst	die <u>von rechts kommenden</u> Kunden.	
	Hast	du	irgendwo	einen Mann <u>mit einer blauen Badehose</u>	gesehen?
Ein Mann <u>mit einer blauen Badehose</u>	will		gerade	ins <u>eiskalte</u> Wasser	springen.
Gestern	ist	eine <u>ganz alte</u> Frau	vor dem Eingang <u>des Deutschen Museums</u>		gestorben.

Attribute sind selbst keine Satzglieder. Sie gehören zu einem Nomen und bilden zusammen mit dem Nomen ein Satzglied.

§ 38 Besetzung des Nachfelds

- *Lange Informationen, die den Satz zu kompliziert machen würden.*
- *Informationen, die einen schon gesprochenen Satz nachträglich verbessern sollen.*

Besonders:
a) <u>*Präpositionale Attribute*</u>*, die zu einer Ergänzung gehören;* ② § 37 b)

b) <u>*Vergleiche*</u> *(„... als ...“ oder „... wie ...“);*

c) *der zweite Teil von Ergänzungen mit* <u>*zweigliedrigen Konjunktoren*</u>*;* ② § 46

d) <u>*Alternativen*</u> *(„oder ...“);*

e) *Orts- und* <u>*Richtungsangaben*</u>*.* ① § 28

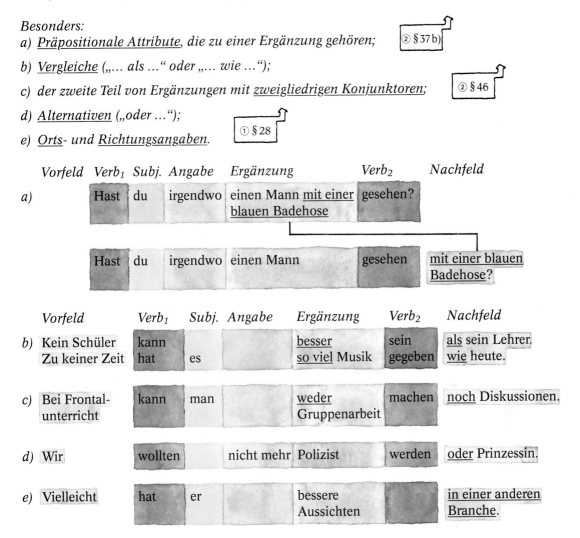

	Vorfeld	Verb₁	Subj.	Angabe	Ergänzung	Verb₂	Nachfeld
a)	Hast	du		irgendwo	einen Mann <u>mit einer blauen Badehose</u>	gesehen?	
	Hast	du		irgendwo	einen Mann	gesehen	<u>mit einer blauen Badehose?</u>

	Vorfeld	Verb₁	Subj.	Angabe	Ergänzung	Verb₂	Nachfeld
b)	Kein Schüler	kann	es		<u>besser</u>	sein	<u>als</u> sein Lehrer,
	Zu keiner Zeit	hat			<u>so viel</u> Musik	gegeben	<u>wie</u> heute.
c)	Bei Frontalunterricht	kann	man		<u>weder</u> Gruppenarbeit	machen	<u>noch</u> Diskussionen.
d)	Wir	wollten		nicht mehr	Polizist	werden	<u>oder</u> Prinzessin.
e)	Vielleicht	hat	er		bessere Aussichten		<u>in einer anderen Branche.</u>

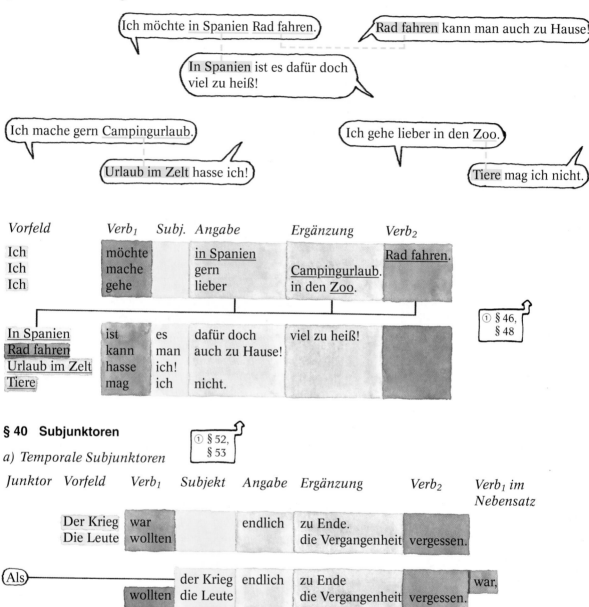

Ich möchte in Spanien Rad fahren.

Rad fahren kann man auch zu Hause!

In Spanien ist es dafür doch viel zu heiß!

Ich mache gern Campingurlaub.

Ich gehe lieber in den Zoo.

Urlaub im Zelt hasse ich!

Tiere mag ich nicht.

Vorfeld	Verb₁	Subj.	Angabe	Ergänzung	Verb₂
Ich	möchte		in Spanien		Rad fahren.
Ich	mache		gern	Campingurlaub.	
Ich	gehe		lieber	in den Zoo.	
In Spanien	ist	es	dafür doch	viel zu heiß!	
Rad fahren	kann	man	auch zu Hause!		
Urlaub im Zelt	hasse	ich!			
Tiere	mag	ich	nicht.		

① § 46, § 48

§ 40 Subjunktoren

① § 52, § 53

a) Temporale Subjunktoren

Junktor	Vorfeld	Verb₁	Subjekt	Angabe	Ergänzung	Verb₂	Verb₁ im Nebensatz
	Der Krieg	war		endlich	zu Ende.		
	Die Leute	wollten			die Vergangenheit	vergessen.	
Als			der Krieg	endlich	zu Ende		war,
		wollten	die Leute		die Vergangenheit	vergessen.	

Nebensatz: *gibt einen Zeitpunkt an*		*Hauptsatz:* *ist in Relation zu diesem Zeitpunkt ...*
		... gleichzeitig:
<u>Solange</u>	der Krieg dauerte,	hofften die Menschen auf Frieden.
<u>Während</u>	der Krieg weiterging,	starben Millionen Menschen.
<u>Als</u>	der Krieg zu Ende war,	waren die Menschen froh.
		... vorher:
<u>Bevor</u>	der Krieg zu Ende war,	starben Millionen Menschen.
<u>Ehe</u>	der Krieg zu Ende war,	fielen Millionen Soldaten.
		... nachher:
<u>Nachdem</u>	der Krieg zu Ende war,	mussten viele Menschen hungern.
<u>Seit</u>	der Krieg zu Ende war,	gab es vieles nur auf dem Schwarzmarkt.

b) Weitere Subjunktoren

Hauptsatz:	*Nebensatz:*	
Man sollte <u>so</u> früh anfangen zu lernen,	<u>dass</u>	man rechtzeitig fertig ist.
Man sollte früh genug anfangen zu lernen,	<u>da</u>	man viel wieder vergisst.
Man sollte nicht so tun,	<u>als ob</u>	man schon alles wüsste.
Man lernt am besten,	<u>indem</u>	man früh genug anfängt.

Nebensatz:	*Hauptsatz:*	
Je früher man anfängt zu lernen,	<u>desto</u>	besser ist es.
Je früher man anfängt zu lernen,	<u>um so</u>	schneller ist man fertig.

c) Übersicht: Subjunktoren

als	wie	
bevor	solange	① §54
bis	ehe	
damit	nachdem	
dass	so ..., dass	
ob	da	+ *Nebensatz*
obwohl	als ob	
seit	indem	
während	je ..., desto	
weil	je ..., umso	
wenn		

§ 41 Indirekter Fragesatz

a) Indirekte Wortfrage (mit Fragewort)

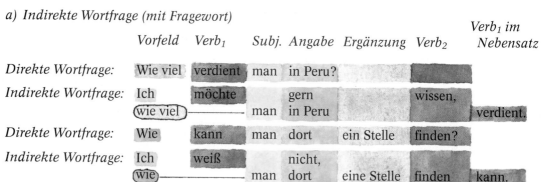

	Vorfeld	Verb$_1$	Subj.	Angabe	Ergänzung	Verb$_2$	Verb$_1$ im Nebensatz
Direkte Wortfrage:	Wie viel	verdient	man	in Peru?			
Indirekte Wortfrage:	Ich	möchte		gern		wissen,	
	(wie viel)		man	in Peru			verdient.
Direkte Wortfrage:	Wie	kann	man	dort	ein Stelle	finden?	
Indirekte Wortfrage:	Ich	weiß		nicht,			
	(wie)		man	dort	eine Stelle	finden	kann.

b) Indirekte Satzfrage (mit Subjunktor ob)

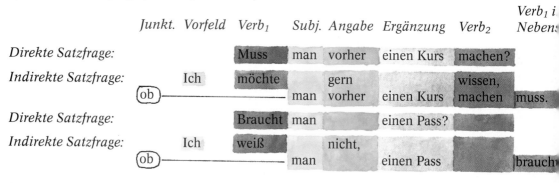

	Junkt.	Vorfeld	Verb$_1$	Subj.	Angabe	Ergänzung	Verb$_2$	Verb$_1$ i Neben:
Direkte Satzfrage:			Muss	man	vorher	einen Kurs	machen?	
Indirekte Satzfrage:		Ich	möchte		gern		wissen,	
	(ob)			man	vorher	einen Kurs	machen	muss.
Direkte Satzfrage:			Braucht	man		einen Pass?		
Indirekte Satzfrage:		Ich	weiß		nicht,			
	(ob)			man		einen Pass		brauch

§ 42 Relativsatz

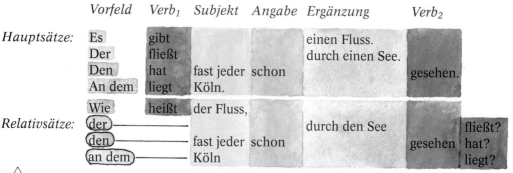

	Vorfeld	Verb$_1$	Subjekt	Angabe	Ergänzung	Verb$_2$
Hauptsätze:	Es	gibt			einen Fluss.	
	Der	fließt			durch einen See.	
	Den	hat	fast jeder	schon		gesehen.
	An dem	liegt	Köln.			
Relativsätze:	Wie	heißt	der Fluss,			
	(der)				durch den See	fließt?
	(den)		fast jeder	schon		gesehen hat?
	(an dem)		Köln			liegt?

⚠ *Der Relativsatz ist ein Nebensatz.*

① § 56,
② § 49

§ 43 Infinitivsatz mit Referenzwort im Hauptsatz

Er rät <u>von dem Beruf</u> ab.	Er rät <u>davon</u> ab, den Beruf zu ergreifen.
Er hat Freude <u>an dem Beruf</u>.	Er hat Freude <u>daran</u>, selbst etwas herzustellen.

abraten	<u>von</u>	+ *Nomen*	abraten	<u>davon</u>,	… <u>zu</u> …
Freude haben	<u>an</u>		Freude haben	<u>daran</u>,	

Das Kind lernt <u>gerade</u> laufen.	Es ist <u>dabei</u>, laufen zu lernen.

	sein	<u>dabei</u>, … <u>zu</u> …

§ 44 Infinitivsatz mit „um … zu …"

	Junkt.	Vorfeld	Verb₁	Subj.	Erg. Ang.	Ergänzung	Verb₂	Verb₁ im Nebensatz
Hauptsätze:		Simone	wollte		sich in L.	eine Stelle	suchen.	
		Sie	wollte		dort	ihr Glück	versuchen.	
Infinitivsätze mit um zu:	(um)	Simone	fuhr			nach L,		
	(um)				sich dort	eine Stelle	zu suchen.	
					dort	ihr Glück	zu versuchen.	
Zum Vergleich:		Neudels	wollen				auswandern(,)	
Infinitivsatz:	(um)					freier	zu leben.	
Nebensatz:	(damit)————			Herr N.		mehr Geld		verdient.

Jemand tut etwas,	um … zu …	*(sie oder er selbst!)*	→ *Gleiches Subjekt:*	um … zu …
	damit …	*(jemand anderes!)*	→ *Verschiedene Subjekte:*	damit …

§ 45 „Zum" + Infinitiv

	Junkt.	Vorfeld	Verb₁	Subj.	Ang.	Ergänzung	Verb₂	Verb₁ im Nebensatz
Nebensatz:	(Wenn)————			man			kochen	will,
			braucht	man		Wasser.		
		Zum Kochen	braucht	man		Wasser.		
(um zu + Inf.)	(Um)					Feuer	zu machen,	
			kann	man		Streichhölzer	benutzen.	
		Zum Feuer machen	kann	man		Streichhölzer	benutzen.	

§ 46 Zweigliedrige Konjunktoren

a) Übersicht

ohne Komma

> sowohl ... als auch ...
> entweder ... oder ...
> weder ... noch ...
> teils ... und teils ...

mit Komma

> nicht nur ..., sondern auch ...
> zwar ..., aber ...
> einerseits ..., andererseits ...
> teils ..., teils ...

b) Innerhalb eines Satzes:

ohne Komma

Man kann | sowohl | Gruppenarbeit | als auch | Diskussionen machen.

| entweder | | oder |

| weder | | noch |

| teils | | und teils |

mit Komma

Man kann | nicht nur | Gruppenarbeit, | sondern auch | Diskussionen machen.

| zwar | | , aber keine |

| einerseits | | , andererseits auch |

| teils | | , teils |

c) Zwischen zwei Hauptsätzen 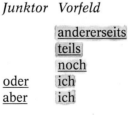 ① § 55

Vorfeld	Verb$_1$	Subj.	Verb$_2$	Junktor	Vorfeld	Verb$_1$	Subj.	Angabe	Verb$_2$
Einerseits	will	ich	wiederholen,		andererseits	will	ich		weiterlernen.
Teils	will	ich	wiederholen,		teils	will	ich		weiterlernen.
Weder	will	ich	wiederholen,		noch	will	ich		weiterlernen.
Entweder	will	ich	wiederholen,	oder	ich	will			weiterlernen.
Zwar	will	ich	wiederholen,	aber	ich	will		auch	weiterlernen.

§ 47 Unbetonte Dativergänzung und Akkusativergänzung: Reihenfolge im Satz.

Vorfeld	Verb$_1$	Subj.	Ergänzung			Ang.	Ergänzung	Verb$_2$
Ich	brauche					morgen	das Werkzeug.	
	Kannst	du		mir	das Werkzeug	morgen		bringen?
	Kannst	du		mir	das	morgen		bringen?
	Kannst	du	es	mir		morgen		bringen?
	Kannst	du		deinem Vater	das Werkzeug	morgen		bringen?
Ich	bringe			dir	das Werkzeug	morgen.		
Ich	bringe		es	dir		morgen.		
Morgen	bringe	ich		dir	das.			

Akkusativ: Personalpronomen	Dativ (Nomen oder Pronomen)	Akkusativ: Nomen oder Definitpronomen
1	2	3

Verben und Ergänzungen

§ 48 Verben mit Dativergänzung ① § 62

Wem?	antworten auffallen befehlen	Warum antwortest du <u>mir</u> nicht? Was fällt <u>Ihnen</u> hier auf? Du kannst <u>mir</u> nichts befehlen!

Weitere Verben mit Dativergänzung:

begegnen	gehorchen	nützen
danken	gehören	passen
dienen	gelingen	raten
einfallen	genügen	schaden
entsprechen	glauben	schmecken
fehlen	gratulieren	vertrauen
folgen	helfen	widersprechen
gefallen	leid tun	zuhören

§ 49 Verben mit Präpositionalergänzung (Präposition + Dativ) ① § 69

Woran?	teilnehmen	Er nimmt an einem Deutschkurs teil.

Woraus?	bestehen	Die Prüfung besteht aus drei Teilen.

Bei wem?	sich entschuldigen	Bei wem entschuldigt sie sich?

Wem?	Wobei?	helfen	Wem hat sie wobei geholfen?

Mit wem? Womit?	handeln reden sprechen	Herr Meier handelt mit Computerteilen. Mit ihm kann man nicht reden. Sprichst du mal mit dem Chef?

Weitere Verben mit Präpositional-
ergänzung „mit" + Dativ:

telefonieren	sich beschäftigen
zu tun haben	sich verabreden

Verb mit Akkusativergänzung und
Präpositionalergänzung „mit" + Dativ:

vergleichen

Nach wem? Wonach?	fragen suchen sich erkundigen	Herr Meier hat nach Ihnen gefragt. Wir suchen nach einer Lösung. Frau Meier hat sich nach dir erkundigt.

Worunter?	verstehen	Was versteht man unter einer Freizeitanlage?

Von wem? Wovon?	handeln erzählen sprechen	Das Buch handelt von einem Mann, der … Wovon erzählen sie? Von wem spricht er?

Was?	Von wem? Wovon?	erwarten halten	Was erwartet Hanna von dem Brief? Was halten Sie von diesem Buch?

Wen?	Wovon?	überzeugen	Er hat mich davon überzeugt, dass …

Vor wem? Wovor?	Angst haben warnen sich fürchten	Ich habe keine Angst <u>vor dem Chef</u>. Man sollte die Leute <u>vor solchen Tests</u> warnen. Marlies hat sich immer <u>vor dem Lehrer</u> gefürchtet.
Zu wem? Wozu?	dienen gehören kommen	<u>Wozu</u> dient diese Maschine? Ein Braten gehört <u>zum Weihnachtsfest</u>. Wie ist es <u>zu dieser Demonstration</u> gekommen?

Weiteres Verb mit Präpositional- ergänzung „zu" + Dativ:	passen
Verben mit Akkusativergänzung und Präpositionalergänzung „zu" + Dativ:	einladen gebrauchen
Verb mit Dativergänzung und Prä- positionalergänzung „zu" + Dativ:	gratulieren

§ 50   Verben mit Präpositionalergänzung (Präposition + Akkusativ)   ① § 68

An wen? Woran?	denken sich erinnern sich gewöhnen	Ich denke immer <u>an dich</u>. Frau Meier erinnert sich <u>an den Krieg</u>. Ich kann mich nicht <u>an die neue Arbeit</u> gewöhnen.
Auf wen? Worauf?	achten ankommen antworten	Achten Sie <u>auf die richtige Polarität</u>! Es kommt immer <u>auf die Persönlichkeit</u> an. Ich habe nicht <u>auf seine Frage</u> geantwortet.

Weitere Verben mit Präpositional- ergänzung „auf" + Akkusativ:	eingehen hinweisen hoffen hören	kommen schauen warten zutreffen	verzichten aufmerksam machen sich verlassen sich vorbereiten
Verb mit Akkusativergänzung und Prä- positionalergänzung „auf" + Akkusativ:	einstellen		

| Für wen?
Wofür? | sorgen
sich anmelden
sich bedanken | Die Frauen mussten allein <u>für die Kinder</u> sorgen.
Er hat sich <u>für die Prüfung</u> angemeldet.
Ich bedanke mich <u>für die Einladung</u>. |

Weitere Verben mit Präpositional-
ergänzung „für" + Akkusativ:

sich entscheiden, danken, demonstrieren, gelten,
sich entschuldigen, sein, sorgen, sparen, streiken

Verb mit Akkusativergänzung und Prä-
positionalergänzung „für" + Akkusativ:

halten

| Wogegen? | tun | Was kann man <u>gegen die Prüfungsangst</u> tun? |

Verb mit Akkusativergänzung
und Präpositionalergänzung
„gegen" + Akkusativ:

tauschen

| Über wen?
Worüber? | Auskunft geben
berichten
diskutieren | Geben Sie keine Auskunft <u>über private Dinge</u>!
Berichten Sie <u>über Ihre Hobbys</u>!
Wir diskutieren <u>über das Problem</u>. |

Weitere Verben mit Präpositional-
ergänzung „über" + Akkusativ:

klagen, sagen, sich beschweren, nachdenken,
sprechen, sich freuen, reden, sich informieren,
sich unterhalten, weinen

Verben mit Akkusativergänzung
und Präpositionalergänzung
„über" + Akkusativ:

denken   erfahren   erzählen

| Um wen?
Worum? | gehen
sich bewerben
sich handeln | Es geht <u>um die Menschen</u>.
Sie hat sich <u>um eine Stelle</u> bei der Bank beworben.
Es handelt sich hier <u>um eine „Obstmaschine"</u>. |

Weiteres Verb mit Präpositional-
ergänzung „um" + Akkusativ:

sich kümmern

Verb mit Akkusativergänzung und Prä-
positionalergänzung „um" + Akkusativ:

bitten

Alphabetische Wortliste

r Fotoapparat, -e 23
fragwürdig 178
frauenfeindlich 134
-frei 178
s Freibad, ⸚er 130
frei·geben *etw*$_A$
  gibt frei, gab frei,
  hat freigegeben 158
frei·lassen *jmd*$_A$
  läßt frei, ließ frei,
  hat freigelassen 110
freilich 112
Freilicht- 166
freiwillig 96
Freizeitmöglichkeiten
  (Plural) 46
e Freizügigkeit 84
e Fremde 76
e/r Fremde, -n (ein
  Fremder) 126, 129,
  179
r Fremdenverkehr 12,
  13
e Fremdsprache, -n 25
fressen *etw*$_A$ frisst,
  fraß, hat gefressen
  60
e Freundschaft, -en
  25
r Friede oder Frieden
  34, 38
r Friedhof, ⸚e 140
friedlich 18
frieren fror,
  hat gefroren 80
fristlos 70
froh 85, 164, 183
fröhlich 59
fromm 183
r Fronleichnam 156
e Front, -en 73
frontal 105
s Frühjahr 21
r Frühling 7, 12, 56
führen zu *etw*$_D$ 35;
  Gespräche 39

füllen *etw*$_A$ *mit etw*$_D$
  15
r Füller, - 152
fundiert 108
r Funk 156
e Funktion, -en 104,
  154, 155
fürchten *etw*$_A$ / *sich*$_A$
  vor jmd$_D$ 85, 103,
  121, 172, 180
fürchterlich 180
Futter 61

gähnen 146
e Galerie, -n 166
galoppieren ist
  galoppiert 120
r Gang, ⸚e 116, 117
e Gans, ⸚e 121, 122,
  142
e Garantie, -n 117,
  123, 181
e Gardine, -n 71
r Gasofen, ⸚ 23
e Gasse, -n 116, 183
e Gastfreundschaft, -en
  29
r Gastgeber, - 111,
  143, 144, 145, 146
e Gastlichkeit 144,
  145
r Gastwirt, -e 88
gaukeln 148
s Gebäck 115, 138,
  144
s Gebirge, - 12, 13
gebleicht 164
geborgen 73, 75
e Gebräuche *(Plural)*
  139
e Gebrauchsanwei-
  sung, -en 99, 155
e Gebühr, -en 110
s Gedenken 73
s Gedicht, -e 56

geduldig 120, 179
geeignet 175
gefächert 72
e Gefangenschaft 163
s Gefängnis, -se 78
s Geflügel 116
s Gefühl, -e 27, 28
gefühlsbetont 73
e Gegend, -en 67, 73,
  121, 139
gegenseitig 111
r Gegenstand, ⸚e 66,
  67, 91, 139, 142
s Gegenteil 54
gegenüber 67, 68, 71,
  73, 154
e Gegenwart 122, 165,
  177
s Gehäuse, - 142, 149,
  154, 155
s Geheimnis, -se 158,
  170, 172
gehemmt 146
s Gehirn, -e 182
gehorchen *jmd*$_D$ 179
gehörig 73
r Geist, -er 73, 139,
  146, 172
r Geistliche, -n 183
geizig 26
e Gelassenheit 178
e Gelegenheit, -en 97,
  99, 118, 123, 127
gelegentlich 124
s Gelenk, -e 164
gelingen *jmd*$_D$
  gelang, ist gelungen
  102, 144, 179
gelten für *jmd*$_A$ / *etw*$_A$
  gilt, galt, hat gegolten
  24, 28
e Gemäldegalerie, -n
  166
gemäß 154
e Gemeinde, -n 16, 61
e Gemeinschaft, -en 46

gemessen 183
s Gemüt, -er 73,
  135
r Gendarm, -en 75
genehmigt 175
r General, ⸚e 73
-genössig 73
genügen *jmd*$_D$ 170,
  182
e Geografie 73, 107,
  111
s Gepäck 20
e Gepäckversiche-
  rung, -en 20
gepr. = geprüft 108
gerebelt 142
gerecht 124, 134, 177
gering 182
e Germania 133
germanisch 73, 166
gerüstet 145
Gesamt- 73, 96, 175
r Gesangverein, -e 167
geschäftig 100
e Geschäftsführerin,
  -nen 25
e Geschäftsstelle, -n
  108
geschätzt 128
gescheit 172
s Geschenk, -e 99,
  133, 138, 140, 141
s Geschirr 117, 158
s Geschlecht, -er 47,
  145
r Geschmack, ⸚e 72,
  115
r Geselle, -n 92, 93
e Geselligkeit 145
e Gesellschaft, -en 40,
  47
gesetzt den Fall 75
gespannt 104
e Gestaltung 83, 110,
  156
r Gestank 65, 159

Quellenverzeichnis

Seite 8: A, B, D, E: Interfoto, München (Erik Liebermann, Lemonnier, Stede, Fritz Prenzel); *C:* Mauritius, Mittenwald (Thonig)

Seite 9: Wetteramt München

Seiten 11 und 14: Ruth Kreutzer, London

Seite 15: dpa *(von oben:* Rauchwetter, Tschanz-Hofman, Weihs)

Seite 17: Zeichnung: Ruth Kreutzer, London; *Fotos:* Jutta Müller, Jührdenerfeld

Seite 22: Bavaria-Verlag, Gauting (Kappelmeyer)

Seite 25: Bistro: Interfoto (Kay Sommer); *Florenz:* Erna Friedrich, Ismaning; *London:* © Woodmansterne Ltd., Watford

Seite 29: Globus Kartendienst, Hamburg

Seite 33: 1: dpa (Wörner); *3:* Keystone Pressedienst, Hamburg; *5:* dpa (Tschauner)

Seite 34: dpa (AF, Büttner, Thelen, Weissbrod, Obertreis, EP)

Seite 36: Bundeswappen: Bundesminister des Inneren, Bonn; *16 Länderwappen:* Interfoto, München

Seite 38: oben: Süddeutscher Verlag Bilderdienst; *unten:* dpa (Kumm)

Seite 39: oben: Keystone, Hamburg

Seite 40: Menschen auf der Mauer: dpa; *alle anderen:* Keystone, Hamburg

Seite 41: links oben: Keystone; *alle anderen:* dpa (Baum, Holzschneider, Hoffmann)

Seite 46: roebild, Frankfurt a. M.

Seite 47: links: Statistisches Bundesamt; *rechts:* Globus-Kartendienst

Seite 50: Mit freundlicher Genehmigung durch Frau und Herrn Gernandt

Seite 51: oben: kleines Foto: mit freundlicher Genehmigung durch Frau und Hern Manhart, Lohhof; *großes Foto:* Ch. Burchardt, Lohhof; *Fotos unten:* Mit freundlicher Genehmigung durch Frau und Herrn Bauer, Ismaning

Seite 56: Rilke, „Herbsttag", aus: Werke in 3 Bänden, © Insel Verlag, Frankfurt a.M. 1966; *Brecht, „Der Rauch", aus:* Gesammelte Werke, © Suhrkamp Verlag, Frankfurt a.M. 1967; *Hesse, „Vergänglichkeit", aus:* Die Gedichte, © Suhrkamp Verlag, Frankfurt a.M. 1977

Seite 59: Bettina Böhmer, München

Seite 60/61: Anna Wimschneider, „Herbstmilch", © Piper Verlag, München

Seite 62: Taurus Film, Unterföhring

Seite 72: Foto links: IKEA Deutschland; *rechts:* Schröder Möbelwerk, Langenberg. *Text „Die Nesthocker":* Thüringer Tagblatt, 10.10.1991

Seite 73: aus: Duden – Das große Wörterbuch der deutschen Sprache in 6 Bänden *und* Brockhaus Enzyklopädie in 24 Bänden. Bibliographisches Institut Brockhaus AG, Mannheim; *Foto:* Sessner, Dachau

Seite 74: Zeichnung: Ludwig Richter *aus:* Verlag Rogner & Bernhard, Hamburg

Seite 75: Juliane Herlyn und Juliane Schulz-Gibbins. Zeitmagazin, Nr. 14. 2. April 1993, Seite 16

Seite 80: Karte: Schöning-Verlag, Lübeck; *Text:* Scala Jugendmagazin 12/83

Seite 82: Karte: Werner Bönzli, Reichertshausen

Seite 83: Augsburger Allgemeine, 14.1.1992. © Thomas Wolgast, Hamburg

Seite 84: Foto: Horst Siemers, Nettetal; *Text:* Scala 1/93, Societäts-Verlag, Frankfurt

Seite 85: Foto: M. + J. Tietzen, Trier

Seite 86: Text gekürzt aus: Bunte Nr. 33/92, Burda Syndication, München

Seite 88: aus: Josef von Eichendorff, „Aus dem Leben eines Taugenichts"

Seite 91: Foto: Bayerischer Rundfunk, München

Seite 92: Foto: Hans Dieter Stöss, Bielefeld; *Text:* Thomas Güntter, Bielefeld

Seite 93: Foto: Hartmut Aufderstraße, Bereldange, Luxemburg

Seite 94: Willy Bogner Moden, München

Seite 96: Foto: dpa; *Texte:* Frankfurter Allgemeine Zeitung, 3.5.93 + 10. 8.93; Neue Westfälische, Bielefeld, 15.9.93 + 1.11.93

Seite 100: © Max von der Grün, Dortmund

Seite 104: Text: Karl-Reinhold Platzer. *Abdruck (gekürzt) aus:* S wie Schule – Nr. 1/81, Herausgeber: Kultusministerium des Landes Nordrhein-Westfalen

Seite 105: Text ausgewählt und adaptiert nach: Frederic Vester, „Denken, Lernen, Vergessen". © 1975 Deutsche Verlagsanstalt GmbH, Stuttgart

Seite 106/107: Text: Auszug, leicht adaptiert, aus: Rolf Dieckmann / Marlies Prigge, „Schulbildung heute – Hätten Sie's gewußt?". STERN 44/1989, S. 44-50

Seite 108: leicht gekürzt aus: Trierischer Volksfreund, 17./18.4.93

Seite 110: Text: „Una birra", *in:* Der Spiegel, 28.10.1985

Seite 112: Text: Bertolt Brecht, Gesammelte Werke © Suhrkamp Verlag, Frankfurt am Main 1967; *Foto:* Bilderdienst Süddeutscher Verlag, München

Seite 114: oben von links: Landesbausparkasse München; Stuttgarter Lebensversicherung, Stuttgart; Wella, Darmstadt; *Mitte von links:* Wella, Darmstadt; op Couture Brillen (Gazal), München; Flensburger Brauerei, Flensburg; Liebherr Hausgeräte, Ochsenhausen; *unten von links:* Adam Opel AG, Rüsselsheim; Henkel Waschmittel, Düsseldorf; Margaret Astor (Adidas), Mainz

Seite 116: *stark gekürzt und leicht verändert nach:* Die Architektur des Konsums. STERN 42/1991, S. 196ff; *Foto:* Bernd Hoff, Essen

Seite 118: *Grafik:* Globus-Grafik, Hamburg. *Text: gekürzt nach:* Günther M. Wiedemann, „Inmitten des Wohlstands". Kölner Stadt-Anzeiger, 18.1.92. *Foto oben rechts:* Rudolf Wichert, Düsseldorf

Seite 120/121: *nach:* Märchen der Brüder Grimm

Seite 124: *Text aus:* Schulfernsehen Hessen, Wirtschaft–Politik–Recht. Lerneinheit: Einführung in wirtschaftliche Grundtatbestände. Hg. vom Hessischen Kultusminister. Wiesbaden 1975. *(Hier zitiert nach:* Lesebuch 9, Diesterweg 1987, S. 144f.)

Seite 134: *Text „Ein Vater ...":* Douglas R. Hofstadter, Metamagicum. Fragen nach der Essenz von Geist und Struktur. Aus dem Amerik. von Thomas Niehaus, Urlich Enderwitz, Monika Noll, Rüdiger Hentschel und Hermann Feuersee. © 1985 by Basic Books, Inc., Klett-Cotta, Stuttgart 1988. Text *„Zwei Kinder ...":* Muttersprache frauenlos? Hrg. Hans Bickes, Margot Brunner. Rathausdruckerei Wiesbaden, 1992, S. 45

Seite 136: „Sketche und Einakter für Feste und Feiern". Verlag Reinhold von Grafenstein 1987, S. 192f.

Seite 138: Mitte: Ludwig Richter; *unten:* Nork, Festkalender, Stuttg. 1847

Seite 139: Mitte: Ludwig Richter; *unten: aus* „Von deutscher Sitt und Art", München 1908

Seite 140: *Taufe:* Hofmüller, Ismaning; *Konfirmation:* Meisel, Ismaning; *Erstkommunion:* Hofmüller, Ismaning

Seite 142: *Die städtische Küche 1890. Aus:* „Die anständige Leut". Ausstellung im Stadtmuseum München 1993. Katalog

Seite 145: *Aus:* Sybill Gräfin Schönfeldt, 1x1 des guten Tons. © 1987 Mosaik Verlag GmbH, München

Seite 156/157: Deutsches Museum, München

Seite 158: Ray Bradbury, Die Mars-Chroniken. Roman in Erzählungen. © 1981 by Diogenes Verlag AG, Zürich

Seite 160: Loriot. Jubiläumsband zum 70. Geburtstag des Künstlers. © 1993 by Diogenes Verlag AG, Zürich

Seite 162: *Trümmerfrauen, Studentendemonstration, „Persilschein", Rauchende Schlote:* Keystone, Hamburg; *Kranker Wald, Mauerbau, Sitzblockade, Ende des 2. Weltkriegs:* dpa

Seite 164: *aus:* Trude Unruh: Trümmerfrauen. Biografien einer betrogenen Generation.

Seite 166: *Theater:* Szene aus „Faust"; © Oda Sternberg, München; *Ludwig-Museum, Köln:* Interfoto, München (Büth); *Festspiel:* Bavaria Bildagentur, Gauting (Schmachtenberger)

Seite 167: *Konzert:* Münchner Philharmoniker: Werner Neumeister, München; *Ballett:* Bavaria Bildagentur, Gauting (Alexandre)

Seite 175: *aus:* Die aktuellen Prüfungsfragen und Prüfungsbogen für den Führerschein Klasse 3. Falken-Verlag, Niedernhausen/Ts. 1994

Seite 176/177: *aus:* das neue 20/94, Heinrich Bauer Verlag, Hamburg

Seite 178: Spiegel Nr. 36/1991, S. 153

Seite 180: „stafette" 6/82

Seite 181/182: *aus:* Kugemann, „Kopfarbeit mit Köpfchen". Verlag J. Pfeiffer, München 1966

Seite 183: *aus:* Hermann Hesse, Gesammelte Werke in zwölf Bänden, Zweiter Band, Unterm Rad, Diesseits, suhrkamp taschenbuch 1600

Übrige Fotos: Werner Bönzli, Reichertshausen (Seite 41 unten, 44, 56, 57, 58, 68, 69, 74, 110, 115, 140, 145, 154, 155, 167, 168, 176, 180); Christian Regenfus, München (Seite 20, 24, 27, 28, 33 Nr. 2, 4, 6 und 7, 37, 53; Reichler, Garching (Seite 71, 81, 86, 103, 119, 123, 126, 143, 151, 152, 159, 165)

Lösungen von Seite 37, Politik-Quiz:

1b, 2a, 3a, 4b, 5c, 6b, 7c, 8b (1995)